FLÄMISCHE MALEREI

FLÄMISCHE MALEREI

im Kunsthistorischen Museum Wien

Arnout Balis, Frans Baudouin, Klaus Demus,
Nora De Poorter, Hans Devisscher, Dirk De Vos, Wolfgang Prohaska,
Karl Schütz, Marc Vandenven, Carl Van de Velde,
Paul Verbraeken, Hans Vlieghe

SVInternational

Schweizer Verlagshaus

Zürich

Übersetzungen:
Helga von Beuningen, Yvette Delbeke,
Magda van Emde Boas, Barbara Heller

Farbaufnahmen:
Walter Wachter, Schaan

Schwarzweißaufnahmen:
Kunsthistorisches Museum Wien,
ausgenommen diejenigen zu den
Abbildungen 48 und 58:
Sammlungen des Fürsten von Liechtenstein, Vaduz

Gestaltung:
Ewald Graber, Bern

Redaktion:
Rotraut Krall, Wien,
für die ins Deutsche übersetzten Texte:
Paul Johannes Müller, München

Satz:
Lannoo n.v., Tielt Belgien

Lithos:
Scan 2000, Bilbao

Druck und Bindung:
Lannoo n.v., Tielt Belgien

CIP-Titelaufnahme der Deutschen Bibliothek

Flämische Malerei im Kunsthistorischen Museum Wien /
Arnout Balis... [Übers.: Helga von Beuningen...]. - Zürich:
SV Internat., Schweizer Verl.-Haus, 1989

Einheitssacht.: Peinture flamande <dt.>
ISBN 3-7263-6542-7

NE: Balis, Arnout [Mitverf.]; Kunsthistorisches Museum
<Wien>; EST

© der deutschen Ausgabe 1989 by
SVInternational/Schweizer Verlagshaus AG, Zürich

Bildnachweis:
Kunsthistorisches Museum Wien,
ausgenommen die Abbildungen zu den
Nummern 48 und 58:
Sammlungen des Fürsten von Liechtenstein, Vaduz

Printed in Belgium

ISBN 3 7263 6542 7

Umschlagbild:
Peter Paul Rubens:
Die vier Kontinente (Detail)

Frontispiz:
Pieter Bruegel d. Ä.:
Die Bekehrung des heiligen Paulus (Detail)

Inhaltsverzeichnis

Vorwort

In allen großen, umfassenden Sammlungen von Gemälden des 15., 16. und 17. Jahrhunderts nimmt die auf dem Boden der historischen südlichen Provinzen der Niederlande entstandene Malerei einen hervorragenden Platz ein, einen außerordentlichen Rang, der für lange Zeit die politische Bedeutung des kleinen Territoriums im Westen Europas übertraf. Die über mehrere Jahrhunderte reichende künstlerische Leistung der großen flämischen Maler weist damit Belgien einen besonderen Stellenwert in der Geschichte der europäischen Kunst und Kultur zu. Durch die Dynastie der Habsburger standen Österreich und Belgien von Kaiser Maximilian I. bis zur Französischen Revolution und den von ihr ausgelösten europäischen Kriegen in enger Verbindung. Österreichische Erzherzöge regierten als Statthalter der spanischen Könige in den Niederlanden und konnten wie Erzherzog Leopold Wilhelm große Gemäldesammlungen anlegen. Seine Galerie, ältere Bestände aus der Kunstsammlung Kaiser Rudolfs II. und die Bilderkäufe der Kaiserin Maria Theresia aus den aufgelösten Jesuitenkollegien in Antwerpen und Brüssel formten die Sammlung flämischer Malerei im heutigen Kunsthistorischen Museum, die damit Zeugnis ablegt von der jahrhundertelangen Verbindung Wiens zu den spanischen und später, seit dem frühen 18. Jahrhundert, österreichischen Niederlanden. Sie ist ausgezeichnet durch die Werke zweier Künstler vor allem, die Gemälde Pieter Bruegels d.Ä., rund ein Drittel seines gesamten malerischen Werks, und die Bilder von Peter Paul Rubens; jeder in seiner Weise Protagonist eines ganzen Jahrhunderts.

Der belgische Kunstverlag »Fonds Mercator« in Antwerpen hat anläßlich der »Europalia 87 Österreich«, in deren Rahmen Österreichs Kultur in einer großen Anzahl von Ausstellungen und anderen künstlerischen Veranstaltungen in Belgien präsentiert werden konnte, das Kunsthistorische Museum in Wien eingeladen, in der anspruchsvollen Publikationsreihe »Flandria extra muros«, einer Serie der großen Galerien flämischer Malerei außerhalb Belgiens, eine Auswahl der schönsten flämischen Gemälde aus seinen Beständen vorzustellen. Nachdem 1987 dieses Buch in zwei Ausgaben, den beiden Sprachen Belgiens, erschienen ist, kann nunmehr die deutschsprachige Ausgabe des Bandes vorgelegt werden. Das Kunsthistorische Museum freut sich, seinen Besuchern damit eine repräsentative Publikation jener Gemälde anbieten zu können, die seit jeher zu den berühmtesten Kunstwerken der kaiserlichen Galerie gezählt haben.

Im Sinne der »Europalia«-Idee, die sich bemüht, Europas Völker in kultureller Hinsicht einander näher zu bringen, teilten sich österreichische und belgische Autoren die Abfassung der Bildtexte. Die Auswahl der ausführlich besprochenen Bilder wurde von den österreichischen Autoren, den Kustoden der Gemäldegalerie des Kunsthistorischen Museums, getroffen. Kriterien der Qualität einerseits, wie der künstlerischen Herkunft der Maler aus dem Gebiet der südlichen Niederlande in ihren historischen Grenzen andererseits, waren dabei ausschlaggebend. Dennoch ist die Auswahl notwendigerweise subjektiv, wenn auch mit einer einzigen Ausnahme — einer in ihrer Zuschreibung an Rubens problematischen und hier zum ersten Mal vorgestellten Landschaft — bekannte Hauptwerke der Galerie gezeigt werden. In diesem, wie in allen anderen Fällen liegt die Verantwortung für den Bildtext allein beim Autor. Das Kunsthistorische Museum hat als Herausgeber in die Textgestaltung der verschiedene Autoren nicht eingegriffen.

Das im Anhang gegebene bebilderte Verzeichnis der flämischen Gemälde der Wiener Galerie inkludiert nicht nur die in Haupt- und Sekundärgalerie ausgestellten Werke, sondern auch eine Auswahl an deponierten, leider aus Platzmangel nicht gezeigten Bilder. Die hier gegebenen Zuschreibungen spiegeln den Wissenstand von 1986; das im Erscheinen begriffene Gesamtverzeichnis der Galerie wird, bedingt durch den Fortschritt der Forschung, in einigen wenigen Fällen von diesem Werk abweichende Attributionen enthalten.

Univ.Prof. Dr. Hermann Fillitz
Der Erste Direktor des
Kunsthistorischen Museums

Die Geschichte der flämischen Sammlung der Wiener Gemäldegalerie

Die Wiener Gemäldegalerie geht in ihren wesentlichen Beständen auf das Kunstverständnis und den Sammeleifer der Habsburger zurück; wie alle großen dynastischen Sammlungen spiegelt sie die Schicksale der Familie und der von ihnen beherrschten Länder wider. Mit dem Eintritt der Habsburger in die Geschichte der burgundischen Länder unter Maximilian I. (1459-1519) beginnt eine jahrhundertlange Verknüpfung der Geschicke der Niederlande mit Österreich, von wo aus die Dynastie zu ihrem Aufstieg ansetzte und das sie nach der zeitweisen Verlagerung des Machtschwerpunktes in den Westen Europas zum Zentrum eines großen Reiches machte.

Maximilian I. selbst war ähnlich wie die für ihn vorbildlichen burgundischen Herzöge noch kein Sammler im modernen Sinn der Renaissance, der Kunstwerke vor allem um ihrer künstlerischen Qualität willen schätzte. Wichtig war für ihn das auf den Bildern Dargestellte, ihr Inhalt, soweit er seinen politischen Intentionen dienen konnte, die beherrscht waren von dynastischen Ansprüchen, dem Gedanken der Auserwählung seiner Familie und des Imperium Romanum, dessen Weiterleben er in der Person seines Vaters Friedrich III. und sich selbst verkörpert sah. Daraus ergab sich Maximilians besonderes Interesse für das Bildnis, von dem er nicht nur die Darstellung fürstlicher Größe, sondern auch die Dokumentation genealogischer Zusammenhänge erwartete. Neben den umfangreichen druckgraphischen Publikationen, wie »Ehrenpforte« und »Triumphzug«, ließ er Stammbäume und Bildnisreihen anfertigen, die entweder auf älteren Porträts beruhen oder in phantasievoller Weise imaginäre Bildnisse historischer Persönlichkeiten der ferneren Vergangenheit erfinden. Eine Reihe von Porträts, Kopien aus der Zeit um 1500 nach älteren Vorbildern, die vielleicht auf Bestellungen Maximilians zurückgehen, haben sich in der Gemäldegalerie erhalten, darunter eine Serie von Brustbildern der Herzöge von Burgund.

Maximilians Tochter Margarete (1480-1530), nach ihrer bewegten Jugend als Braut Karls VIII. von Frankreich, Gemahlin Johanns von Kastilien und Philiberts von Savoyen 1507 von ihrem Vater als Statthalterin in den Niederlanden eingesetzt, vereinigte in ihrem Besitz an Kunstwerken und Kleinodien, über die schon zu ihren Lebzeiten verschiedene Verzeichnisse angefertigt wurden, Stücke aus dem Nachlaß ihrer Mutter Maria von Burgund (1458-1482), aus ihrem spanischen Heiratsgut und schließlich Erwerbungen aus der Zeit ihrer Regententätigkeit. Bei den Gemälden ist wie bei Maximilian der Anteil von Bildnissen der Familienmitglieder bemerkenswert, diesmal offenbar weniger aus dynastischem und genealogischem Interesse, sondern aus persönlicher Anteilnahme gesammelt. Margarete hatte einige niederländische Maler, wie Bernaert van Orley, Jan Gossaert, den anonymen Meister der Magdalenenlegende und schließlich Jan Vermeyen zur Anfertigung von Familienporträts angestellt. Ihr eigenes, in mehreren Fassungen erhaltenes Bildnis von Orley, das sie in Witwentracht zeigt, Porträts des jungen Karls V. (1500-1558) und seiner Geschwister Maria, Isabella und Ferdinand gehen auf diese Bestellungen zurück. Einiges davon ist in der Gemäldegalerie erhalten und im Rahmen der Porträtgalerie in Schloß Ambras ausgestellt, darunter zwei bereits in einem Inventar von 1516 erwähnte Kunstwerke, ein Diptychon, Margarete selbst im Alter von vierzehn Jahren und ihren um zwei Jahre älteren Bruder Philipp den Schönen (1478-1506) darstellend, von einem in Mecheln ansässigen Hofporträtisten, dem Meister der St. Georgsgilde und drei Täfelchen von gleicher Größe mit Bildnissen der drei ältesten Kinder Philipps, Eleonore, Karl V. und Isabella, aus dem Jahr 1502 vom gleichen Meister. Alle diese Bilder wurden an verschiedenen Orten gesammelt und gelangten erst sehr viel später nach Wien.

Hier ist eine selbständige Bildergalerie erst ab jenem Zeitpunkt zu erwarten, als Ferdinand I. (1503-1564) 1530 den Entschluß faßte, Wien zum Ort seiner dauernden Residenz zu machen. Neben den antiken Münzen und der Bibliothek widmete auch Ferdinand I. sein Interesse dem Porträt. Die Anfänge der Wiener Galerie liegen daher in einer Bildnissammlung in der Wiener Hofburg, die Serien von Kopien niederländischer und spanischer Porträts, aber auch Werke der Hofmaler Ferdinands, wie des Jakob Seisenegger, künstlerisch anspruchslose neben guten Bildern enthielt. In die Mitte des 16. Jahrhunderts fällt die Ausbildung der Kunstkammer als moderner Sammlungstyp, die in systematischer Ordnung Kunstwerke aus edlem Material oder in besonders wertvoller Verarbeitung — kennzeichnend ist das kleine Format — ebenso wie Mirabilia aus dem Reich der Natur enthielt. Erzherzog Ferdinand II. (1529-1595), zweitgeborener Sohn Ferdinands I. ist in der Universalität seiner Interessen charakteristischer Vertreter dieser Epoche. Er begann schon während seiner Statthalterschaft in Böhmen, die er von 1547 bis 1563 innehatte mit seiner Sammeltätigkeit, die nach dem Antritt der Regierung in Tirol (1565) und der Übersiedlung des Erzherzogs nach Innsbruck systematische Formen annahm. Die Geschichte seiner Kunstsammlung ist untrennbar mit Schloß Ambras verbunden, das ab etwa 1570 durch Zubauten zu einem musealen Aufbewahrungsort umgestaltet wurde. Den Anschauungen Ferdinands liegt eine historische Betrachtungsweise zugrunde, die den handelnden Menschen in den Mittelpunkt stellt; sein besonderes Interesse galt daher seiner einzigartigen Porträtsammlung, die an die tausend Bildnisse von Mitgliedern europäischer fürstlicher Familien und berühmter Persönlichkeiten aus Vergangenheit und Gegenwart enthielt. Für die Zusammenstellung dieser Bildergalerie, die zusammen mit den übrigen Beständen der Ambraser Sammlung am Anfang des vorigen Jahrhunderts nach Wien kam, war vor allem der aus den Niederlanden stammende Historiograph des Erzherzogs, Geraert van Roo, verantwortlich.

Kaiser Maximilian II. (1527-1576), der ältere Bruder Ferdinands II. von Tirol hinterließ bei seinem Tod 1576 fünf Söhne, von denen vier politische Bedeutung für die Niederlande und damit für die Entstehung der Sammlung niederländischer Malerei der Gemäldegalerie erlangten. Neben dem ältesten Sohn und Nachfolger, Kaiser Rudolf II., sind es die Erzherzöge Matthias, Ernst und Albrecht, die nacheinander verschieden lang und mit wechselhaftem Erfolg als Statthalter der Niederlande fungierten. Sofort nach dem Tod seines Vaters trat der ehrgeizige und seine eigenen Möglichkeiten überschätzende Matthias (1557-1619) hinter dem Rücken seines kaiserlichen Bruders und des mißtrauischen Königs Philipp II. mit den niederländischen Ständen in Kontakt und erklärte sich zur Übernahme der niederländischen Statthalterschaft bereit. Von Anfang an zum Scheitern verurteilt, blieb diese von hochgespannten Erwartungen begleitete Unternehmung eine kurze und bedeutungslose Episode in der langen Geschichte des niederländischen Freiheitskampfes, hinterließ jedoch ihre Spuren in den habsburgischen Sammlungen. Bei der Einrichtung seines Hofstaates zog Matthias den in Antwerpen tätigen Lucas van Valckenborch heran, der neben Kostümentwürfen für das Gefolge eine Reihe von Bildnissen des jugendlichen Erzherzogs schuf, zum Teil in antikisierendem Kostüm im Zusammenhang mit dem festlichen Einzug in Brüssel 1578, bei dem Matthias mit P. Cornelius verglichen wurde. Einige dieser Werke nahm der Erzherzog bei seiner Rückkehr nach Österreich mit sich, wobei er von seinem Hofmaler begleitet wurde, der in den nächsten Jahren in Linz, das Matthias als Residenz zugewiesen wurde, als Landschaftsmaler tätig blieb.

Erzherzog Ernst (1553-1595), einige Jahre älter als Matthias und zusammen mit Rudolf II. von 1564-71 in Spanien am Hof Philipps II. erzogen, übernahm 1593 die Statthalterschaft der Niederlande, starb jedoch bereits zwei Jahre später und wurde in St. Gudula in Brüssel begraben. In dieser kurzen Zeit hat der Erzherzog eine überaus rege Sammeltätigkeit entwickelt, über die wir durch die gewissenhafte Buchführung seines Privatsekretärs Blasius Hütter genau unterrichtet sind. Neben den üblichen Kunstkammerstücken, Goldschmiedearbeiten, Kristallgefäßen, Kleinplastiken und Uhren sammelte Ernst vor allem Gemälde. Das genannte Kassenbuch und das Nachlaßinventar lassen eine eindrucksvolle Bildergalerie erkennen: je eine Tafel von van Eyck und Rogier van der Weyden, drei Bilder von Hieronymus Bosch, etwa zehn von Pieter Bruegel d. Ä., fünf von Lucas Valkenborch, dazu weitere Werke zeitgenössischer Maler. Den bedeutendsten Teil bilden die Gemälde Bruegels: am 5. Juli 1594 erhielt der Erzherzog als Geschenk der Stadt Antwerpen neben acht Tapisserien »sechs Taffeln von den zwölff monats Zeiten«, in denen wir unschwer die drei Bilder der Jahreszeitenserie, *Düsteren Tag* (Abb. 33), *Heimkehr der Herde* (Abb. 34) und *Jäger im Schnee* (Abb. 35) der Wiener Gemäldegalerie (Die *Heuernte* gelangte später nach Prag, die *Kornernte* nach New York, ein Bild mit dem Frühling ging verloren) erkennen können, die aus dem Besitz des Kaufmanns Nicolaas Jongelinck stammen. Nur wenige Tage später bezahlte Hütter 160 Gulden für die *Bauernhochzeit* (Abb. 38) und 538 Gulden für die *Kinderspiele* (Abb. 29), eine *Anbetung*

der Könige und ein drittes Bild. Im Nachlaß des Erzherzogs sind an Werken Bruegels darüberhinaus die *Bekehrung Pauli* (Abb. 36) und eine *Kreuzigung Christi* (vielleicht identisch mit der Wiener *Kreuztragung*, (Abb. 32) genannt.

Die Hinterlassenschaft des verstorbenen Erzherzogs an Kunstschätzen und Büchern wurde bald nach seinem Tod nach Wien geschafft und hier unter den überlebenden Brüdern aufgeteilt, wobei sich Kaiser Rudolf II. (1552-1612) den wertvollsten Teil, darunter die Gemälde P. Bruegels zu sichern wußte. Liebe zur Kunst und ein ausgeprägtes Qualitätsempfinden hatte sich Rudolf II. am Hof Philipps II. in Spanien angeeignet, wo er, umgeben vom reichen Kunstbesitz seines Onkels, aus dem die Werke Tizians und Boschs hervorragten, dem Bau des Escorials, dessen künstlerischer Ausstattung und der Bibliothek in der Überzeugung aufwuchs, daß das Sammeln von Kunst und die Förderung der Künstler zu den wichtigen Aufgaben eines Herrschers gehören, notwendig für sein fürstliches Dekorum sind. In seiner Residenz in Prag legte er seine berühmte Kunstkammer an, die Gegenstände des Kunsthandwerks aus kostbaren Materialien in kunstvollster Bearbeitung vereinigte; die Gemäldegalerie enthielt jene Meisterwerke von Tizian, Correggio und Parmigianino, die noch heute zu den Glanzstücken des Kunsthistorischen Museums zählen. In zähen Verhandlungen gelang ihm der Kauf fast aller Bilder Dürers, die sich heute in Wien befinden. Ebenso bedeutend wie als Sammler war Rudolf II. als Auftraggeber, wobei er nicht nur zahlreiche Ankäufe tätigte, sondern einen Kreis von Künstlern, die er besonders schätzte, an seinen Prager Hof zog und dauernd beschäftigte. Bartholomäus Spranger, in Antwerpen geboren und in Frankreich, Oberitalien und Rom tätig, ließ sich 1584 in Prag nieder, Hans von Aachen, 1552 in Köln geboren, lernte Spranger in Rom kennen und wurde 1592 Kammermaler, etwa zur gleichen Zeit wie sein römischer Schüler, der 1564 in Basel geborene Joseph Heintz. In ihrer mit malerischer Raffinesse vorgetragenen Wiedergabe des menschlichen Körpers entsprachen die allegorischen und mythologischen Darstellungen dieser Künstler vollkommen dem verfeinerten Geschmack des Kaisers.

Von den Brüdern Rudolfs II. hatte der jüngste, Erzherzog Albrecht (1559-1621) aufgrund seines mehr als zwanzigjährigen Aufenthalts in den Niederlanden, zuerst in der Nachfolge von Erzherzog Ernst als Statthalter, ab 1598 zusammen mit seiner Gemahlin Isabella Clara Eugenia (1566-1633) als souveräner Regent, die engsten Beziehungen zu den flämischen Künstlern seiner Zeit. Otho van Veen und Jan Brueghel d. Ä. waren die bevorzugten Maler des Regentenpaares, bis sie 1609 den eben aus Italien zurückgekehrten Rubens zu ihrem Hofmaler ernannten. Mit ihm hatten sie die größte künstlerische Begabung des Jahrhunderts in ihren Dienst genommen, in dem er nicht nur als Maler das mit Hilfe des Jesuitenordens energisch durchgeführte Programm der Gegenreformation unterstützte, sondern als weltgewandter Diplomat in den Verhandlungen mit dem kunstsinnigen König Karl I. von England zum langersehnten Frieden beitrug. Von den Kunstsammlungen Albrechts gelangte kein Stück unmittelbar in die kaiserliche Galerie; erst mehr als ein Jahrhundert später wurden die großen Altarbilder des Rubens für die Wiener Galerie erworben.

Neben Erzherzog Ferdinand II. und Kaiser Rudolf II. war Erzherzog Leopold Wilhelm (1614-1662) der dritte große Kunstsammler unter den Habsburgern, für die Galerie im besonderen sogar der bedeutendste von den dreien. Auch er hatte von 1647-1656 als Statthalter in den Niederlanden Gelegenheit, an den reichen Kunstschätzen des Landes seine Liebe und sein Verständnis für Malerei auszubilden und selbst eine Bildergalerie anzulegen. Das 1659 nach der Rückkehr des Erzherzogs nach Wien von Kanonikus Jan Anton van der Baren, Hofkaplan des Erzherzogs und gerühmter Maler von Blumenstücken, angelegte Inventar der Sammlung umfaßt rund 1400 Bilder. Einer der Schwerpunkte der Sammlung war die venezianische Malerei des 16. Jahrhunderts — Leopold Wilhelm steht damit in der spanischen Geschmackstradition Karls V. und Philipps II. — ein anderer natürlich die niederländische Malerei, die von ihren Anfängen mit Hauptwerken vertreten ist. Wir finden hier das Bildnis *Kardinal Niccolò Albergatis* von Jan van Eyck (Abb. 1) den *Kreuzigungsaltar* Rogier van der Weydens (Abb. 4), das *Diptychon von Sündenfall und Erlösung* von Hugo van der Goes (Abb. 5), das *Johannesaltärchen* von Hans Memling (Abb. 6), den *hl. Lukas die Madonna malend* von Gossaert (Abb. 16), Bilder von Massys, Aertsen, Floris, Jan Brueghel d.Ä. und anderen, einen systematischen, mit Bedacht ausgewählten Querschnitt durch die Geschichte der flämischen Malerei. Die Vorliebe Leopold Wilhelms für eher kleinformatige Bilder, die in der Nahsicht ihre subtile malerische Qualität erkennen lassen, deutlich etwa an seiner Auswahl der Gemälde von Rubens, die kaum große Altarbilder, dafür aber die kleine *Beweinung Christi* (Abb. 58), die *Gewitterlandschaft mit Philemon und Baucis* (Abb. 66), die kleine Fassung der *Krönung des Siegers* umfaßt, zeigt den traditionellen, an den Kunstkammern des späten 16. Jahrhunderts geschulten Geschmack des Erzherzogs. Dennoch nehmen die zeitgenössischen niederländischen Maler breiten Raum in der Sammlung ein. Rubens und van Dyck, die beiden Hauptmeister des 17. Jahrhunderts, waren ja bereits tot, aber Jordaens malte das große *Bohnenfest* (Abb. 84), Jan de Heem eine große Allegorie der Eucharistie, *Kelch und Hostie, umgeben von Fruchtgirlanden* (S. 242), für den Erzherzog; David Teniers d.J., Jan van den Hecke, Anton van der Baren, Jan van den Hoecke, Theodor van Thulden, Peter Thys, Frans Wouters, David und Gerard Seghers und viele andere erhielten Aufträge oder verkauften ihre Bilder an den Erzherzog.

Leopold Wilhelm hatte bei seinen Erwerbungen aber auch Glück, weil die politische Situation in England der Vermehrung seiner Galerie sehr entgegenkam. 1648 wurde die Bildersammlung des 1628 ermordeten Duke

of Buckingham, der als Günstling König Karls I. die Regierung geführt hatte, in Antwerpen zum Verkauf angeboten, im Jahr darauf wurde die Bildergalerie des im englischen Bürgerkrieg hingerichteten Königs im sogenannten »Commonwealth-Sale« aufgelöst. Ebenfalls 1649 gelangte eine umfangreiche Sammlung venezianischer Bilder zum Verkauf, die der englische Gesandte Basil Fielding in Venedig ursprünglich für Karl I. erworben hatte, die aber an den Marquess of Hamilton gelangte, der als Parteigänger Karls I. ebenfalls hingerichtet wurde. Während Leopold Wilhelm die Sammlung Hamilton offenbar zur Gänze kaufte — von hier rührt der Reichtum der Wiener Galerie an venezianischen Bildern des 16. Jahrhunderts her — erwarb er aus der Sammlung Buckingham Bilder für seinen Bruder, Kaiser Ferdinand III (1608-1657). Aus dieser Quelle stammen einige der großen Kompositionen von Rubens, wie die *Vier Weltteile* (Abb. 61), *Cimon und Efigenia* (S. 269) aber auch das *Haupt der Medusa* (S. 272).

Als Leopold Wilhelm 1656 die Statthalterschaft zurücklegte, übersiedelte er mit seinen ganzen Kunstschätzen nach Wien, wo er sie in der Stallburg, einem im 16. Jahrhundert erbauten Teil der Hofburg, zur Aufstellung brachte. Als Erben setzte er seinen jungen Neffen, den späteren Kaiser Leopold I. (1640-1705), ein, der die Sammlung Leopold Wilhelms mit der kaiserlichen Galerie, die sich wiederum aus den alten, seit Anfang des Jahrhunderts in Wien aufbewahrten Beständen aus dem Besitz Rudolfs II. und den in Prag gesammelten Bildern Ferdinands III. zusammensetzte, vereinigen konnte. Dazu kam noch 1676 das vor allem aus florentinischen Bildern des 16. und 17. Jahrhunderts bestehende Erbe der in Innsbruck residierenden Linie. Erst Kaiser Karl VI. (1685-1740) veranlaßte am Anfang des 18. Jahrhunderts die Vereinigung des gesamten kaiserlichen Bilderbesitzes. Er ließ die Galerien in Prag und Innsbruck nach Wien schaffen und durch den Architekten Claude Lefort du Plessis bis 1728 die Galerie in der Stallburg neu einrichten. Gleichzeitig mit dieser Neuaufstellung wurde ein dreibändiges, mit Miniaturen versehenes Prachtinventar von Ferdinand Astorffer verfaßt, das uns das Aussehen dieser Galerie überliefert. Leider wurden bei dieser Neuaufstellung zahlreiche Bilder in ihrem Format verändert, um ihre Unterordnung in ein von Symmetrie bestimmtes dekoratives Gefüge zu erreichen.

Mehr als ein halbes Jahrhundert, bis etwa 1780, blieb die Galerie in dieser Form bestehen, bis ein neuerlicher Zuwachs von Bildern nach einer neuen Lösung verlangte. Nach der Aufhebung des Jesuitenordens 1773 wurde der damalige Galeriedirektor Joseph Rosa in die Niederlande geschickt, um in den ehemaligen Jesuitenkollegien von Antwerpen und Brüssel den Kauf von Bildern in die Wege zu leiten. Damals gelangten die großen Altarbilder von Rubens, die *Wunder des Hl. Ignatius* (Abb. 63) und *des Franz Xaver* (S. 266) mit den dazugehörigen Skizzen (S. 268; Abb. 64) die *Himmelfahrt Mariens* (Abb. 59) und die *Verkündigung* (Abb. 57), und von Van Dyck, die *Maria mit Kind und den Heiligen Rosalia, Petrus und*

Paulus (Abb. 79) und die *Mystische Verlobung des seligen Hermann Joseph* (Abb. 80) nach Wien. Gleichzeitig wurde gegen ausländische Konkurrenz der Abtei am Coudenbergh in Brüssel der *Altar der Ildefonsobruderschaft* von Rubens (Abb. 67) um 40.000 Gulden abgekauft. 1780 gelangten Bilder aus der Erbschaft Herzog Karls von Lothringen, darunter die *Verkehrte Welt* von Jan Steen nach Wien und 1781 kaufte Kaiser Joseph II. (1741-1790) bei seinem Besuch in den Niederlanden das *Rosenkranzfest* von Caravaggio aus der Dominikanerkirche in Antwerpen, aber auch Bilder von Andreas Lens aus dem Atelier des Malers.

Bereits 1776 wurde der Beschluß gefaßt, die Galerie aus den zu klein gewordenen Räumen der Stallburg in das Obere Belvedere, das leerstehende Sommerpalais des Prinzen Eugen, zu übertragen. Der Basler Kupferstecher Christian v. Mechel führte die Neuordnung nach kunsthistorischen Prinzipien durch, stellte die Bilder nach Malerschulen in chronologischer Ordnung auf und verfaßte den 1783 erschienenen ersten gedruckten Katalog der Galerie. Unter den Auspizien des aufgeklärten Kaisers Joseph II. entstand damit eine der ersten, für das Publikum öffentlich zugänglichen »mehr zum Unterricht als nur zum vorübergehenden Vergnügen bestimmte« (Mechel im Vorwort seines Katalogs) Bildergalerien Europas.

Nach der vorübergehenden Transferierung eines Teils der Galerie unter Napoleon nach Paris (1809-1815) blieb die Galerie wiederum für ein Jahrhundert unverändert. Zuwächse ergaben sich vor allem durch den Kauf holländischer Bilder des 17. Jahrhunderts, die dem Kunstgeschmack des 19. Jahrhunderts entsprachen. Kaiser Franz Joseph beschloß, die an verschiedenen Orten aufbewahrten Sammlungen seiner Familie in einem kunsthistorischen Museum zu vereinen, das nach zwanzigjähriger Bauzeit 1891 eröffnet werden konnte. Es sollte prunkvolles Zeugnis für den Kunstsinn und Repräsentationswillen der Habsburger ablegen und wurde damit zu einem Dokument einer zu Ende gehenden Epoche.

Karl Schütz

Jan van Eyck

(um 1390 Maaseyck - 1441 Brügge)

Kardinal Albergati

Eichenholz,
34,1 × 27,3 cm
1659 in der Galerie,
Inv. Nr. 975
1 (siehe S. 236)

Am Beginn des 15. Jahrhunderts waren die burgundischen Länder, tief in den seit vielen Jahrzehnten andauernden »Hundertjährigen Krieg« zwischen Frankreich und England verwickelt. Herzog Johann Ohnefurcht neigte, obwohl er der französischen Krone durch Verwandtschaft und Lehenseid verbunden war, aus politischen und wirtschaftlichen Überlegungen mehr zur englischen Partei. Schließlich spitzte sich der Konflikt auf einen Akt persönlicher Feindschaft zu, Johann Ohnefurcht ließ 1407 seinen Vetter Ludwig von Orleans, den Regenten Frankreichs, ermorden. Erst zwölf Jahre danach traf ihn die späte Rache und er wurde selbst während einer Friedensverhandlung mit dem Dauphin an der Yonne-Brücke von Montereau von den Armagnacs, den Parteigängern der Orleans, ermordet. Die Politik seines Sohnes und Nachfolgers, Herzog Philipps des Guten, war daraufhin ausschließlich von der Gegnerschaft zu Frankreich bestimmt.

Als 1431 Papst Martin V. die Initiative zu Friedensverhandlungen ergriff, erwartete den an die Höfe von Frankreich, England und Burgund gesandten Legaten des Heiligen Stuhls, Kardinal Niccolò Albergati, eine schwierige Aufgabe. Albergati zählte allerdings durch seine tiefe Gläubigkeit und sittliche Strenge zu den angesehensten Mitgliedern des Kardinalskollegiums und wurde des öfteren mit diplomatischen Aufträgen betraut. 1375 in Bologna geboren, trat er als Zwanzigjähriger in den Kartäuserorden ein und wurde bereits 1407 Ordensgeneral; 1417 ernannte ihn der Papst zum Bischof seiner Heimatstadt Bologna, 1426 zum Kardinalpriester von Santa Croce in Gerusalemme.

Über den Ablauf von Albergatis Friedensmission von 1431 sind wir durch Dokumente genau unterrichtet: er war am 18. Oktober in Brüssel, von 3. bis 6. November in Gent, dann in Lille und vom 8. bis 11. Dezember in Brügge. Vier Jahre später kam er noch einmal in die Niederlande, als er 1435 am Friedenskongreß von Arras eine wichtige Vermittlerrolle spielte. Es gelang ihm zwar nicht, Frieden zwischen England und Frankreich zu schließen, aber doch eine Versöhnung zwischen König Karl VII. von Frankreich und Herzog Philipp herbeizuführen. Die den Zeitgenossen vorbildlich erscheinende tätige Gläubigkeit des Kardinals führte zu seiner im Jahr 1744 erfolgten Seligsprechung.

Was berechtigt nun zu der (im übrigen oftmals bezweifelten) Annahme, daß das Bildnis eines älteren, bartlosen Mannes in rotem, pelzgefüttertem Talar, das sich seit dem 17. Jahrhundert mit der Benennung Jan van Eyck in der Wiener Galerie findet, Kardinal Albergati darstelle? Dazu müssen wir bis zur ersten Erwähnung des Bildes in den Aufzeichnungen des Antwerpner Kunsthändlers Peeter Stevens gehen, der in seinem Exemplar von Karel van Manders Schilder-Boeck folgende Notiz anbrachte: »Ein schönes Porträt von Jan van Eyck mit dem Datum 1438, das den Kardinal Santa Croce darstellt, der damals vom Papst nach Brügge gesandt wurde, um Frieden zu stiften zwischen dem Herzog Philipp und dem Dauphin von Frankreich, da sie sich wegen

des Todes von Philipps Vater stritten. Dieses Stück befindet sich nun in den Händen des Erzherzogs Leopold, der es gekauft hatte 5. April 1648«*. Elf Jahre später wird es im Inventar der Sammlung Leopold Wilhelms, nun bereits in Wien, ähnlich beschrieben. Nach einer ansprechenden Vermutung könnte diese dem ganzen Wortlaut nach verläßlich erscheinende Tradition des 17. Jahrhunderts auf eine Inschrift auf dem heute verlorenen Originalrahmen des Porträts zurückgehen.

Dagegen wurde eingewendet, daß Albergati nie, so wie es die strengen Ordensregeln vorschrieben, die Ordenstracht abgelegt habe; weiters verstoße der Pelzbesatz der Cappa gegen die Regel, ebenso der Haarschnitt nach burgundischer Mode anstelle der großen Tonsur. Teilweise sind diese Argumente durch Gegenargumente zu entkräften: bei offiziellen Verhandlungen mußte der Kardinal wohl mit den äußeren Anzeichen seines hohen Ranges, der Cappa magna auftreten, die über der Ordenstracht getragen werden konnte. So wurde auch der Leichnam des Kardinals bei der Graböffnung anläßlich seines Seligsprechungsprozesses gefunden. Sämtliche andere Identifizierungsvorschläge konnten nicht überzeugen, weil keine plausible Erklärung für den Passus »Kardinal von Santa Croce«, der nur auf Albergati zutrifft, gegeben werden konnte.

So unbestritten die Zugehörigkeit dieses Bildnisses zum Werk Jan van Eycks ist, so problematisch ist seine zeitliche Einordnung. Entstand es 1431, anläßlich des ersten Aufenthalts von Albergati in den Niederlanden, oder während des Friedenskongresses von Arras 1435, das heißt, entstand es vor oder nach dem Genter Altar? Durch einen glücklichen Zufall blieb eine Vorstudie zu diesem Bildnis erhalten, eine nach dem Leben entstandene Silberstiftzeichnung mit sorgfältigen Farbangaben, die sich heute im Kupferstichkabinett Dresden befindet, die einzige erhaltene authentische Zeichnung Jan van Eycks, dazu noch eine genaue Naturstudie, mit nichts Ähnlichem zu vergleichen und letzten Endes undatierbar. Allen Beobachtern ist aber die Veränderung der Physiognomie von der Zeichnung zum ausgeführten Bild aufgefallen, das eine höhere formale Geschlossenheit zeigt, wie es der Anspruch des gemalten Bildnisses gegenüber der Zeichnung verlangt. Es könnte auch ein größerer zeitlicher Abstand zwischen Vorstudie und ausgeführtem Bild liegen; versucht man, die Porträts Jan van Eycks in ihrer zeitlichen Abfolge zu ordnen, reiht sich das Bildnis Albergatis eher um 1435 als um 1431 ein.

Die Frage nach Identifizierung und Datierung wird nebensächlich angesichts der überragenden Qualität des Porträts. Als eines der frühen Zeugnisse altniederländischer Bildnismalerei verbindet es höchste Detailgenauigkeit mit einer Größe der Auffassung, die es über das wahrheitsgetreue Abbild eines Individuums hinaus zu einem Sinnbild der die zeitgebundene Hinfälligkeit menschlichen Daseins überwindenden monumentalen Ruhe und Würde macht.

Karl Schütz

* Übersetzung aus dem flämischen Original nach E. Dhanens. Das flämische Original lautet:»... een fraey conterfaysel van Jan van Eyck met dato 1438, wesende den Cardinael Santa Croce, die alsdoen tot Brugge was gesonden vanden Paus om de peys te maecken met Hertoch Philips over syn vaders doot met den dolphyn van Franckryck. Ditto stuck is nu in handen vanden Ertshertoch Leopoldus, die het nu gecocht hadde v. April 1648« (zitiert nach Briels, Jaarboek Kon. Mus. v. Schone Kunsten Antwerpen 1980).

Jan van Eyck

(um 1390 Maaseyck - 1441 Brügge)

Bildnis des Jan de Leeuw

Eichenholz,
33 × 27 cm,
auf dem Originalrahmen die
Inschrift
IAN DE (Bild eines Löwen)
OP SANT ORSELEN DACH DAT
CLAER EERST MET OGHEN
SACH. 1401. GHECONTERFEIT
NV HEEFT MI IAN VAN EYCK
WEL BLIICT WANNEERT
BEGA(N). 1436.
1781 in der Galerie,
Inv. Nr. 946
2 (siehe S. 236)

Ein gesichertes Werk Jan van Eycks: die Inschrift auf dem erhaltenen Originalrahmen liefert uns alle notwendigen Angaben, den Namen des Dargestellten und dessen Geburtsdatum, den Namen des Künstlers (als einzige Signatur mit der heute üblichen Schreibweise des Namens) und das Entstehungsdatum des Bildes. Die beiden Daten sind sowohl in arabischen Ziffern geschrieben, als auch in Form eines Chronogramms, das sich aus den als römischen Zahlzeichen gelesenen Buchstaben der Inschrift ergibt, wobei Y als I und W als VV gezählt werden, das D hingegen nicht mitgezählt wird. Die Inschrift beginnt in der linken oberen Ecke und läuft über alle vier Seiten; sie erweckt damit die Erinnerung an eine Grabinschrift oder an eine kunsthandwerkliche Metallarbeit. Das muß nicht unbedingt eine Anspielung auf den Beruf des Dargestellten sein, hat Jan van Eyck doch mit Vorliebe den Inschriften auf seinen Bildern den Charakter materieller Oberflächen verliehen. Die Inschrift lautet: IAN DE (hier ist das Bild eines kleinen sitzenden Löwen eingefügt; wäre der Name des Dargestellten ausgeschrieben, hätten die Buchstaben L, V und VV dem beabsichtigten Ergebnis 1401 des Chronogramms die Zahl 65 hinzugefügt) OP SANT ORSELEN DACH / DAT CLAER EERST MET OGHEN SACH.1401. / GHECONTERFEIT NV HEEFT MI IAN / VAN EYCK WEL BLIICT WANNEERT BEGA(N). 1436. und ist etwa folgendermaßen zu übersetzen: Jan de Leeuw (flämisch: Löwe) erblickte das Licht der Welt am St. Ursula Tag 1401; porträtiert hat mich nun Jan van Eyck, wie es sich wohl zeigt, wann es geschah 1436.

Jan de Leeuw, dessen Geburtsdatum, den 21. Oktober 1401, wir aus der Rahmeninschrift kennen, war als Goldschmied in Brügge tätig. Das Bildnis erzählt uns seinen Beruf: mit seiner rechten Hand hält er einen Ring hoch und präsentiert ihn in auffälliger Weise dem Betrachter des Bildes, damit den Stolz des Handwerkers auf sein Metier dokumentierend. Auch in anderen Quellen begegnen wir ihm; 1441 übte er das Amt eines Dekans der Brügger Gilde der Gold- und Silberschmiede aus, 1455 wird er vom Magistrat für die Dekoration seines Hauses anläßlich der Joyeuse entrée Herzog Philipps bezahlt.

Alle beglaubigten und datierten Werke Jan van Eycks, davon sind fast die Hälfte Bildnisse, entstanden nach 1432, nach der Vollendung des Genter Altars; sie sind damit Zeugnisse seines Spätstils. In der chronologischen Abfolge dieser Werke lassen sich die Porträts den anderen Kompositionen gegenüberstellen und in eine ablesbare Entwicklung einordnen. Das Bildnis Jan de Leeuws steht auf einer Stufe mit der Madonna des Kanonikus Paele in Brügge, einer Komposition, die völlig bewegungslos, wie kristallisiert erscheint. Die Figurengruppe der Madonna mit den Heiligen und dem Stifter verfügt durch ihre stereometrische Ausdehnung nicht nur über statuarische Schwere, sondern erreicht auch beträchtliche Größe. Sie ist soweit an der vorderen Bildkante aufgestellt, daß sogar der Teppich im Vordergrund überschnitten wird. Damit korrespondiert die Größe des Gesichts von Jan de Leeuw im Vergleich zu jener Fläche, die vom Hintergrund eingenommen wird. Der Kopf des Porträtierten ist ganz nahe an den Betrachter gerückt, sein Körper verliert damit zwar an Bewegungsfreiheit, was sich vor allem an den Händen zeigt, die eng an der Brust anliegen und vom Rahmen des Bildes eingezwängt erscheinen. Dieser Nachteil wird jedoch durch den Gewinn an Nahsichtigkeit weitaus aufgewogen. In unmittelbarem Zusammenhang damit steht eine andere Errungenschaft, die Jan van Eyck bereits in dem 1433 entstandenen Porträt des *Mannes mit einem roten Turban*, heute in London, glückte: der Porträtierte blickt gerade aus dem Bild und nimmt so mit dem Betrachter direkten Augenkontakt auf. Dies war eine der größten Entdeckungen in der Geschichte der Bildnismalerei überhaupt.

Die hohe Qualität der formalen Lösung im Verein mit dem geglückten individuellen Ausdruck des Porträtierten lassen jeden Zweifel an der Authentizität des Porträts — vor allem die Inschrift hat die Skepsis zahlreicher professioneller Betrachter erweckt — verstummen.

Karl Schütz

Rogier van der Weyden

(1399 oder 1400 Tournai - 1464 Brüssel)

**Diptychon mit der Madonna und
der heiligen Katharina**

Eichenholz, 18,9 × 12,1 cm bzw.
18,9 × 12,1 cm
1772 in der Galerie,
Inv.Nr. 951, 955
3 (siehe S. 295)

Im Inventar der Gemäldegalerie des Kunsthistorischen Museums von 1772 wurden die beiden Bilder mit einem Buch verglichen, das man zuklappen kann. Tatsächlich hingen die beiden Tafeln wie ein verschließbares Diptychon zusammen und sind nicht größer als ein Brevier. Dieses Diptychon ist ein wahres Kleinod. Der Besitzer dürfte es, zusammen mit seinen persönlichen Kostbarkeiten, als Quelle zu einsamer Meditation auf Reisen mitgenommen haben. Betrachtet man die Bilder in der Reproduktion, so ist es kaum zu fassen, daß die Originale so klein sind. Die Figuren sind ebenso monumental und detailliert gemalt wie auf großen Altären. Der meisterliche Umgang mit unterschiedlichsten Maßstäben ist eine der verblüffendsten Fähigkeiten der alten südniederländischen Meister.

Die linke Tafel ist räumlich geschlossen. Ein Steinrahmen umschließt eine Nische von geringer Tiefe und wiederholt die Funktion des äußeren Rahmens. Auf dem Fliesenboden der Nische steht ein goldener Thron, an jeder Ecke von einer kleinen Säule getragen, auf welcher ein kleiner Löwe sitzt. Mauer und Thron sind mit einem kostbaren gewaffelten Behang aus Goldbrokat überzogen. In dem schmalen noch verbleibenden Raum zwischen Thron und unterem Rand der Nische steht, wie eine zum Leben erweckte Skulptur, die Figur der Madonna, das trinkende Kind an die Brust gepreßt. Ihre hochgewachsene Gestalt berührt fast den Baldachin im Dach der Nische, das durch den zurückgefalteten Behang geformt wird. Sie trägt die Krone der Himmelskönigin und ist in einen schweren, azurblauen Mantel gehüllt. Für ihn wählte der Maler das kostbare Lapislazuli-Pigment, das, obwohl nach fünf Jahrhunderten etwas verblaßt, noch immer den samtartigen Schimmer zeigt, der mit keiner anderen Farbe zu erreichen ist. Im hohlen Rahmen stehen kleine Skulpturen, links Adam, rechts Eva. Hinter Adam, der die verbotene Frucht zum Mund führt, steht der Racheengel, der ihn aus dem Paradies vertreiben wird. Eva, unter dem Baum der Erkenntnis, wird von einem Schlangensatan mit menschlichem Kopf zum Pflücken der verbotenen Frucht verführt. Am oberster Stelle im Rahmen sieht man Gottvater in einem stilisierten Wolkenkranz und den Heiligen Geist in Form einer Taube, die zusammen mit dem Jesuskind darunter die Heilige Dreifaltigkeit bilden. Auch der Thron hat eine biblisch symbolische Bedeutung. Es ist der Säulenthron des Salomo, der Löwe ist der Löwe von Judäa, wie Christus genannt wurde. Dieser Thron wird symbolisch mit der Heiligen Jungfrau verglichen, als »sedes sapientiae«, Sessel der Weisheit, Schoß für Christus.

Die rechte Tafel zeigt die hl. Katharina. Als Kontrast zum Pendant wurde diese Figur vor eine offene und ideale Landschaft gestellt. Katharina steht neben einem Feldweg, den ein hölzernes Gatter von der Straße abschließt, die sich in Serpentinen talwärts zur Stadt windet und auf der ein einsamer Reiter unterwegs ist. Die Landschaft, mit Felsen und vielen Bäumen, ist in einem warmen Grün gehalten, ein Fluß schickt sein klares Wasser gegen einen bleichen Horizont. Der heitere Himmel mit gekräuselten Wölkchen verspricht einen warmen Tag.

Katharina soll die Tochter eines Königs von Alexandrien gewesen sein. Die Legende erzählt, sie habe den Wunsch Kaiser Maximinians, sie zu seiner Frau zu machen, mit den Worten abgelehnt, sie sei eine Braut Christi. Maximinian ließ sie geißeln und auf einem Rad mit Nägeln martern, das aber auf wunderbare Weise vom Blitz getroffen in Stücke sprang. Schließlich wurde sie enthauptet. Ihre Attribute, die Krone ihrer fürstlichen Abstammung und ein abgebrochenes Stück des Rades liegen zu ihren Füßen, während sie das Schwert ihrer Enthauptung in der rechten Hand hält und auf den Boden stützt.

Über die Bedeutung der Nachbarschaft der hl. Katharina und der Gottesmutter in diesem Diptychon ist nichts bekannt. Es ist möglich, daß Katharina die Schutzheilige des Auftraggebers war und dieser eine besondere Verehrung für die Heilige Jungfrau hatte.

Das kleine Diptychon wird im allgemeinen Rogier van der Weyden zugeschrieben und Stilvergleiche geben dem recht. Einige Kunsthistoriker betrachten die Qualität der Tafel mit der hl. Katharina als weniger gut und bezweifeln die Eigenhändigkeit. Bei genauerer Betrachtung gibt es dafür allerdings nur wenig Gründe. Es herrscht Einverständnis darüber, daß es sich hier um ein ganz frühes Werk handeln muß, das aus den Anfängen von 1430 stammt, also ungefähr um die Zeit, zu der Rogier, wie man annimmt, Freimeister wurde. Wichtigstes Argument für diese Annahme ist die noch starke Abhängigkeit von der Arbeitsweise des sogenannten Meisters von Flémalle, hypothetisch identifiziert mit Robert Campin, der in Tournai Lehrmeister von Rogier van der Weyden gewesen sein soll. Nicht nur der Typus der Maria, die das im Profil gezeigte Kind, welches die Knie hochzieht, an sich drückt, sind vom berühmten Gemälde gleichen Themas vom Meister von Flémalle inspiriert (es befindet sich heute im Städelschen Kunstinstitut in Frankfurt), sondern auch der Stil ist ihm verpflichtet. Die Figuren haben einen fülligen Körper und ungezwungen Charakter mit stark rundplastischer Wirkung. In seinem späteren Werk, so in dem ebenfalls in diesem Buch besprochenen *Kreuzigungsaltar* (Nr. 4) werden die Körper schlanker, die Konturen eckiger und kalligraphisch, die ganze Komposition asketischer. Vielleicht ist dieses kleine Werk eine der frühesten Arbeiten des Meisters.

Dirk De Vos

Rogier van der Weyden

(1399 oder 1400 Tournai - 1464 Brüssel)

Triptychon mit der Kreuzigung, Maria Magdalena, Veronika und unbekannten Stiftern

Eichenholz, Mittelbild 96 × 69 cm, Seitenflügel 101 × 35 cm
1659 in der Galerie,
Inv.Nr. 901
4 (siehe S. 295)

Das Gemälde überrascht durch seine Klarheit in der doppelten Bedeutung des Wortes: der Klarheit der Komposition und seiner Leuchtkraft. Die sommerliche Transparenz der Landschaft steht in einem eigentümlichen Kontrast zur Dramatik und Tragik des Geschehens, das — so realistisch es auch ist — seine erzählerische und historische Dimension verliert. Das Evangelium berichtet, wie in dem Augenblick, da Jesus am Kreuz seinen Geist aufgab, die Erde zu beben begann und über Jerusalem ein unheilverkündendes Gewitter ausbrach.

Rogier van der Weyden, der große Schöpfer neuer Bildkonzepte für religiöse Themen im 15. Jahrhundert, erzählt dieses biblische Geschehen auf eine völlig neue Art. Er schuf eine Tafel mit den Hauptfiguren, auf der Menschen aus Fleisch und Blut, Zeugen der Kreuzigung, ihren übersteigerten Gefühlen auf dem engen Raum, den ihnen der Maler zuweist, ungehemmt freien Lauf lassen. Doch dies geschieht lautlos, als habe sich jeder Schrei, jedes Schluchzen, jedes Beben in der Durchlässigkeit des strahlenden Firmaments aufgelöst.

Betrachten wir das Bild näher. Es ist ein Triptychon, auf dessen Seitenflügeln innerhalb des wirklichen (jetzt modernen) Rahmens eine gemalte Nachbildung des goldenen Rahmens mit dunklen Linien zu sehen ist, eine Technik, die vom 14. bis zum 16. Jahrhundert für vergoldete Ornamente mit architektonischen oder heraldischen Motiven angewandt wurde. Dieser falsche Rahmen verkleinert die Bildfläche so, daß der unterschiedliche Maßstab im Mittelfeld und den Flügeln nicht mehr wahrnehmbar ist. Dies dürfte die einzige Funktion dieses falschen Rahmenwerks sein. Durch die enge Rahmung schien es, als sei die Bildfläche der Seitenflügel höher die des Mittelfeldes. Die Außenseiten, die wahrscheinlich eine Grisaille-Malerei trugen, wurden eines Tages abgeschliffen, vielleicht wegen starker Beschädigungen, was oft der Fall war.

Die Figuren stehen vor einer Hügellandschaft, die sich über die drei Tafeln erstreckt und von einem olivfarbenen Grasteppich wie von einer Haut bedeckt ist. Der Boden ist felsig. In der Ferne sieht man die Stadt Jerusalem in hellgrauen und hellrosa Tönen, von blauen Kuppeln gekrönt. Noch weiter entfernt liegen bläulich blasse Berge vor einem zum Horizont hin milchigen Himmel. Kleine Reiterfiguren in hellen Wamsen kehren in die Stadt zurück (römische Soldaten vom Kalvarienberg?). Im Vordergrund dieser friedlichen Landschaft, in unmittelbarer Nähe des Betrachters, heben sich die Figuren, drapierte Silhouetten mit eckigen Umrissen und dünnem Volumen, ohne große Tiefenwirkung ab. Es sind monochrome Farbflecke, die vor dem zarten Grün stehen, jede der Personen hat eine eigene Farbe, als ob diese ein Symbol für ihren Charakter und ihren Gemütszustand sei. Magdalena ist stahlgrau gemalt, Johannes in Krapplackrot, Maria tiefblau, der Stifter schwarz, seine Frau purpur und Veronika hellrot. Diese Figuren bilden die weltliche Ebene, das untere Register. Im oberen, dem himmlischen, ist alles ätherisch. Aus der Erde ragend zeichnet sich der gekreuzigte Körper Christi scharf gegen den hellen Himmel ab, das Lendentuch ist wie eine gotische Banderole beidseitig von unsichtbaren Händen nach oben gezogen und dort erstarrt. Vier kleine, dunkelblaue trauernde Engel mit bizarrem, spitzem Profil, wie aufgespießte Fledermäuse, schweben symmetrisch in einer horizontalen Linie auf gleicher Höhe mit dem gestorbenen Heiland. Maria umarmt das Kreuz und drückt ihre Lippen auf das blutgetränkte Holz. Diese leidenschaftliche Szene kommt in der Malerei oft als Magdalena-Motiv vor. Vom 14. Jahrhundert an ist es aber in der Literatur, vor allem durch die »Vita Christi« des Kartäusers Ludolf von Sachsen, ein klassisch gewordener Ausdruck Marias. Sie äußert hier nicht nur ihren Schmerz, sondern auch das Verlangen, zusammen mit Christus zu sterben. Rogier van der Weyden war der erste Künstler, der es wagte, diese ergreifende und blutigsinnige Szene mit solchem Nachdruck darzustellen. Nur eine Armlänge entfernt kniet, gegenüber Maria, das Stifterpaar. Sie erleben diesen schrecklichen Augenblick in sehr intimer Form. Sie könnten das tränennasse und blutverschmierte Antlitz Mariens aus der Nähe sehen, aber dies ist nicht die Absicht der Darstellung. Vielmehr spiegeln sich in Maria und Johannes die Gefühle, die der Stifter, dessen Blick sich auf den Gekreuzigten richtet, in seiner demütigen Konzentration in sich aufsteigen spürt. Dieser Prozeß geistiger Identifikation war die wichtigste religiöse Übung, die den Gläubigen im 15. Jahrhundert vorgeschrieben wurde. Auch die in tiefer Meditation versunkene Frau des Stifters läßt in ihrem Geist entstehen, was das Gemälde zeigt, wie umgekehrt das Gemälde Mittel und Ausgangspunkt für die »Imitatio Christi« ist, wie Thomas von Kempen diese geistige Übung nannte.

Die stark körperliche Ausgestaltung ist bei Rogier van der Weyden Wiedergabe eines mystischen Vorstellungsbildes. Die künstliche und fast emblematische Zusammenfügung dieses lebenden Materials zu einem religiösen Bild zeigt die asketische Seite. Es handelt sich hier um eines der ausgereiftesten Werke des Künstlers und dürfte um 1440 entstanden sein.

Dirk De Vos

Hugo van der Goes

(um 1430 oder 1440 Gent - 1482 Rode Klooster bei Brüssel)

Diptychon von Sündenfall und Erlösung

Eichenholz,
32,3 × 21,9 cm (Sündenfall)
bzw. 34,4 × 22,8 cm (Beweinung)
1659 in der Galerie,
Inv.Nr. 945, 5822A, 5822B
5 (siehe S. 241)

Das Diptychon ist das kleinste erhaltene Werk von Hugo van der Goes. Es besteht aus zwei reich nuancierten, dramatisch angelegten Szenen mit mehreren Figuren und zeigt in der Physiognomie, im Psychologischen und in der Symbolik eine genaue und intensive Beobachtung des Details. Daß es sich um ein Gemälde des großen Malers aus Gent handelt, ist schon allein wegen der unverkennbaren Typisierung der Figuren nicht zu leugnen und schließt jeden Zweifel an der Eigenhändigkeit aus.

Das Diptychon behandelt die Erlösung der sündigen Menschheit durch das Opfer Christi. Tatsächlich umfassen die beiden Szenen die Weltgeschichte aus biblischer Perspektive. Van der Goes hat den inhaltlichen Kontrast zwischen den beiden Geschehnissen — dem Sündenfall im Paradies und dem Opfer auf dem Kalvarienberg — formal und dramatisch zu antithetischen Szenen gesteigert.

Links ist die Komposition aus Vertikalen und nebeneinanderstehenden Figuren aufgebaut.

Die rechte Tafel zeigt das herzzerreißende Wehklagen über den Tod Christi, das durch eine Vielzahl von Figuren, die diagonal aneinandergereiht sind, zum Ausdruck gebracht wird. Das sonnige, üppige Paradies verwandelt sich in einen kalten, von Gewitterwolken verhängten und Krähen umkreisten Galgenberg, der gerade noch vom letzten Licht einer bereits hinter dem Horizont untergegangenen Sonne beleuchtet ist. Wir sind nicht weit von der Atmosphäre entfernt, die Pieter Bruegel d.Ä. zu schaffen vermochte.

Es ist offenkundig, daß der Maler bei den Figuren Adams und Evas jene aus dem Seitenflügel des *Genter Altars* van Eycks vor Augen hatte. Sie sind in der gleichen Dreiviertelposition und mit einer ähnlich sehnigen Anatomie dargestellt. Der Körper Evas hat denselben vasenförmigen Bauch. Der weibliche Akt wurde damals der Schicklichkeit wegen ans dem Gedächtnis gemalt, zweckbestimmten und traditionellen Regeln folgend. Der Körper Evas ist heller als der Adams. Adams Körper ist aufgrund unmittelbarer Beobachtung und anatomischer Kenntnis der männlicher Physis gemalt. Eva, mit nach vorhistorischer Manier bodenlangem Haar, hält in der rechten Hand einen rosigen Apfel, von dem sie bereits gegessen hat. Mit der Linken pflückt sie einen weiteren, nach dem Adam seine Hand bereits ausstreckt. Die schamhafte Darstellung zeigt im Bedecken der Genitalien einen deutlichen Mangel an Natürlichkeit und Einfall. Könnte die psychologische Erklärung dafür im Zustand moralischer und asketischer Verzweiflung liegen, in dem sich van der Goes befand und worüber ein Mitbruder im Roten Kloster bei Brüssel ausführlich berichtet hat? Die Figur des Teufels ist ein seltsames, fast bühnenmäßig ausstaffiertes Wesen mit Salamanderkörper, unnatürlichem Frauenkopf und falschem Gesichtsausdruck, die fetten Haare in Form zweier Hörner geflochten.

Die Landschaft ist mit der äußersten Präzision einer Stickerei gemalt. Sie wird dadurch teppichähnlich, starrer, als wir sie aus anderen Werken des Malers kennen. Wie in einem Miniaturpark wirken die Pflanzen und

Bäume wie einzeln in den Boden gesteckt. Im Vordergrund sehen wir einige Gewächse von besonderer symbolischer Bedeutung: die Rose ohne Dornen aus dem Paradies, die Iris mit schwertförmigem Blatt, dessen eine scharfe Kante den Schmerz Mariens, der neuen Eva, der andere ihre Abwehr gegen den Teufel symbolisiert. Die Akelei davor ist eine heilige Pflanze, Symbol des menschgewordenen Christus, des neuen Adam. Im kleinen Bach liegt ein Stückchen Koralle, Sinnbild für das geronnene Blut Christi und auch die Austernschale muß eine Bedeutung gehabt haben.

Wenden wir uns nun dem düsteren rechten Flügel zu. Er stellt die Beweinung Christi dar. Auch hier ist das auffallende ein Akt: der tote Körper Christi. Er ist einer der meisterlichsten Akte aus dem 15. Jahrhundert und auch einer der realistischsten. Van der Goes malte hier einen Leichnam von bewegendem Ausdruck, der die Spuren durchlittener Schmerzen zeigt: die grau gewordenen Arme und Hände, die gekrümmten, steifgewordenen Füße, die blutleere Wunde in der rechten Seite, der Mund im letzten Seufzer erstarrt. Der Körper Christi liegt schräg nach rechts in der Bildfläche. Rechtwinklig dazu, so daß symbolisch ein Kreuz entsteht, befindet sich eine doppelt nach links aufsteigende Diagonale, aus Figuren gebildet, die sich ringförmig von der Christusfigur weg und auf sie zu bewegen, eine Bewegung, die — was das Konzept betrifft — Kompositionen von Rubens vorwegnimmt. Der junge Mann über Maria reicht mit pathetischer Gebärde die Nägel, mit denen Christus ans Kreuz geschlagen wurde, den Frauen, die sie schluchzend küssen. In einer herabsinkenden Bewegung hält der hl.Johannes Maria um die Mitte, die ohnmächtig auf den Körper ihres toten Sohnes zu stürzen droht. In ihrer Haltung völliger Ergebung stellt sie die Anbetung über den Schmerz. Der alte, weißbärtige Josef von Arimathäa stützt mit einem Ausdruck trauriger Niedergeschlagenheit den Körper Christi unter den Achselhöhlen. Hinter ihm breitet eine reich gekleidete Frau verzweifelt die Arme aus. Die Eckpfeiler des Gemäldes bilden links die Figur der Magdalena und rechts die des Nikodemus. Beide wenden sich vom Geschehen ab, als ob ihnen das Unwiderrufliche völlig bewußt geworden und nur noch ihr inneres Erleben übriggeblieben sei.

Eine neue Studie von D. Denny bringt eine beachtenswerte Analyse dieser Figur. Der reich gekleidete Nikodemus kniet abwesend, aber mit verspannten Zügen, die auf ein tiefes Gefühlserlebnis schließen lassen, in der Ecke der Szene. Zwischen den Fingerspitzen seiner rechten Hand hält er einen Zipfel des Totenhemdes. Dies ist keine reale Gebärde mehr, sondern das Berühren einer Reliquie. Er legt den linken Arm in einer Geste tiefer innerer Bewegung auf die Brust. Den Hut hat er abgenommen, so daß eine auffallende, blutrote Mütze sichtbar wird. Nikodemus konzentriert sich auf die Dornenkrone Christi, die nicht zufällig auf seinem Hut liegt. Nach den damals neuen mystischen und auf die Devotio ausgerichteten Empfehlungen des 15. Jahrhunderts wurde der Gläubige angehalten, sich in seiner Meditation so tief wie möglich mit Christus und dessen Leiden zu iden-

tifizieren. Das ist hier der Fall. Nikodemus stellt einen meditierenden Menschen dar, der sich in den Schmerz der Dornenkrone versenkt hat, die hier symbolisch auf seinen Hut gedrückt ist. Das Bild der Beweinung ist seine Vision, die rote Mütze verweist auf den blutenden Schädel Christi. Und da wir wissen, daß sich Maler, vor allem in Italien, gerne als Nikodemus porträtierten, und daß Hugo van der Goes am Ende seines Lebens als Laienbruder einer Klostergemeinschaft beitrat, die wie keine andere der oben beschriebenen »devotio moderna« huldigte, ist es nicht auszuschließen, daß er sich selbst in diese weltliche Figur, die sich durch mystische Praktiken leidenschaftlich von der Welt abzuwenden versucht, hineinprojiziert hat. Erscheint diese These zu hypothetisch, so läßt sich die Figur des Nikodemus als Stifter des Gemäldes deuten. Der starke Ausdruck der Figuren und die karge, fast asketische Ausarbeitung beider Szenen sowie die etwas starre, detaillierte Landschaft legen die Vermu-

tung nahe, es handle sich um eine Spätwerk, nach 1475. Diese Datierung wurde von den jüngsten technischen Analysen bestätigt. Die Wahl auffallend heller Farben und die jugendlich schmalen Gesichter können als überraschender und eigenartiger Einfluß Hans Memlings gedeutet werden.

Die Außenseite, von der Innenseite getrennt und gesondert ausgestellt, zeigt die hl. Genoveva von Paris in Grisaille. Nach der Legende entflammte ihre Fackel, die während eines nächtlichen Ganges in die Kirche vom Wind oder vom Teufel ausgeblasen wurde, auf wunderbare Weise von neuem. In den Krümmungen des Bogens der Nische, in der sie steht, sind — antithetisch zum Opfer Christi — das Opfer Abels und der Brudermord dargestellt. Ob die hl. Genoveva mit dem Stifter oder mit der Bestimmung des Diptychons in Zusammenhang stehen, ist nicht bekannt.

Dirk De Vos

21

Hans Memling

(um 1435 Seligenstadt/Main - 1494 Brügge)

Johannesaltar

Eichenholz
Mittelbild 69 × 47 cm, Außenseite
der Flügel 69,3 × 17,3 cm
Innenseite der Flügel 63,5 × 18,5 cm
1659 in der Galerie,
Inv.Nr. 939, 943a,b, 994a,b
6 (siehe S. 255)

Das Triptychon wurde erst 1931 wieder zusammengefügt. Bereits im 17. Jahrhundert waren nicht nur die beiden Seitenflügel vom Mittelstück getrennt und deren Vorder- und Rückseiten zerlegt worden, so daß alle diese Teile nebeneinander aufgestellt als selbständige Gemälde betrachtet werden konnten. Die Innen- und Außenseiten waren zudem unten und seitlich beschnitten worden. Die verzierten Bögen liefen ursprünglich wahrscheinlich in voller Breite über die Seiten nach unten und der Fliesenboden, auf dem die Figuren stehen, war ein Podest, wie am Mittelstück zu sehen ist.

Hans Memling legte das Triptychon als Schnitt durch einen Raum an: die Welt als Haus, dessen vordere Fassade entfernt wurde. Die Figuren sind vor eine Galerie gestellt, die, zum Betrachter hin, in drei mit Traubenranken verzierten Bögen endet und die drei Tafeln begrenzt. Nach hinten öffnet sich der Blick auf eine Landschaft. Der weite Ausblick über die Brüstung ist vertikal durch kleine Säulen aus rotem Marmor geteilt, die das Dach der Galerie stützen und vier Fenster bilden (ein fünftes in der Mitte ist durch den Brokatvorhang verdeckt).

Auf den ersten Blick scheint es, als throne die Madonna in der Galerie. Tatsächlich aber sitzt sie vorn am Abschluß zur Arkade. Die Täuschung bewirkt der Prracht-

vorhang zwischen den beiden Säulen im Hintergrund. Sie wird noch durch die Plazierung des Bogens verstärkt, der vorn mit der Bildfläche zusammenfällt und die Vorstellung erweckt, als schlösse er die Szene in der Art eines Theatervorhanges ab. In Wirklichkeit befindet sich der Teppich noch ein Stück weiter vorne und die beiden Seitenfiguren knien vor der Arkade. Diese optische Täuschung findet man oft in der Malerei Memlings; sie ist ein subtiles Mittel, die dekorativen Erfordernisse der Bildfläche mit der Logik räumlicher Wiedergabe zu einer idealen Komposition mit stereoskopischer Wirkung zu verbinden.

Der Typus der Madonna mit Kind, die unter einem Baldachin auf einem Orientteppich vor einem Vorhang aus Goldbrokat mit Granatapfelmotiven thront, oft noch von einem mit Skulpturen verzierten Steinbogen gerahmt, war eine bevorzugte Kompositionsformel in Memlings Werk. Sie fand bei seinen Nachahmern in Brügge großes Echo. Meist von zwei knienden musizierenden Engeln flankiert (auf einer Seite gelegentlich durch eine kniende Stifterfigur ersetzt), waren diese Madonnen im ausgehenden Mittelalter eine beruhigende und luxuriöse Idealvorstellung für den reichen Bürger, dessen Traum vom ewigen Glück damit ein naivkonkretes Bild geboten wurde. Es gibt in Hans Memlings Gesamtwerk noch eine Reihe weiterer, ähnlicher Darstellungen. Eine Version, die sich in den Uffizien in Florenz befindet, ist fast eine Kopie des Bildes in Wien, bis hin zu den dekorativen Elementen, wie dem roten Baldachin mit den flatternden Fransen, den Fruchtgirlanden und Putten. Diese Zierelemente muten sehr italienisch an. Sie treten in diesen Gemälden von Memling zum ersten Mal in der flämischen Malerei in Erscheinung, das Bild muß also ziemlich spät, etwa um 1485-1490 entstanden sein.

Es ist typisch für Memling, daß die Putten, die auf den Kapitellen zusammen mit zwei kleinen Cherubim auf dem Bogen die Fruchtgirlanden befestigen, obgleich in die Architektur integriert, wie lebende Figuren und nicht wie Stein-Skulpturen gemalt sind. Das gleiche gilt auch für die Darstellungen auf der Außenseite der Tafeln — kolorierte Figuren, lebendige Menschen in einer Nische. Auch hier spielt Memling bewußt ein doppeldeutiges Spiel mit verschiedenen Wirklichkeitsebenen.

Die auf der mittleren Tafel rechts kniende Figur in einer schwarzen Soutane ist vermutlich ein Geistlicher. Er blickt nicht auf die heiligen Personen, sondern scheint vielmehr im Gebet in das liebliche Bild versunken. Er wähnt sich der Madonna nahe, die ihm das Jesuskind darbietet, das spielerisch mit den Ärmchen nach einem Apfel greift, den ihm ein Engel, der sein Spiel auf der Gambe unterbrochen hat, lächelnd reicht.

Die Seitentafeln zeigen Johannes den Täufer und den Evangelisten Johannes mit ihren Attributen, dem Lamm und dem Kelch. War der Name des Stifters Johannes, Jan oder Giovanni oder stand das Triptychon auf einem Altar oder in einer Kirche, die diesem Heiligen geweiht war?

Auf den höchsten Kapitellen stellen kleine Skulptur-
gruppen links die Opferung Isaaks, rechts die Enthauptung der hl. Katharina dar.

Das geschlossene Triptychon zeigt das erste Men-
schenpaar, die verbotene Frucht in Händen haltend, als
wollten sie vor der Verführung zur Sünde warnen.

Anlaß und Umstände, unter denen dieses Triptychon
entstand, sind nicht geklärt. Seine klare, harmonische
Komposition von euphorischem Charakter zieht jedoch
durch den emailähnlichen Glanz und die sorgfältig ausgeführten Details auch den heutigen Betrachter noch in
seinen Bann.

Gerard David

(um 1460 Oudewater bei Gouda - 1523 Brügge)

Michaelsaltar

Eichenholz, Mittelfeld 66 × 53 cm,
beide Seitenflügel 66 × 22,5 cm
Erworben um 1886,
Inv.Nr. 4056
7 (siehe S. 231)

Der hl. Michael gehört nicht zum höchsten Rang in der Hierarchie der Engel. Als einer der sieben Erzengel führt er die himmlischen Heerscharen im Kampf gegen die Dämonen an, aufständische, dem Satan untertane Engel, die er vertreibt und in die Finsternis jagt.

Die schreckliche Schlacht vollzieht sich in den Lüften. Die in Ungeheuer verwandelten, abtrünnigen Engel werden in die Höllentiefe getrieben und verschwinden in Abgründen, Höhlen und dunklen Teichen. So be-

schreibt die Bibel den Sturz der Engel nicht. Die Apokalypse des Johannes schildert den Kampf gegen die Drachen, ein aus der orientalischen Mythologie stammendes Motiv. Es wird vom vielköpfigen Ungeheuer Satan berichtet, das beim Angriff Michaels und seines Engelheeres auf die Erde stürzt und in diesem Sturz seine Legionen mitreißt.

Erst seit dem 16. Jahrhundert ist der Sturz der Engel ein beliebtes Motiv der Malerei. Das Gemälde von Gerard David ist dafür also ein sehr frühes Beispiel, wenngleich auch der räumliche Aufbau eines solchen Themas kein Novum für den Künstler war, denn die Höllenseite des Jüngsten Gerichts hat immer eine vergleichbare Darstellung der ins Chaos niederstürzenden Körper und Ungeheuer. Die gewaltige Figur des hl. Michael steht auch hier im Mittelpunkt, er wägt das Gute und das Böse und ist Vollstrecker des unwiderruflichen Urteils.

Obwohl Gerard David den hl. Michael als dominierende, bildfüllende Figur in den Vordergrund stellt, ihn Dämonen zertrampeln oder sie sich in seinem mächtigen

Mantel wie in einem Netz verstricken läßt, war die Darstellung nicht als der Kampf gegen den Drachen aus der Apokalypse gedacht. Vielmehr ist sie das Bild der Vertreibung der abtrünnigen Engel auf Befehl Gottes, der hoch oben in einem lichterfüllten Wolkenloch erscheint. Hier nimmt der Künstler berühmte Darstellungen dieses Themas durch spätere Maler wie Bruegel, Floris und Rubens vorweg. Bemerkenswert ist aber, daß weder Waffen noch Rüstungen zu sehen sind. In der Regel trägt der hl. Michael einen Harnisch und ist mit einem Schwert oder einer Lanze bewaffnet. Gerard David kleidet ihn in ein liturgisches Gewand und gibt ihm einen Kreuzstab in die Hand. Auch das Heer der Engel führt nur den Kreuzstab, mit dem es die Teufel in die Höllentiefe jagt. Michael trägt einen Schild mit dem Zeichen Christi, einem roten Kreuz auf silbernem Grund, eher beschwörend gegen die Dämonen gerichtet. Dieses Wappenschild führt sonst St. Georg, der Ritter Christi. Für den hl. Michael ist es ein höchst seltsames Attribut. Gerard David wollte dem Geschehen eindeutig eine rein geistige Dimension geben: ein Kampf ohne Waffengetöse, von Priestern im Zeichen des Kreuzes ausgetragen, eine allegorische Übertragung in die kirchliche Realität. Nicht nur wegen dieser höchst originellen und, soweit bekannt, einmaligen Behandlung des Themas, sondern auch wegen der bildhaften Ausarbeitung verdient dieses Gemälde größere Wertschätzung, als ihm zuteil wurde.

Und doch ist die kompositorische Lösung nicht neu. Wir entdecken sie auch auf älteren Zeichnungen und Stichen, sogar was die Details der Drapierung des Mantels und die Gestalt der Ungeheuer betrifft. Es muß also eine bekannte, alte Darstellung dieses Typus eines kämpfenden Michael gegeben haben (vielleicht von Jan van Eyck?), die Gerard David in seinem Stil nachgeschaffen hat.

Gerard David ist der letzte in einer Reihe großer südniederländischer Maler des 15. Jahrhunderts. Seine Kunst ist weniger glanzvoll als die eines Memling, zu dem er sich in Brügge am Vorabend des Humanismus gesellte. Sein Werk wird von einem ernsten, etwas melancholischen Zug geprägt, der sich in einer Vorliebe für tiefe und dichte Hauptfarben und kaltes Grau, Violett oder neutrales Braun als Nebenfarben mit kontrastreichen Schattenpartien äußert. Die Sensibilität für atmosphärische Darstellungen, die seiner holländischen Ausbildung zuzuschreiben ist, kommt in diesem Werk vor allem in der Wolkenecke rechts oben zum Ausdruck, wo ein sehr feiner und außerordentlich schattierter Wirbel kleiner Figuren in einem wechselnden, einmal nebligen, dann wieder klar zeichnendem Licht entsteht.

Auf den beiden Seitenflügeln sieht man eine Felslandschaft mit Fluß. Vorne links steht der hl. Hieronymus, rechts der hl. Antonius von Padua. Es sind ruhige, große Figuren, vielleicht etwas weniger geschmeidig wie im Mittelteil gemalt, was nicht heißen muß, daß ein Gehilfe am Werke war.

Der hl. Hieronymus, einer der vier Kirchenväter, trägt einen purpurnen Kardinalsmantel (die Funktion eines Kardinals wurde ihm erst im 14. Jahrhundert zugeschrie-

ben). Zu seinen Füßen liegt der Löwe, den er nach der Legende von einem Dorn in der Pfote befreite. Der Kreuzstab des Hieronymus ist eine Goldschmiedearbeit, mit kleinen Figuren in Nischen verziert. Man kann darin die hl. Julitta und den hl. Donatus erkennen.

Der hl. Antonius trägt die graue Kutte des Franziskaners. Das Jesuskind, das ihm auf wunderbare Weise erschienen war, steht auf seinem Buch. Sein Kreuzstab ist aus grobem Holz geschnitzt.

Auf der Rückseite des Altars erstreckt sich über beide Flügel eine Steinnische, worin links der hl. Sebastian als Soldat, die Pfeile, die ihn töteten, in der Hand tragend, rechts die hl. Julitta (wie auf dem Kreuzstab des hl. Hieronymus) dargestellt sind. Julitta wurde zusammen mit ihrem Söhnchen mit Nägeln gemartert, weil sie sich weigerte, Götzen anzubeten. Diese Marterinstrumente hält der Knabe in der Hand.

Das Triptychon war wahrscheinlich für den Altar einer Bruderschaft oder einer Handwerksgilde entstanden. Geöffnet stellt es den Kampf gegen das Böse im Zeichen des Kreuzes dar. Da es geschlossen den hl. Sebastian als Soldaten zeigt, könnte es sich um eine Gruppe mit kämpferischen Aktivitäten oder mit Beziehungen zur Armee gehandelt haben. Die kühle Typisierung und das dunkle Kolorit verweisen auf ein ziemlich spätes Entstehungsdatum, wohl um 1510.

Dirk De Vos

Hieronymus Bosch

(um 1450-1516 s' Hertogenbosch)

Die Kreuztragung Christi

Eichenholz, 57 × 32 cm
Erworben 1923,
Inv.Nr. 6429
8 (siehe S. 219)

Das Gemälde ist ein Fragment des linken Flügels eines oben abgerundeten Triptychons, was in der rechten oberen Ecke zu erkennen ist, wo nach der Restaurierung ein Teil des Bogensegments freigelegt wurde. Nach den Berechnungen war dieser Bogenpunkt etwa 20 cm hoch. Auch am unteren Bildrand fehlt ein schmaler Streifen. Mit ziemlicher Sicherheit stellte die mittlere Tafel die Kreuzigung, der rechte Seitenflügel die Beweinung oder die Grablegung dar.

Die Komposition überrascht durch ihren archaischen Aufbau. Die Handlung verläuft auf parallel übereinander liegenden Ebenen, was noch sehr an die gotischen Bildgeschichten des 14. Jahrhunderts erinnert. Auch die Vielzahl der kleinen Figuren verträgt sich schlecht mit den streng durchkomponierten, großen religiösen Darstellungen südniederländischer Meister wie van Eyck, Rogier van der Weyden, Hugo van der Goes und Hans Memling, die zwischen 1430 und 1490 entstanden. Berührungspunkte finden wir in älteren Werken Eycks, die als frühe Arbeiten Jans gelten oder hin und wieder Hubert van Eyck zugeschrieben werden. Sicherlich muß man hier den Schlüssel zum besseren Verständnis und für eine genauere Interpretation der »malerischen Wiege« dieses geheimnisvollen Meisters suchen, der sein Leben lang in s' Hertogenbosch wohnte und von der bemerkenswerten Entwicklung der Malerei in den großen südniederländischen Städten so gut wie unberührt blieb. Besonders aufschlußreich ist der Vergleich mit einem einst berühmten, verlorengegangenen und nur in einer alten Kopie vorhandenen Werk von Hubert oder Jan van Eyck mit dem gleichen Thema (Museum der Schönen Künste in Budapest). Auch hier finden wir dicht gruppierte kleine Figuren in der gleichen Skala roter und bräunlicher Töne. Die Darstellung Christi, der das T-förmige Kreuz ganz vorn auf der Schulter trägt, gehört offensichtlich zur gleichen Tradition. Diese Merkmale ordnen das Gemälde dem frühen Werk des Künstlers zu, den Jahren 1480 bis 1490. Später malte er übrigens eine zweite Version; sie befindet sich im Königlichen Palast zu Madrid.

Im oberen Bereich des Gemäldes sieht man den Zug mit dem kreuztragenden Christus in Golgatha angekommen. Christus wird von bizarr anmutenden Soldaten umdrängt und von einem weißgekleideten, orientalisch wirkenden Mann mit Turban, dessen Schild auf dem Rücken eine fette Kröte zeigt, an einem Seil weitergeschleppt. Dieses Symbol für das Böse und Perverse steht hier kennzeichnend für die ganze Gruppe. Der zarte Christus wird bei seinem Gang unter der unerträglichen Last noch durch zwei an die Füße gebundene Nagelblökke gepeinigt. Sie schlagen bei jedem Schritt gegen seine Füße und manchmal tritt er mit seinem ganzen Gewicht darauf. Der Nagelblock, der öfters in südniederländischen Bildern der Kreuztragung vorkommt, war ursprünglich ein Brett mit Löchern ohne Nägel. Er hatte eine symbolische Bedeutung, die jedoch nicht genügend aufgeklärt ist. Simon von Cyrene, der das Kreuz tragen helfen sollte, legt einen Augenblick leicht seine Hand darauf und scheint eine Entschuldigung zu suchen, wie er sich dieser Aufgabe entziehen könnte. Es handelt sich hier wohl um ein ganz besonderes, der pessimistischen Phantasie des Meisters entsprungenes Detail. Ein bärtiger, mit einer langen rosa Tunika bekleideter Mann, der nicht zur Gruppe der Soldaten gehört, macht sich daran, Christus mit einem zur Schlinge gelegten Seil zu geißeln. Oder ist es vielleicht so, da diese auffallende Figur versucht den Christ mit dem Seil hoch zu ziehen? Im unteren Bildteil sind der gute und der böse Schächer bereits am Richtplatz angekommen. Als ob es sich um eine Exekution zur Entstehungszeit des Bildes handelte, spricht der gute Schächer rechts seine Beichte, während der Baumstamm, an den er festgebunden werden soll, in die Erde gerammt wird. Ein kleines, baumelndes Stück Seil sieht man gerade noch am oberen abgeschnittenen Rand des Gemäldes. Diese Beichtszene wird später von P.Bruegel d.Ä. in seiner *Kreuztragung Christi* (Nr. 32) übernommen. Ganz links oben blickt ein Mann nicht auf das Geschehen. Diese Figur hat man als Selbstporträt des Meisters interpretiert. Es gibt jedoch keine treffende Ähnlichkeit mit bekannten Porträts von Hieronymus Bosch.

Der Meister hat das Bild mit spitzem Pinsel und weicher Farbe gemalt, Falten, Gliedmaßen und Waffenrüstungen zeigen leichte, rasch aufgetragene Lichteffekte. Die gleiche skizzenartige Technik finden wir auch bei der allegorischen, grisailleähnlichen Darstellung auf der Rückseite. In einem schwarzen Medaillon auf rotem Grund sehen wir ein nacktes Kind, das mit der linken Hand einen Laufstuhl vor sich herschiebt und in der rechten ein Windrad aus Papier an einem langen Stab trägt. Es gibt viele Argumente für die Erklärung, diese kleine Figur sei das Jesuskind und nicht das Symbol der Unwissenheit, wie ebenfalls angenommen wird. Jesus trug von Kind an seine Passion in sich, was ihn von anderen Kindern unterschied. Anspielungen darauf finden wir in manchen Darstellungen seiner Kindheit. Die Windrädchen mit kreuzförmigen Flügeln weisen in ähnlicher symbolischer Bedeutung auf den Körper Christi hin, wie die Weinpresse auf sein Blut. Sie symbolisieren das Opfer Christi, der sein Fleisch als Brot der Menschheit schenkt. Das Windrädchen symbolisiert das spätere Kreuz des Kindes Jesus.

Dirk De Vos

Juan de Flandes

(tätig in Spanien zwischen 1496 und 1519)

Die Kreuztragung Christi

Eichenholz,
21,5 × 15,9 cm,
Geschenk von Kommerzialrat
O. Berl, 1913
Inv. Nr. 6269

Christus wird ans Kreuz genagelt

Eichenholz,
21,6 × 15,7 cm
Erworben 1913, Inv. Nr. 6276
9 (siehe S. 236)

Am Ende des 15. Jahrhunderts nahm die niederländische Malerei in Westeuropa eine führende Position ein. Niederländische Maler waren wegen ihrer Werke so begehrt, daß sie von ausländischen Auftraggebern mit Vorliebe beschäftigt wurden. Für Königin Isabella von Kastilien waren zwei in den Niederlanden ausgebildete Maler als Hofkünstler tätig: ab 1492 werden Zahlungen an Michel Sittow gemeldet, der aus dem Nordosten Europas, aus Reval in Estland stammte, aber in Brügge bei Hans Memling ausgebildet wurde; von 1496 bis zum Tod der Königin 1504 wird Juan de Flandes genannt, dessen Namen wir nicht kennen, der seinem Beinamen nach aber sicherlich aus den Niederlanden stammte. Zwei seiner Bilder tragen auf der Rückseite alte Beschriftungen, die »Juan Astrat« lauten, vielleicht eine Verballhornung des niederländischen Namens Straat oder Straaten, der nicht unbedingt der Name des Malers sein muß, sondern auch eine Herkunftsbezeichnung sein kann.

Juan de Flandes schuf in Spanien zahlreiche Werke, Tafeln für mehrere Altäre, unter anderem 1505 für die Universität von Salamanca und 1509 für die Kathedrale von Palencia, die durch erhaltene Verträge als seine Arbeiten gesichert sind. Diese Tafeln entstanden alle nach dem Tod der Königin Isabella; durch Stilvergleich wurde schon im vorigen Jahrhundert eine ganze Gruppe von zusammengehörigen kleinen Bildern, die für Königin Isabella angefertigt wurden, Juan de Flandes zugeschrieben. Es handelt sich um kleine Täfelchen, jedes nicht viel mehr als 20 cm hoch und 16 cm breit, mit Darstellungen aus dem Leben Jesu, beginnend mit der Kindheitsgeschichte bis zu den Geschehnissen nach der Passion, von denen heute noch 28 erhalten sind. Ursprünglich waren es mindestens 47, soviel werden im Nachlaßinventar der

Königin 1505 als zusammengehörig in einem Schrank aufbewahrt genannt, wenn wir auch nicht wissen können, ob beim Tod der Königin bereits alle geplanten Täfelchen gemalt waren oder ob die Serie weiter fortgesetzt hätte werden sollen, um schließlich in einem — nicht ausgeführten — Retabel zusammengefaßt zu werden. Der Bestand wurde nach dem Tod der Königin aufgeteilt, 10 Bildchen kamen in den Besitz der Marquesa de Denia, 32 an die Erzherzogin Margareta in Mecheln; aus dieser Gruppe, die unter Kaiser Karl V. wieder zurück nach Spanien gelangte, haben sich als geschlossener Bestand 15 Täfelchen im Palacio Real in Madrid erhalten. Die übrigen 13 verteilen sich auf verschiedene Museen und Privatsammlungen Europas und der Vereinigten Staaten.

Ein Vergleich der Täfelchen untereinander zeigt, daß sie nicht alle von Juan de Flandes gemalt wurden, sondern daß verschiedene Künstler an diesem Auftrag beteiligt waren. Drei stammen von dem bereits erwähnten Michel Sittow, die übrigen verteilen sich auf mindestens zwei, wenn nicht mehr Hände, wobei der Entwurf auf Juan de Flandes, die Ausführung aber auf verschiedene Mitarbeiter zurückgehen dürfte.

Das Kunsthistorische Museum besitzt zwei Bildchen aus der Serie, die erst 1913 aus einer Privatsammlung in die Gemäldegalerie gelangten, nämlich die *Kreuztragung* und die als selbständige Szene selten vorkommende Darstellung der *Kreuzannagelung*. Die figurenreichen, erzählfreudigen Szenen sind für die Eigenart des Juan de Flandes ebenso charakteristisch wie die atmosphärische Durchbildung der Landschaften.

Karl Schütz

Michel Sittow

(1469 Reval - 1525)

Die Heilige Nacht

Eichenholz, 113 × 84 cm
1659 in der Galerie
Inv.Nr. 5878
10 (siehe S. 278)

Rogier van der Weyden und Hugo van der Goes sind die beiden altniederländischen Maler, deren Schöpfungen am häufigsten in Kopien nachgeahmt worden sind. Eine ganze Reihe im Original verlorener Werke der großen Meister wurde so, zumindest dem Kompositionsgedanken nach, der Nachwelt überliefert. Manche Bilder sind in zahlreichen, voneinander geringfügig abweichenden Exemplaren, oft unterschiedlichster Qualität, erhalten und beweisen damit ihre ursprüngliche Beliebtheit. Es bedurfte des kriminalistischen Spürsinns zahlreicher Forscher, aus dem Vergleich dieser Fassungen und ihrer Abweichungen das Urbild zu rekonstruieren und seinen Schöpfer herauszufinden.

Eine dieser in mehr als sechs Nachahmungen erhaltenen Kompositionen ist die Anbetung des neugeborenen Jesuskindes durch Maria, Josef und zahlreiche Engel bei nächtlicher Beleuchtung. In allen Fassungen liegt das Kind nicht, wie in älteren niederländischen Darstellungen des Themas, auf dem nackten Boden, sondern in einem gemauerten Futtertrog. Das Bemerkenswerteste an dieser Bilderfindung ist jedoch, daß diese Krippe zugleich die hellste Stelle des ganzen Bildes ist, das meiste Licht von dem neugeborenen Kind ausgeht, dem Bibelwort vom »Licht der Welt« damit augenfälligen Ausdruck verleihend. Die Krippe überstrahlt die anderen im Bild vorhandenen Lichtquellen, die Kerze, die Josef in der Hand hält und sorgsam mit der Rechten abschirmt, die Laterne der Hirten rechts im Hintergrund und die kleinen Lichtpunkte der Hirtenfeuer auf dem Felde, auf das man durch die große Maueröffnung hinausblicken kann. Die kniende Maria und die drei anbetenden Engel um die Krippe sind am hellsten beleuchtet, dahinter werden Ochs und Esel im Halbschatten sichtbar, nahe an das Jesuskind herangerückt und damit die universelle Bedeutung der Erlösungstat betonend. Sie werfen große Schlagschatten auf die Mauer dahinter, der Eindruck des Effekts der künstlichen Beleuchtung wird noch einmal verstärkt.

Das Kunsthistorische Museum besitzt gleich zwei Fassungen dieser nächtlichen Anbetung des Christkindes, die von zwei ganz verschiedenen Malern stammen, die ihre unterschiedliche Eigenart und Herkunft zwar nicht verleugnen, in ihren Bildern aber deutlich das Wesen der ursprünglichen Komposition durchscheinen lassen. Die kleinere Fassung stammt von Gerard David, der sie am Beginn seiner Laufbahn um 1495, als er viele altnieder-ländische Bilder kopiert hat, malte. Die Zuschreibung der größeren, hier abgebildeten Fassung verursacht mehr Schwierigkeiten. Sie entstand einige Zeit später, wie der Pfeiler mit Renaissanceornamentik im Hintergrund beweist, sicher nicht vor 1500, wahrscheinlich aber erst nach 1510. Die Malerei ist mit großer Feinheit ausgeführt, die Nuancen der künstlichen Beleuchtung, die Reflexe auf den Gesichtern und den Kleidern, deren Eigenfarbe aus dem Dunkel der beschatteten Stellen ins Helle emportaucht, sind mit der modernen Auffassung des 16. Jahrhunderts von der Abhängigkeit der Farben vom Licht wiedergegeben. Friedrich Winkler schrieb das Bild Michel Sittow zu, dem aus dem Baltikum stammenden, in Brügge vielleicht als Schüler Hans Memlings ausgebildeten Maler, der mehr als zehn Jahre von 1492 bis 1504 in Spanien als Hofmaler Isabellas der Katholischen verbrachte und anschließend abwechselnd in den Niederlanden im Dienst Erzherzogin Margaretes und in seiner Heimatstadt Reval, in England und in Dänemark tätig war. Im Inventar der Sammlung Erzherzog Leopold Wilhelms (auf einem der Galeriebilder des Teniers nimmt die Anbetung einen prominenten Platz im Vordergrund ein) galt die Tafel als Werk des Lucas van Leyden, später als Gerard David, aber auch als Frühwerk des Jan Gossaert aus der Zeit vor dessen italienischer Reise.

Außer der Frage nach seinem mutmaßlichen Autor birgt das Bild aber noch ein zweites Rätsel, das es mit den anderen Exemplaren der Komposition teilt: welcher altniederländische Maler — um einen der Großen des 15. Jahrhunderts muß es sich gehandelt haben — war der Schöpfer des verlorenen Originals. Mit guten Gründen traten Ludwig Baldass und Friedrich Winkler für Hugo van der Goes ein, wenn die charakteristischen Gesichtstypen Hugos in den Kopien auch nicht überliefert sind. Es wurde beobachtet, daß auch die bekannte nächtliche Anbetung des Kindes von Geertgen tot Sint Jans (London, National Gallery), die als das älteste Nachtbild der altniederländischen Malerei galt, auf jene verlorene Komposition des Hugo van der Goes zurückgeht. Die Priorität der Erfindung der ersten »realistischen« Darstellung der Anbetung des Kindes gebührt somit dem Genter Maler, dem damit eine seiner großen Schöpfungen wiedergegeben ist.

Karl Schütz

Quinten Massys

(1465/66 Löwen - 1530 Antwerpen)

Der heilige Hieronymus in der Zelle

Eichenholz, 57 × 77 cm
1659 in der Galerie,
Inv.Nr. 965
11 (siehe S. 252)

Die Tafel zeigt ein Brustbild des hl. Hieronymus in der Ecke seiner Zelle; die Tür hinter ihm ist geöffnet. In Regalen an der Wand liegen Bücher und der Kardinalshut des Heiligen, auch ein Ständer mit gelöschter Kerze steht dort. Hieronymus beugt sich, gestützt auf einen hölzernen Tisch oder Schrank, nach vorn und blickt andächtig in das geöffnete Buch auf dem Pult. Voller Demut hat er seine rechte Hand auf die Brust gelegt, die linke berührt sacht den vor ihm liegenden Totenkopf; das Schreibgerät, Feder und Tintenfaß, stehen unbenutzt daneben. Der Heilige meditiert über das Jüngste Gericht, das die ganzseitige Miniatur auf der rechten Seite des aufgeschlagenen Buches zeigt, und über das Los des Menschen nach dem Tode: darauf lassen die Symbole, die ausgelöschte Kerze und der Totenkopf, schließen.

Viele Werke der niederländischen Malerei des 15. und 16. Jahrhunderts stellen den hl. Hieronymus dar. Als Übersetzer des Alten und des Neuen Testamentes ins Lateinische stand er bei den Humanisten, die in ihm eine Art Schutzpatron erblickten, in hohem Ansehen. Die Wiederherausgabe seiner Schriften durch Erasmus von Rotterdam im Jahr 1516 trug zweifellos viel dazu bei, wie auch das »memento mori«, die Vorstellung von der Vergänglichkeit, die mit der Ikonographie des hl. Hieronymus verbunden war, die auch dieses Bild zeigt.

Es ist höchstwahrscheinlich, daß Quinten Massys der Schöpfer dieses Bildes war. Befreundet mit Erasmus von Rotterdam, Petrus Aegidius und Thomas Morus, war ihm die Gedankenwelt der Humanisten vertraut. Dennoch ist dies kein letzter Beweis für die Richtigkeit der Zuschreibung des Gemäldes an Massys. Im Inventar des Erzherzogs Leopold Wilhelm von 1659 wird es zum ersten Mal erwähnt. Massys war schon zu Lebzeiten so berühmt, daß es sich Albrecht Dürer zur Ehre anrechnete, ihn bei seinem Besuch in Antwerpen im Jahr 1520 in seinem Haus aufzusuchen, und sein Ruhm wuchs noch im folgenden Jahrhundert. Das Gemälde von Willem van Haecht, welches das Statthalterpaar Albrecht und Isabella bei einem Besuch der Gemäldesammlung des Cornelius van der Geest zeigt, ist hierfür ein beredtes Beispiel. Dieses Bild (heute im Rubenshaus in Antwerpen) zeigt van der Geest, der ein bekannter Kaufmann und Kunstliebhaber, vor allem ein großer Mäzen von Rubens war, in den ersten Jahren nach seiner Rückkehr aus Italien, wie er dem Erzherzogspaar als Glanzstück seiner Sammlung eine *Madonna mit Kind* von Quinten Massys präsentiert. Diese Art von Bildern war seinerzeit – der Besuch fand 1615 statt – sehr in Mode. Noch dreißig Jahre später war Leopold Wilhelm immer noch daran interessiert, ein Werk von Massys für seine Sammlung zu erwerben. Man verkaufte ihm den hl. Hieronymus als eigenhändige Arbeit des Meisters. Seitdem sind aber berechtigte Zweifel an der Authentizität aufgekommen. Es dürfte sich eher um eine Adaption eines verlorengegangenen Werkes des Künstlers handeln, wobei man vielleicht an seinen Sohn Jan als Urheber denken könnte. Eine etwas abweichende Version wurde vor einigen Jahren bei Sotheby's in London als Werk von Jan Massys versteigert (16. April 1980, Nr. 105). Die Vermengung frommen Glaubens mit humanistischem Gedankengut, wie sie in den Kreisen um Massys bereits Anfang des 16. Jahrhunderts aufkam, war auch noch für die Kunstliebhaber des 17. Jahrhunderts von großer Anziehungskraft.

Carl Van de Velde

Joachim Patinier

(zwischen 1475 und 1490 Bouvignes (?)-1524 Antwerpen)

Die Marter der heiligen Katharina

Eichenholz, 27 × 44 cm
1659 in der Galerie,
Inv.Nr. 1002
12 (siehe S. 262)

Das in seinen Abmessungen kleine Bild öffnet dennoch einen weiten Blick in eine vielgestaltige Natur. Schwere Felsformationen mit dichten Baumpartien beherrschen den Vordergrund, dahinter liegt eine Ebene mit grünen, von Buschwerk gesäumten Wiesen. Hier finden sich die Personen: rechts, auf einer Art Plateau, kniet die hl. Katharina von Alexandrien vor dem Rad, auf dem sie gemartert werden sollte, das ein Engel jedoch in Flammen aufgehen ließ. Die Folterknechte sind fassungslos zu Boden gestürzt, der heidnische König ergreift mit seinem Gefolge erschrocken die Flucht. Dieser Teil des Bildes ist ins Licht gerückt. Unten in der Ferne (die Landschaft ist von einem erhöhten Standpunkt aus gesehen) liegt an einer Meeresbucht eine Stadt. Einige ihrer Gebäude muten fremdländisch an, wogegen im Vordergrund einfache, ländliche Häuschen und ein Stadttor zu erkennen sind, wie man sie in den Niederlanden findet. Am Strand, der sich dahinter ausbreitet, hat sich eine Menschenmenge um einen Scheiterhaufen versammelt. Wahrscheinlich ist dies die Verbrennung der Philosophen, die sich, wie die Legenda Aurea berichtet, nach einem Disput mit der hl. Katharina zum Christentum bekehrt hatten und dafür mit ihrem Leben bezahlen mußten. Einige Schiffe liegen in der Bucht vor Anker. In der Ferne erstreckt sich das Meer bis zum Horizont, wo Wasser, felsige Küste und Wolken in dunstigen Blautönen ineinanderfließen.

Die kleinen Figuren im Mittelgrund nehmen zwar im Verhältnis zur Landschaft nur wenig Raum ein, sind aber unverkennbar ein wesentliches Bildelement. Man kann schwerlich glauben, die Geschehnisse seien mehr oder weniger zufällig dort dargestellt oder durch ganz andere austauschbar, ohne den Charakter des Werkes zu verändern. Sicherlich war der Maler in dieser frühen Phase der Entwicklung der Landschaft noch stark an den Inhalt seiner Darstellung gebunden und die Wiedergabe der Natur kann nicht als Zweck an sich gesehen werden.

Über die Herkunft Joachim Patiniers gehen die Ansichten auseinander. Ist er in Dinant oder in Bouvignes geboren, um 1480 oder etwas später? Er stammt jedenfalls aus der Maas-Gegend. Bestimmten Quellen zufolge hatte diese Tatsache einen bedeutenden Einfluß auf die Art und Weise, wie er in seinen Bildern Felsen aufeinandertürmt. Zurecht verwies man auf Analogien mit den Landschaften von Hieronymus Bosch; auch sie wurden von einem erhöhten Standpunkt aus gemalt und enthalten ebenfalls häufig symbolträchtige Motive. Die bei Patinier manchmal idyllische Atmosphäre und eine Ähnlichkeit in der Typisierung der Figuren trugen andererseits dazu bei, in Gerard David sein Vorbild zu sehen. Verschiedentlich wird die Ansicht vertreten, Patinier habe vor 1515 in Brügge gearbeitet. In jenem Jahr erscheint sein Name in der Mitgliedsliste der Lukas-Gilde zu Antwerpen. All dies aber ist spekulativ. Nur die Jahre 1515 bis 1524, in denen er in Antwerpen lebte, sind dokumentiert. Er hatte ein Atelier mit Hilfskräften — was aus Dürers Tagebuch über seine Reise in die Niederlande hervorgeht — und war gut befreundet mit Quinten Massys. Als Patinier 1524 noch ziemlich jung starb, erklärte sich Massys zur Vormundschaft über Patiniers minderjährige Kinder bereit. Es ist nicht gerechtfertigt, das ganze Werk Patiniers in seine letzten neun Lebensjahre zu legen. Die Landschaft mit der Geschichte der hl. Katharina gehört zu einer Serie von Bildern, die vor 1515 zu datieren sind. In all diesen Werken befinden sich die Figuren in der mittleren Zone, manchmal auch seitlich. Verschiedene Episoden werden aneinandergereiht, ohne daß eine davon, etwa durch größere Maße, ins Blickfeld gerückt wird, wie es in manchen späteren Arbeiten der Fall ist. Möglicherweise wurden die Figuren dort von anderen Meistern, wie etwa von Massys, gemalt. Das hier besprochene Werk stammt jedoch ohne Zweifel gänzlich von Patiniers Hand.

Carl Van de Velde

Joachim Patinier

(zwischen 1475 und 1490 Bouvignes (?) - 1524 Antwerpen)

Die Taufe Christi

Eichenholz, 59,7 × 76,3 cm
1659 in der Galerie,
Inv.Nr. 981
13 (siehe S. 262)

Fast jedes Buch oder jeder Aufsatz über Joachim Patinier beginnt mit dem Bericht, wie Albrecht Dürer ihn bei seinen Besuchen in Antwerpen 1520 und 1521 wiederholt traf und ihn, zu seiner Hochzeit eingeladen, »Meister Joachim, den guten Landschaftsmaler« (»maister Joachim, der gut landschafft mahler«) nannte. Der Begriff »Landschaft« wurde in Venedig bereits etwas früher verwendet, war aber für die Niederlande eine Neuschöpfung. Was Dürer nun genau unter »gut« verstand, kann verschieden gedeutet werden. Es steht aber außer Frage, daß er recht hatte. Ohne Zweifel war Patinier ein Maler, der sich auf die Wiedergabe der Natur spezialisiert hatte. Figuren spielen in seinem Werk eine zweitrangige Rolle. Hin und wieder stammen diese von anderer Hand, so weiß man z.B. von einer Zusammenarbeit mit Quinten Massys.

Die *Taufe Christi* ist mit Patiniers vollem Namen auf einem Felsen in der Bildmitte signiert. Sie ist somit als völlig eigenhändige Arbeit Patiniers zu betrachten. Christus steht genau im Zentrum. Über seinem Haupt erscheinen Gottvater und der Heilige Geist, während Johannes das Wasser des Jordan aus seiner Hand auf das Haupt Christi gießt. Der Täufer wiederholt diese Handlung links in der Mitte, wo er einer kleinen Menschengruppe predigt. In der rechten Hälfte findet man keine Figuren; hier fließt der Strom zwischen Ruinen und Felsen dahin, vorbei an einem verlassenen Dorf in der Fer-

ne. Am Horizont erstreckt sich die unendliche Natur. Bezeichnend für Patiniers reifen Stil — und dieses Werk gehört in diese Schaffensperiode — ist der Blick von oben, der Panoramablick auf die Welt mit der Betonung des Vordergrundes. Die Tiefenstaffelung vollzieht sich durch Wechsel der Farbe: vorne braun, in der Mitte grün, hinten blau. Die Felsformationen sind, genau wie die Landschaft, Phantasiegebilde. Die Absicht dieser frühen Landschaftsmaler, wie Patinier, war keineswegs die genaue Wiedergabe der Realität, ja nicht einmal einer möglichen Realität. Der Hintergrund wurde in die Komposition, ein Geschehen mit religiösem oder moralischem Aspekt, integriert. In manchen Pflanzen hat man symbolische Bedeutungen entdecken können, wie sie auch in den Werken der Altniederländer zu finden sind. In bestimmten Fällen kann glaubhaft nachgewiesen werden, daß die Landschaft bewußt den Unterschied zwischen wilder, unwirtlicher und gebändigter, leicht zugänglicher Natur als symbolische Parallele zum harten Leben des Asketen und dem trägen des Sünders aufzeigen will. Ohne den Anspruch, auf diese Weise eine allgemein gültige Interpretation aller Landschaften Patiniers geben zu können, wäre es sicher gut, weitere Forschungen in dieser Richtung zu unternehmen.

Carl Van de Velde

Herri met de Bles

(wahrscheinlich um 1510 Dinant - 1550(?) Ferrara)

Landschaft mit dem Gang nach Emmaus

Eichenholz, 23 × 35 cm
1781 in der Galerie,
Inv.Nr. 1006
14 (siehe S. 217)

Dem Beispiel Joachim Patiniers folgend, schuf Herri met de Bles eine Generation später ebenfalls kleine Landschaften mit religiöser Thematik, die nur durch kleine Figuren angedeutet wird, welche in einer Ecke des Bildes fast verborgen sind. Die Wiener Tafel zeigt eine phantastische Landschaft, weit von der realen Natur der Niederlande oder anderswo entfernt. Ein Fluß schlängelt sich aus der rechten unteren Ecke zwischen drohenden Felsen hindurch. Der erste Eindruck ist idyllisch: Schwäne auf dem Wasser, ein friedliches Landhaus am Ufer, zwei kleine Boote steuern auf die Verengung des Flusses zu. Jenseits der Felsen liegt am Ufer eine Stadt mit Toren und Türmen. Am Horizont, wo der Fluß ins Meer mündet, verschwimmt die Trennungslinie zwischen Wasser und Luft. Hinter den Felsen des rechten Flußufers steht eine Burg. Links im Bild gibt sich die Natur unwirtlich und karg, in der Ferne sind die verschwommenen Umrisse einer Stadt zu erkennen. Links vorne, auf einem Weg, der durch Felsentore verläuft, stehen Christus und die zwei Emmauspilger. Es sind die einzigen erkennbaren Figuren im Gemälde.

Von dieser Komposition sind verschiedene Versionen bekannt. Die Unterschiede liegen in der Gestaltung der Landschaft, die Gruppe der Figuren bleibt immer unverändert. Die Zuschreibung der Wiener Tafel an Herri met de Bles ist allgemein anerkannt. Sie ist basiert auf einem Gemälde in Dresden. Dies zeigt einen Krämer, der von Affen ausgeplündert wird, eine Szene, die bereits von Karel van Mander 1604 als Werk von Herri met de Bles beschrieben wurde. Nach Mander hatte der Maler die Angewohnheit, seine Bilder mit einer kleinen Eule zu signieren, was ihm in Italien den Spitznamen »Civetta« eintrug. Auch hier sitzt auf einer Stange am Wegrand (über den Figuren) eine kleine Eule.

Über die Beziehung von Herri met de Bles zu seinem Vorbild Joachim Patinier herrscht noch nicht völlige Klarheit. Man nimmt – trotz einiger Gegenstimmen – an, der Künstler sei identisch mit »Herri de Patinier«, der 1535-36 in Antwerpen Meister wurde. War er etwa ein Neffe Joachims? Da Patinier bereits 1524 starb, konnte Herri met de Bles schwerlich Lehrling bei ihm gewesen sein. Was seine Lehrzeit und Frühperiode betrifft, tappen wir völlig im Dunkeln. Seine Gemälde gehen auf das Beispiel Patiniers zurück, zeigen jedoch eine insgesamt freiere Struktur. Die traditionelle Farbenfolge braun-grün-blau vom Vordergrund zum Hintergrund wird weniger strikt befolgt. Die Form der Felsen ist womöglich noch phantasievoller als bei Patinier. Die weitere Entwicklung der Landschaftsmalerei in den Niederlanden zeigt bei Meistern wie Pieter Bruegel d. Ä. einen Zug zur realistischeren Naturdarstellung, doch kann Herri met de Bles als wichtiges Glied in dieser Entwicklung betrachtet werden.

Carl Van de Velde

Jan de Beer

(wahrscheinlich um 1480 Antwerpen - vor 1528 Antwerpen)

Die Marter des Apostels Matthias

Eichenholz, 25,5 × 41,5 cm
Erworben 1939,
Inv.Nr. 6961
15 (siehe S. 216)

Während nach einigen Quellen der Apostel Matthias, Nachfolger des Judas, eines friedlichen Todes gestorben ist, berichten andere Quellen, er sei gekreuzigt, von den Juden gesteinigt oder nach römischem Recht enthauptet worden. Es sind die beiden letzteren Versionen, die auf der kleinen Tafel gleichzeitig dargestellt sind. Der Heilige ist auf Hände und Knie gefallen und liest in einem Buch, während seine Henker sich anschicken, ihn zu töten. Der eine schwingt ein Beil über seinem Kopf, der andere schmettert einen Stein auf ihn herab. Rechts steht der Kaiser, das Geschehen betrachtend, an der Spitze seines von einem Offizier in extravaganter Rüstung angeführten Gefolges. Der Herrscher selbst ist in einen prachtvollen, bunt eingefaßten Brokatmantel mit Hermelinkragen gekleidet. In der rechten Hand hält er ein Szepter, den Kopf bedeckt ein modischer Hut. Auch die beiden Henker tragen farbenprächtige Kleider, im Kontrast zum einfachen Gewand des Märtyrers. Genau in der Mitte des Bildes sitzt ein weißer Windhund. Die Szene spielt an einem Waldrand, im Hintergrund liegt eine befestigte Stadt, wahrscheinlich Jerusalem. Dort, so nimmt man an, habe der Apostel den Märtyrertod erlitten.

Offensichtlich ist die kleine Tafel Teil eines größeren Ganzen, dessen genauen Umfang und Zusammenstellung man heute aber nicht mehr feststellen kann. Das Kunsthistorische Museum in Wien besitzt ein Gegenstück zu dieser Tafel, es zeigt das *Martyrium des hl. Sebastian* (Inv.Nr. 6971). Auch dort tragen die Henker farbenfrohe, fließende Gewänder, auch dort schaut der Kaiser mit seinem Gefolge zu, sogar der weiße Windhund fehlt nicht. Zur gleichen Serie gehören noch zwei kleine Tafeln in einer schweizer Privatsammlung (der *Tod des hl. Dominik* und *Die Enthauptung des Königs Chosroe durch Kaiser Heraclius*) und vielleicht noch ein fünftes Werk, dessen Thema nicht eindeutig ist (die Folterung des Judas durch Helena?). Man hat angenommen, daß diese kleinen Tafeln Teil einer Predella eines großen Altars waren.

Der Stil des Gemäldes ist typisch für die sogenannten Antwerpner Manieristen, einer Gruppe von Malern im ersten Jahrzehnt des 16. Jahrhunderts, die in Antwerpen oft mit Bildschnitzern zusammengearbeitet haben. Die meisten ihrer Namen sind unbekannt. Jan de Beer, dem diese Tafel seit Friedländer zugeschrieben wird, war der angesehenste unter ihnen. Als Lodovico Guicciardini 1567 in seiner »Descrizione di tutti i Paesi Bassi« einen Überblick über die niederländische Malerei gab, zählt er »Giovanni di Ber« zu den wichtigsten Malern. Archivalien ermöglichen es, den Lebenslauf des Malers einigermaßen zu dokumentieren. Geboren wurde er wahrscheinlich kurz vor 1480. 1490-91 ist er als Lehrling in der Lukasgilde eingeschrieben, 1504-05 wird er dort Meister. In den folgenden Jahren findet man seinen Namen verschiedentlich in Antwerpner Dokumenten, zum Beispiel im Zusammenhang mit seiner Eheschließung (1508), Immobiliengeschäften und der Aufnahme von Lehrlingen. Ab 1504 wohnte er etwa zwanzig Jahre lang als selbständiger Meister in Antwerpen. Alles deutet darauf hin, daß er einem erfolgreichen Atelier vorstand. Spätestens 1528 muß er in Antwerpen gestorben sein, da in einem Dokument aus diesem Jahr von der Vormundschaft über seinen Sohn »Aert de Beer, Jannsone weylen« die Rede ist.

Die beiden Tafeln in Wien gehören zu einer Serie von Bildern, die allgemein Jan de Beer zugeschrieben werden, wenngleich es Zweifel an der Richtigkeit dieser Zuschreibung gibt. Oft wird auf eine Zeichnung mit neun Köpfen verwiesen, die sich im Britischen Museum in London befindet und auf welcher der Name Jan de Beer und die Jahreszahl 1520 zu lesen sind. Es kann sich aber hier wahrscheinlich um eine Kompilation von Köpfen aus verschiedenen Werken des Meisters handeln, möglicherweise von seiner eigenen Hand. In jedem Fall ist die Zahl der de Beer zugeschriebenen Bilder ihrer Vielfalt und Qualität nach bedeutend genug, um den Maler als Wegbereiter der Antwerpner Manieristen bezeichnen zu können.

Carl Van de Velde

Jan Gossaert

(zwischen 1470 und 1480 Maubeuge - 1532 Middelburg)

Der Heilige Lukas malt die Madonna

Holz 109,5 × 82 cm
1659 in der Galerie,
Inv.Nr. 894
16 (siehe S. 241)

Nach der Legende, die frühestens im 6. Jahrhundert entstanden sein kann, soll der hl. Lukas das Porträt der Jungfrau Maria gemalt haben. Viele Ikonen wurden als Original dieses Porträts ausgegeben. Wo immer der Ursprung der Legende liegen mag, für die Malerei hatte sie bemerkenswerte Folgen: als sich die Maler des ausgehenden Mittelalters zu Gilden zusammenschlossen, lag es für sie nahe, sich den Evangelisten Lukas als Schirmherrn zu erwählen. Lukas, die Madonna malend, wurde so zu einem beliebten Thema der Maler, während sich die Bildhauer selten damit befaßten. Vor allem in den Niederlanden gibt es hierfür zahlreiche Beispiele und soweit man die Herkunft dieser Gemälde verfolgen kann, waren es oft Auftragsarbeiten einer Lukasgilde oder die Schenkung eines ihrer Mitglieder an diese. Man nimmt an, das berühmteste Bild mit diesem Thema aus dem 15. Jahrhundert, *Der heilige Lukas malt die Madonna* von Rogier van der Weyden sei für die Lukasgilde in Brüssel gemalt worden. Im 16. Jahrhundert beschäftigten sich verschiedene flämischen Maler (Massys, Blondeel, Floris, Maerten de Vos u.a.) mit diesem Thema.

Mindestens zweimal hat es Jan Gossaert gemalt, einmal für den Altar der Lukasgilde in der St. Romboutskathedrale in Mecheln, ein zweitesmal für einen unbekannten Auftraggeber, möglicherweise eine Malergilde. Die erste Version befindet sich heute in der Narodni Galerie in Prag. Das hier beschriebene Bild ist die spätere Version. Die frühere Datierung der Tafel in Prag, die allgemein Zustimmung findet (man nimmt eine Zeitspanne von etwa fünf Jahren zwischen beiden Werken an), beruht auf zwei Punkten, in denen diese Tafel der Tradition näher steht als das Wiener Bild. In der ersten Version stellt Gossaert den Heiligen, zusammen mit Maria und dem Kind, in den gleichen Raum. Genau wie bei Rogier ist es das reiche Interieur eines Palastes mit einem Ausblick in die Ferne. In der Wiener Tafel kniet der hl. Lukas neben einer Betbank und sieht die Jungfrau als Vision in einer Wolke schwebend. Sie wird von drei Engeln getragen, zwei andere schweben mit der Krone der Himmelskönigin über ihr. Der Evangelist blickt aber auf die Zeichnung, die seine von einem Engel geführte Hand auf dem Papier entstehen läßt. Die Trennung der Komposition in einen himmlischen und in einen weltlichen Teil wird in der Vertikalen durch die Pilaster im Hintergrund noch verstärkt.

Der zweite Punkt ist der architektonische Dekor, dessen Struktur keine gotischen Elemente, sondern vielmehr ein besseres Verständnis der mehr zur Antike tendierenden Bestandteile der Renaissancearchitektur aufweist. Auch hier ist Gossaerts Gestaltungsweise fortschrittlicher als im Altarstück aus Mecheln. Im übrigen sind in manchen dekorativen Motiven regelrechte Entlehnungen aus italienischen Vorbildern festzustellen. Der Renaissancecharakter bei Gossaerts Architektur erschöpft sich aber nicht nur im Dekorativen. Der Raum, in welchem sich die Figuren befinden, ist nicht genau definiert. Der Betstuhl des hl. Lukas steht auf einem links und rechts von Stufen begrenzten Fliesenboden. Den Hintergrund bilden zwei halbrunde, auf Pilastern ruhende Bögen. Ein vorgelagerter Pilaster trennt sie. In einer Nische hinter dem rechten Bogen sitzt, auf einem hohen Sockel mit kleinen Säulen, Moses mit den Gesetzestafeln. Die Wolke, welche auf der linken Seite Maria mit dem Kind und den Engeln umschließt, verdeckt den Hintergrund und es bleibt unklar, ob sich auch dort eine solche Nische befindet. Der Teil einer Pfeilerbasis am linken unteren Bildrand deutet auf eine weitere Ausdehnung des Raumes nach links und nach vorne hin. Der Heilige kniet also in der Ecke eines großen Saales oder im Seitenarm einer Kapelle einer Kirche. In Tafeln aus dem späten 16. Jahrhundert wird diese Szene gerne in das Atelier des Malers verlegt und manchmal zeigt der hl. Lukas die Gesichtszüge des Malers. Bei Gossaert wird diese Profanisierung noch nicht erreicht. Sein Bild beläßt das Geschehen in einer höheren Sphäre. Die Figur des Moses, auf den Alten Bund verweisend, bleibt im Halbdunkel, das zum strahlenden Licht, das Maria umgibt, kontrastiert.

Pfeiler und Pilaster sind mit noch streng symmetrisch angeordneten Motiven bedeckt, die aber bereits groteske Züge, menschliche und tierähnliche Wesen mit Maskenköpfen, aufweisen. Gossaert mag solche Elemente während seines Aufenthaltes in Rom in den Jahren 1508-09 gesehen haben. Nach seiner Rückkehr verarbeitete er diese neuen Eindrücke antiker Skulpturen in seinen Gemälden. Da sie an den Höfen von Margareta von Österreich in Mecheln, Philipps von Burgund auf der Insel Walcheren und nach 1527, als sein Herr Bischof von Utrecht geworden war, in Wijk bei Duurstede in ziemlicher Abgeschiedenheit entstanden, verhinderte jedoch eine größere Verbreitung seiner Bildauffassung in den Niederlanden. Erst gegen die Mitte des Jahrhunderts bricht sich die Renaissance in Antwerpen Bahn. Von 1524 bis zu seinem Tod 1532 lebte Gossaert wieder in Middelburg, doch zumindest in seinem letzten Lebensjahr erhielt er von Mencia de Mendoza, der Gattin Heinrichs III. von Nassau, eine Jahresrente und schuf Werke für deren Schloß in Breda.

Das Wiener Gemälde wird in der Regel um 1520 datiert. Der Auftraggeber ist unbekannt. Das Werk könnte in Utrecht oder in Wijk bei Duurstede entstanden sein, doch die ältesten bekannten Daten verweisen wieder nach Antwerpen. Das Bild befand sich dort nacheinander in zwei Privatsammlungen, der des Peter Helman on der Meir und eines gewissen Augustijn Tyssens. Aus der Sammlung des letzteren wurde es an Erzherzog Leopold Wilhelm verkauft und nach Wien gebracht, wo es sich seitdem befindet. Ob es ursprünglich von einer Lukasgilde bestellt worden war, bleibt ungewiß.

Carl Van de Velde

Bernaert van Orley

(1488 - 1541 Brüssel)

Thomas- und Matthias-Altar

Eichenholz, 140 × 180 cm
Erworben 1809,
Inv.Nr. 992
17 (siehe S. 261)

Die geschweifte Form des oberen Bildrandes zeigt, daß es sich um die mittlere Tafel eines Triptychons handelt, dessen Seitenflügel entfernt wurden. Diese befinden sich seit der Mitte des vorigen Jahrhunderts in den Musées royaux des Beaux-Arts in Brüssel. Die Feststellung, daß diese beiden Flügel zum seit Anfang des 19. Jahrhunderts in Wien befindlichen Mittelstück gehören, ermöglicht es, den Ursprung des Triptychons zu bestimmen und seine Darstellungen zu deuten. Es schmückte ursprünglich den Altar der Brüsseler Zünfte der Maurer und Zimmerleute in der Kirche Notre-Dame du Sablon in Brüssel. Der hl. Thomas war der Schutzpatron der Maurer, der hl. Matthias jener der Zimmerleute. Dies erklärt, warum die beiden Flügel den beiden Aposteln gewidmet sind und warum jede der beiden Gilden genau die Hälfte der Bildfläche zugeteilt bekam. Die Außenseite des linken Flügels zeigt drei Gildenbrüder, die vor der Statue des hl. Thomas knien und seinen Schutz erflehen. Darunter sind ihre Werkzeuge zu finden: Senklot, Winkel, Zirkel und Kelle. Die Außenseite des rechten Flügels ist den Zimmerleuten und ihrem Schutzpatron, dem hl. Matthias vorbehalten und auch dort finden sich die Werkzeuge wie Meißel, Beil, Hammer und Säge. Die Innenseite des Triptychons ist mit der gleichen Genauigkeit aufgeteilt: der linke Seitenflügel und die linke Seite des Mittelfeld zeigen Szenen aus dem Leben des hl. Thomas und dessen Tod, die rechte Hälfte des Mittelfeldes und der rechte Flügel sind dem hl. Matthias gewidmet. Eine hohe, skulpierte Säule, die sich am oberen Bildrand in ein dekoratives Motiv verzweigt, teilt die mittlere Tafel. Der Raum, in dem beide Szenen spielen, ist aber nicht wirklich getrennt: Landschaft, Wolken und sogar die Vögel am Himmel bilden ein Ganzes. Dies ist umso bemerkenswerter, als die beiden abgebildeten Geschichten sowohl räumlich als auch zeitlich weit auseinander liegen. Links ist der Tod des hl. Thomas geschildert, der von einem indischen Hohepriester mit dem Schwert durchbohrt wurde, weil er sich weigerte, ein Götzenbild anzubeten. Rechts wird Matthias anstelle des Judas zum Apostel erwählt, was in Palästina stattfand. Auch Thomas ist anwesend. Der Maler hat den zu offensichtlichen Anachronismus gemildert, indem er in der Berufung des Matthias dem hl. Thomas einen unauffälligen Platz unter den Aposteln zuwies.

Auf beiden Seiten werden zwei weitere Episoden aus den Legenden der Heiligen gezeigt. Links sieht man den hl. Thomas über glühendes Eisen gehen und unversehrt aus einem heißen Ofen kommen, wie es die Legenda Aurea erzählt, rechts im Hintergrund Matthias mit dem Giftbecher, der ihm nichts anhaben konnte, am rechten Bildrand predigt der Heilige dem Volk.

Ein Schild an dem Pfeiler, der die Bildhälften trennt, nennt den Namen des Malers, Bernaert van Orley. Obwohl es nicht datiert ist und es keine Archivalien über den Altar der Maurer und Zimmerleute gibt, nimmt man an, daß es sich um ein frühes Werk handelt. Vielleicht entstand es um die gleiche Zeit oder sogar noch etwas früher als der Altar, den Bernaert van Orley für die Bruderschaft des Heiligen Kreuzes in Veurne zwischen 1515 und 1520 malte und von dem sich je eine Tafel in den Museen in Brüssel und in Turin befindet.

Bernaert van Orley wurde etwa 1488 in Brüssel als Sohn einer adeligen, aus Luxemburg stammenden Familie geboren. Sein Vater war Maler und angeblich sein Lehrer. Die Jugendwerke müssen großen Eindruck gemacht haben, denn bereits 1515 arbeitete er für den Hof von Margareta von Österreich in Mecheln. 1518 wurde er ihr Hofmaler und behielt diese Stellung nach ihrem Tod auch bei der Nachfolgerin, Maria von Ungarn. Das Werk Bernaert van Orleys umfaßt Bilder mit religiösen Themen, Porträts, sowie zahlreiche Entwürfe für Wandteppiche und Glasfenster. Sein Stil wandelte sich von den noch etwas zusammenhanglosen und unübersichtlichen Werken seiner Frühperiode – das Matthias und Thomas-Triptychon ist ein gutes Beispiel hierfür – zu streng aufgebauten Kompositionen, in denen seine Kenntnis der italienischen Hochrenaissance, vor allem Raffaels, ersichtlich wird. Es ist ungewiß, ob Bernaert van Orley je in Italien war, doch er studierte eingehend die Vorlagen Raffaels zu den für die Sixtinische Kapelle vorgesehenen Teppichen mit Szenen aus dem Leben der Apostel, die in Brüssel zwischen 1516 und 1520 gewebt wurden. So spielte er eine wichtige Rolle als Wegbereiter der Renaissance in den Niederlanden.

Carl Van de Velde

Joos van Cleve

(von 1507 an tätig - 1540 Antwerpen)

Flügelaltar mit der Heiligen Familie, hl. Georg, hl. Katharina und unbekannten Stiftern

Eichenholz,
Mittelfeld 94,5 × 70 cm,
beide Seitenflügel 94,5 × 30 cm.
1619 in der Galerie
Inv. Nr. 938
18 (siehe S. 227)

Herkunft und ursprüngliche Verwendung dieses kleinen Triptychons sind nicht bekannt. Es könnte als Altar für eine Kirche bestimmt gewesen sein, wahrscheinlicher aber ist, daß es für das Haus jenes Ehepaares gemalt wurde, dessen Porträts man auf den Innenseiten der Seitenflügel sieht. Im Inventar von Nachlässen Antwerpner Bürger — alles weist darauf hin, daß dieses Triptychon in Antwerpen entstanden ist — fand man oft Gemälde mit Darstellungen der Madonna mit dem Kind, hin und wieder auch als Triptychon. Die andächtige Frömmigkeit solcher Bilder ist dem Geist der Malerei des 15. Jahrhunderts noch sehr nahe, auch in dieser Tafel. Ganz anders steht es aber mit der dekorativen Ausschmückung des Marienthrons, der völlig aus Motiven aufgebaut ist, die der italienischen Renaissance entlehnt sind. Das gilt sowohl für die Form des Thrones mit seinen Marmorsäulen, für die Kapitelle, die Verzierung der Pilaster an der Rückwand, wie auch für die Medaillons mit Köpfen im Profil, das flache Tonnengewölbe mit Kassetten und dem abschließenden Muschelmotiv über dem Thron, sowie für die zwei nackten Putten, die eine Girlande halten, an der Marias Blumenkrone hängt. Alle diese Elemente setzen beim Maler ein fundiertes Wissen von der Ornamentik der italienischen Renaissance voraus. Man findet diese Motive erstmals Ende des 15. Jahrhunderts in Brügge, bei Memling und Gerard David, aber erst nach der Jahrhundertwende setzte sich dieser Stil in Antwerpen durch. Nur nach und nach verliert er den Charakter fremder, nicht assimilierter Entlehnung. Dieser Thron ist tatsächlich ein seltsames Gebilde aus unstrukturierten heterogenen Elementen.

Die Komposition erstreckt sich über alle drei Tafeln des geöffneten Triptychons. Der durchlaufende Fliesenboden und die kleine Mauer, hinter welcher sich die Landschaft ausbreitet, stellen den Zusammenhang her. Ein flacher Sockel für den Thron, auf dem Maria mit dem Kind sitzt, trennt sie etwas von den übrigen Figuren, dem heiligen Josef und den beiden Stiftern mit ihren Schutzpatronen. Der schwebende Engel bietet eine mit Kirschen gefüllte Schale dar, Maria hält das nackte Kind auf dem rechten Knie und hat den Blick demutsvoll nach unten gesenkt. Das Kind, einen Apfel in der linken Hand, wendet den Kopf zu Josef, der, wie abwesend, in einem Gebetbuch blättert, als sei er der Gegenwart Ma-

riens, des Kindes und des Engels kaum bewußt. Auch die Stifter auf den Seitentafeln richten den Blick nicht auf die heiligen Figuren. Weder die Schutzheiligen noch die geschnitzten Initialen auf den Betstühlen, vor welchen die Stifter knieen, machten es möglich, sie zu identifizieren. Neben dem Mann auf der linken Tafel steht ein Heiliger in einer Rüstung. Er wurde von jeher (schon in einem Wiener Inventar 1619) als heiliger Georg gedeutet. Es könnte aber ebensogut ein anderer heiliger Ritter sein, z.B. der heilige Adrian. Die Schutzheilige der Frau ist durch die Attribute Schwert und Rad, die hinter ihrem Rücken auf dem Boden liegen, leicht als die heilige Katharina zu erkennen.

Das bereits erwähnte älteste Inventar, in dem das Triptychon zu finden ist, schreibt es mit einigen Zweifeln Hans Holbein zu (»sol vom Hanz Holbain sein«). Gegen Ende des 18. Jahrhunderts betrachtete man es als Werk eines niederländischen Malers (Cornelius Engelbrechtsz). Erst hundert Jahre später wurde es richtig dem damals noch anonymen »Meister des Todes der Maria« zugeschrieben, den man später als Joos van Cleve identifiziert hat. Joos van der Beke, alias van Cleve, wie er in Antwerpner Dokumenten aus der Zeit genannt wurde, stammte aus der Stadt Cleve an der Ostgrenze der Niederlande. Während der längsten Zeit seiner künstlerischen Laufbahn arbeitete er aber in Antwerpen. Er war einer jener zahlreichen Zuwanderer, die von der Aussicht auf ein kauffreudiges Publikum unter den Bürgern, die sich im ökonomischen Aufschwung Antwerpens rasch bereichert hatten, angelockt wurden. 1511 wurde Joos van Cleve Meister in der Antwerpner Lukasgilde und leitete bis zu seinem Tod 1540 oder 1541 ein erfolgreiches Atelier, in dem hauptsächlich historische Tafeln, meist mit religiöser Thematik, und Porträts gemalt wurde. Soweit die Chronologie seiner Werke festgelegt werden konnte, scheint das Triptychon mit der thronenden Madonna in die Periode seines reifen Stils zu gehören. Man darf annehmen, daß es kurz von 1530 entstand und kann es mit einem Werk wie der *Madonna mit Kind* (bekannt als die *Madonna Rattier*) von Quinten Massys vergleichen, das 1529 datiert und signiert ist. Auch die Kleidung der Stifter rechtfertigt eine solche Datierung.

Carl Van de Velde

Joos van Cleve

(seit 1507 in Antwerpen nachweisbar - 1540/41 Antwerpen)

Porträt der Königin Eleonore von Frankreich

Eichenholz, 35,5 × 29,5 cm
Erworben 1908,
Inv.Nr. 6079
19 (siehe S. 227)

Das Porträt zeigt ein Brustbild der Eleonora, Tochter Philipps des Schönen, Königs von Kastilien und der Johanna von Aragon, genannt die Wahnsinnige. Eleonora, geboren 1498, zwei Jahre jünger als ihr Bruder Kaiser Karl V., war von 1519 bis 1521 mit Emanuel I., König von Portugal, verheiratet. Durch ihre zweite Ehe mit Franz I. im Jahr 1530 wurde sie, bis auch ihr zweiter Gemahl 1547 starb, Königin von Frankreich. Die letzten Jahre ihres Lebens verbrachte sie in den Niederlanden.

Eleonora trägt ein prächtiges, mit Hermelin eingefaßtes Brokatkleid mit geschlitzten Ärmeln. Im Haar hat sie ein Diadem, um den Hals eine schwere, goldene Kette mit Perlen und Edelsteinen, als Ohrgehänge ebenfalls Perlen. In den gefalteten Händen hält Eleonora ein merkwürdiges Detail, ein Briefchen mit spanischer Inschrift. Sie wird darin als »allerchristlichste und mächtigste Frau Königin, meine Herrin« angesprochen.

Früher wurde das Gemälde dem französischen Hofmaler François Clouet oder Jan Gossaert zugeschrieben. Die heutige Zuschreibung an Joos van Cleve stammt von Max J. Friedländer, dem großen Kenner der flämischen Primitiven. Sie stützt sich auf stilistische Vergleiche mit anderen Porträts dieses Meisters und ist glaubhaft. Hinsichtlich der Datierung des Bildes innerhalb des Werkes wurde aber vielleicht vorschnell davon ausgegangen, van Cleve hätte es nach Eleonoras Hochzeit oder sogar, wie manche annehmen, anläßlich ihrer Vermählung mit Franz I. von Frankreich gemalt. Hierbei beruft man sich auf einen Passus in Lodovico Guicciardinis »Descrizione di tutti i Paesi Bassi« von 1567, in dem er berichtete, Joos van Cleve, Maler aus Antwerpen, sei an den Hof Franz' I. gerufen worden, um dort die Porträts des Königs, der Königin und anderer Adeliger zu malen.

Eigentlich war Joos van Cleve nur Wahl-Antwerpner. Sein Geburtsort war Cleve an der Ostgrenze der Niederlande. Die meiste Zeit seines Lebens verbrachte er aber in Antwerpen. Es liegt nahe, anzunehmen, das *Porträt der Eleonora von Habsburg*, das ihm stilistisch zugeschrieben werden kann, sei das Porträt der Gemahlin Franz' I., von dem Guicciardini berichtet, was eine Datierung von 1530 oder kurz danach impliziert. Da man feststellte, daß van Cleve nach 1536 andauernd in Antwerpen lebte, kann sein Aufenthalt in Frankreich höchstens bis kurz vor diesem Datum gedauert haben.

Es ist aber nicht möglich, das Porträt problemlos zu identifizieren. Wie bei Fürstenporträts üblich, gibt es mehrere Stücke und bei mehreren wird der Anspruch auf Authentizität, auf den Status des Prototyps, erhoben, von dem die weiteren Versionen abgeleitet wurden. Meist wird das Gemälde aus Wien als eigenhändiges Werk Joos van Cleves betrachtet. Eine andere, bedeutend größere Version in der Royal Collection of Hampton Court ist aber von gleich guter Qualität. Ein Porträt Franz' I. mit fast den gleichen Maßen, das sich in der John G. Johnson Collection in Philadelphia befindet, betrachtet man als Pendant dazu. Für das Wiener Porträt ist kein Gegenstück bekannt. Es ist aber nicht sehr einleuchtend, daß die Gemälde aus Philadelphia und aus Hampton Court zusammengehören sollten. Beide Figuren schauen in die gleiche Richtung, sie blicken sich nicht an, wie es bei Pendants üblich ist. Am befremdlichsten aber ist das Briefchen mit der spanischen Aufschrift. Eleonora hält es sowohl in der Version von Hampton Court als auch auf dem Gemälde in Wien in der Hand. Es ist nicht leicht, dieses Detail mit ihrem angenommenen Status als Königin von Frankreich in Zusammenhang zu bringen und dies läßt sich noch schwerer bei einem Hochzeitsbild vorstellen. Vielleicht liegt die Lösung anderswo. Vielleicht ist die Frau auf dem Porträt in Wien etwas jünger als 32 Jahre, in welchem Alter Eleonora Franz I. ehelichte. Hier sollte man die Anregung von A. Staring, es könne sich um Repliken handeln, da das Original von Jan Gossaert verloren ging, von neuem untersuchen. Weder die Wiener noch die englische Version machen den Eindruck, sie seien nach dem lebenden Modell gemalt worden.

Fürstenporträts hatten verschiedene Funktionen. Sie wurden als Geschenke unter den Dynastien ausgetauscht, manchmal auch in Verbindung mit den Verhandlungen über eine Eheschließung. Ein bekanntes Beispiel dafür ist das Porträt, das Jan van Eyck 1429 in Portugal als Mitglied einer Gesandtschaft Philipps des Guten malte. Es sollte dem Herzog zeigen, wie seine künftige Gemahlin, Isabella von Portugal, aussah. Aber nicht nur am Hof selbst hatten die Fürstenporträts eine Funktion. Auch die Bürger in den Städten wollten ihre Fürsten und deren Familienmitglieder kennenlernen, was die vielen Kopien unterschiedlichster Qualität erklärt. Joos van Cleves Porträt Eleonoras könnte ein Beispiel für diese Gepflogenheit sein. Ein solches Bild sollte nur eine genaue Darstellung der Porträtierten in ihrem sozialen Status sein. Der Raum, in dem sie sich befindet, ist völlig neutral und nicht lokalisierbar. Ihre Charaktereigenschaften sind hier nicht wichtig. Was dem Betrachter durch dieses Porträt vermittelt werden sollte, war das Aussehen seiner Fürstin, der er den Respekt der Untertanen schuldig war.

Carl Van de Velde

Pieter Coecke van Aelst

(1502 Aelst - 1550 Brüssel)

Die Ruhe auf der Flucht nach Ägypten

Eichenholz, 112 × 70,5 cm
1659 in der Galerie,
Inv.Nr. 968
20 (siehe S. 228)

Die früheste Erwähnung dieses Bildes, im Inventar der Sammlung des Erzherzogs Wilhelm von Österreich aus dem Jahr 1659, schreibt das Werk Bernaert van Orley zu und identifiziert das Dorf im Hintergrund als Etterbeek und die kleine Kirche als die Heiligkreuzkirche. Diese Angaben werden in der modernen kunstgeschichtlichen Literatur als falsch oder zumindestens fraglich bezeichnet und sind bis auf den heutigen Tag mehr oder weniger umstritten. Auch über die Bestimmung des Tafelbildes gehen die Meinungen auseinander. Seine Größe legt die Vermutung nahe, es handle sich um den Seitenflügel eines Triptychons, dessen Mitteltafel und zweiter Seitenflügel verloren gegangen sind. Thema der Mitteltafel könnte eine andere Episode aus der Jugend Christi, zum Beispiel die Anbetung der Könige gewesen sein. Im Werk Pieter Coecke van Aelsts gibt es analoge Beispiele.

Allerdings läßt der Aufbau des Bildes ernsthafte Zweifel an der Richtigkeit dieser These aufkommen. Die Anstückungen der beiden Dreiecke in den oberen Ecken scheinen nämlich darauf hinzudeuten, daß das Bild ursprünglich oben abgeschrägt war, vielleicht in Form einer Akkolade, wie sie aus anderen Werken Coecke van Aelsts bekannt sind. In diesem Fall würde die Mittelachse links neben dem Baumstamm verlaufen. An der linken Seite der Tafel weisen Spuren darauf hin, daß ein Bildstreifen entfernt wurde. Nach dieser Hypothese wäre das Bild dann eher ein selbständiges Gemälde als der Seitenflügel eines Triptychons.

Die *Ruhe auf der Flucht nach Ägypten* ist eines jener Andachtsbilder, die sich im 16. Jahrhundert in den südlichen Niederlanden großer Beliebtheit erfreuten. Die Szene aus dem Leben Christi gibt dem Maler darüber hinaus Gelegenheit zu einem reizvollen Landschaftsbild. Maria stillt das Kind. Sie sitzt auf einer kleinen Erhebung zu Füßen eines knorrigen Baumes, dessen Äste, bis auf wenige kleine Zweige nachhrechts geneigt, eine Art Baldachin über den Köpfen der Heiligen Familie bilden. Im Gegensatz zu der friedlichen Ruhe, die Mutter und Kind ausstrahlen, erscheint Josef rastlos und erregt.

Er scheint Maria zur Eile drängen zu wollen, die Flucht fortzusetzen, was angesichts der Soldaten links im Tal, die auf der Suche nach dem Kind Jagd auf unschuldige Dorfbewohner machen, nicht unbegründet erscheint.

Die Häusergruppe an der Dorfstraße links, die verstreut liegenden Häuschen an den Teichen weiter rechts und die kleine Kirche im Hintergrund liefern nicht genug Anhaltspunkte, das Dorf zu bestimmen. Es ist daher verwunderlich, wenn das oben erwähnte Inventar von 1659 sich so präzise dazu äußert. Sein Verfasser in Wien konnte natürlich nicht wissen, ob es sich um eine Ansicht von Etterbeek um 1530/40 handelt. Diese Angabe muß mit dem Bild zu jener Zeit in Verbindung gebracht worden sein, als Leopold Wilhelm es in den Niederlanden erwarb, was freilich nicht bedeutet, daß sie auf die Entstehungszeit des Bildes zurückgeht. Es gibt keinen Grund für die Annahme, der Maler habe eine naturgetreue Landschaft darstellen wollen. Auch wäre dies im Hinblick auf die Entstehungszeit des Bildes sogar recht ungewöhnlich, denn erst um 1600 entwickelte sich das Interesse an naturgetreuen Landschaftsbildern und wurden topographische Ansichten populär. Es ist nicht auszuschließen, daß erst zu jener Zeit das Dorf als Etterbeek identifiziert wurde.

Das Wiener Inventar hat sich auch bei der Zuschreibung geirrt. Das Bild stammt mit Sicherheit nicht von Bernaert van Orley und alle Versuche, ihm wenigstens einen Teil, nämlich die Landschaft, zuzuschreiben, können nicht überzeugen. Man erkennt die Figurentypen Pieter Coecke van Aelsts, der als Schüler van Orleys bereits der nächsten Generation angehört. Er war nicht nur Maler, sondern entwarf auch Glasfenster, Wandteppiche, arbeitete als Stecher und war als Theoretiker bekannt. Seine Übersetzung der Schriften des Italieners Sebastiano Serlio machte die Architektur der Antike in den Niederlanden bekannt und gab dem Durchbruch der Renaissance starke Impulse.

Carl Van de Velde

Jan van Hemessen

(um 1500 Hemixem bei Antwerpen - um 1556/57 Haarlem (?))

Matthäi Berufung zum Apostelamt

Holz, 85 × 107 cm
1659 in der Galerie,
Inv.Nr. 985
21 (siehe S. 243)

Das Gemälde zeigt die Berufung des Matthäus zum Apostelamt, nicht zu verwechseln mit der Erwählung des Matthias an die Stelle des Judas. Matthäus, der Zöllner, wurde von Christus berufen, ihm zu folgen, während er, am Zoll sitzend, in seiner Stube Geld zählte. Der kurze Bibeltext (Matthäus 9,9) erwähnt keine weiteren Anwesenden. Die meisten Bilder zu diesem Thema fügen noch einige Personen hinzu. Hemessen stellt alle figuren direkt in den Vordergrund, mit einer Nachdrücklichkeit, die fast wie eine körperliche Aggression gegen den Betrachter wirkt.

Christus, oben rechts, blickt über seine rechte Schulter auf Matthäus und fordert ihn mit einer Bewegung der rechten Hand auf, ihm zu folgen. Matthäus, ein Mann mittleren Alters in modischer Kleidung und extravagantem Hut, scheint zu erschrecken. Es sieht so aus, als ließe er die Geldbörse und die Bücher, mit denen er beschäftigt war, fallen. Auch die anderen Anwesenden reagieren gleichermaßen bewegt. Die junge Frau im Vordergrund wirft beide Arme abwehrend in die Höhe und die alte Frau oben links scheint mit der gleichen Geste und einem erschreckten und mißbilligenden Blick darauf zu anworten. Der alte Mann an ihrer Seite nimmt das Geschehen eher gleichmütig auf.

Jan van Hemessen malte diises Thema noch mindestens zweimal. Die früheste Version von 1536 befindet sich in der Alten Pinakothek in München, ein zweites, etwas größeres Bild als das hier besprochene im Kunsthistorischen Museum in Wien (Inv.Nr. 961). Ein Vergleich der Figurentypen der Haltung und des Gesichtsausdrucks der Personen auf den drei Bildern läßt erkennen, daß der alte Mann und die alte Frau immer als Ehepaar gedacht sind. Beide reagieren auf das Ereignis ablehnend und man könnte sie vielleicht als Eltern des Matthäus betrachten. In der hier besprochenen Version ist die junge Frau über die Aufforderung Christi erschrocken. Auf der Münchner Tafel sitzt sie Matthäus ruhig gegenüber und ist damit beschäftigt, die Goldstücke auf dem Tisch zu wiegen. Die anderen Versionen zeigen sie viel erregter.

Einmal hält sie Matthäus mit beiden Händen fest, ein andermal versucht sie mit einer abwehrenden Geste zu verhindern, daß er seine weltliche Beschäftigung aufgibt, um Christus zu folgen. Auf allen drei Bildern bringt sie ihre Sorge um die Güter dieser Erde zum Ausdruck. So bilden die drei Nebenfiguren ein negatives Gegengewicht zur Frage Christi an Matthäus und dessen Zustimmung.

Hemessen stellt die fünf Personen in eine offene Vorhalle mit Blick auf die Straße und den Eingang eines größeren Gebäudes auf der gegenüberliegenden Seite. Dort sieht man Christus beim Mahl mit den Zöllnern und Sündern, eine Episode, die im Matthäus-Evangelium der Berufung Matthäi folgt (Matth.9,10-13). Das Gemälde betont beide Aspekte der Berufung: den Verzicht auf irdische Güter in der Nachfolge Christi und die Hindernisse, die sich dem Sünder in den Weg stellen, der sich durch Bekehrung und Reue retten will.

Der Handel mit Geld wurde im Mittelalter als Sünde betrachtet. Noch bis ins 16. Jahrhundert hinein, als dieses Vorurteil schon lange überwunden war, betrachtete man den Umgang mit Geld, Gold und Edelsteinen als moralische Gefährdung und gutes Beispiel für die Gefahr der Verführung zur Sünde oder der Seelenstärke, ihr widerstehen zu können. Im moralisierenden Zweig der Malerei, der im 16. Jahrhundert in den Niederlanden zur höchsten Blüte kam, sind Themen mit Juwelieren, Geldwechslern und Steuereinnehmern als Hauptfiguren sehr verbreitet. Sie warnen die Menschen vor Sünden wie Habgier und Geiz. Andere Darstellungen, wie z.B. die Parabel des verlorenen Sohnes oder Kneipen- und Bordellszenen verweisen auf die Gefahren der Unkeuschheit und der Gefräßigkeit. Es ist kein Zufall, daß es die gleichen Meister sind, die ihre Kunden mit den unterschiedlichsten Darstellungen der Aspekte einer solchen didaktischen Denkweise zufriedenstellen konnten. Jan van Hemessen war einer von ihnen.

Carl Van de Velde

Anthonis Mor van Dashorst

(1516/19 Utrecht - 1576 Antwerpen)

Bildnis des Anton Perrenot de Granvella

Eichenholz, 107 × 82 cm
Signiert oben rechts
ANTONIUS MOR FACIEBAT 1549
1772 in der Galerie nachweisbar,
Inv.Nr. 1035
22 (siehe S. 258)

Anthonis Mor ist der Schöpfer des höfischen Porträts als Darstellung eines ideal gedachten Menschen, der die edlen Prinzipien fürstlichen Handelns und herrscherlicher Tugend auch in der unedlen Form der individuellen, erkennbar wiedergegebenen Physiognomie verkörpert. Dazu befähigte ihn einerseits seine Ausbildung in der niederländischen Maltradition, die nur der unbestechlichen Wiedergabe der Wirklichkeit verpflichtet ist, andererseits sein ausgeprägter Formwille, der Haltung und Ausdruck der Dargestellten strengen Prinzipien unterwarf.

Auch die Biographie dieses Künstlers spiegelt ganz den Charakter des höfischen Porträtisten wieder, dessen Tätigkeit nicht auf einen lokalen Bereich beschränkt blieb, sondern sich im Gefolge der Habsburger auf die internationalen Zentren der Macht ausdehnte. Im Dienst des Hofes wurde Anthonis Mor selbst zum Hofmenschen. 1520 in Utrecht geboren und in der Werkstatt des führenden Utrechter Malers Jan van Scorel ausgebildet, begann seine Karriere 1547 in Antwerpen, der damals bedeutendsten niederländischen Stadt. Hier traf der junge Maler mit einem anderen Hofmann zusammen, der von Jugend an das Leben im Dienst des Kaisers kennengelernt hatte, Anton Perrenot de Granvella. Diese Begegnung sollte bestimmend für das weitere Leben des Malers werden, für seine Entwicklung zum führenden Porträtmaler des habsburgischen Hofes.

Anton Perrenot de Granvella war etwa gleichaltrig mit Mor, auch er hatte zum Zeitpunkt dieser Begegnung seine Karriere noch vor sich. Er wurde 1517 als Sohn des Nicolas de Granvella, des Staatsministers Kaiser Karls V. in Besançon geboren. Nicolas Perrenot hatte seine Laufbahn als Diplomat begonnen und war bis zum ersten Rat des Kaisers aufgestiegen. Sein Sohn Anton, der für den geistlichen Stand bestimmt wurde und schon mit 23 Jahren Bischof von Arras war, wuchs so neben seinem Vater in seine spätere politische Rolle. Am Reichstag von Augsburg von 1547/48 nahm er in diplomatischer Funktion teil und wurde von Tizian in einem großen Bildnis porträtiert (William Rockhill Nelson Art Gallery, Kansas City, USA). Wahrscheinlich — dokumentarische Belege fehlen — begleitete ihn schon damals Anthonis Mor, als »Maler des Bischofs von Arras« (pintor del obispo de Arras) nach Augsburg. Die Begegnung mit Tizian, dem Größten der italienischen Malerei, und mit Seisenegger, dem Hofmaler König Ferdinands I. und Schöpfer des ganzfigurigen Fürstenporträts als feststehenden und später oft nachgeahmten Bildtypus könnte die weitere Laufbahn des jungen Malers, als dessen hervorstechendste Eigenschaft seine Fähigkeit zur täuschend ähnlichen Wiedergabe von Physiognomien gerühmt wurde, entscheidend geprägt haben.

Nach Antwerpen zurückgekehrt, porträtierte Anthonis Mor seinen Gönner in dem vorliegenden, 1549 datierten und signierten großen Halbfigurenbild. Erst 32 Jahre, jedoch frühzeitig gealtert, in die schwarze Tracht des Gelehrten gekleidet, blickt Granvella in ernster Nachdenklichkeit von einem leicht erhöhten Standpunkt auf den Betrachter herab, dadurch in größere Ferne gerückt. Nur in den sehr differenziert gemalten Händen äußert sich größere Lebhaftigkeit. Mit der Linken stützt er sich auf die Ecke eines Tisches mit Schreibzeug und einem Buch, in der Rechten hält er Handschuhe, ein Motiv, das in späteren höfischen Porträts regelmäßig wiederkehren sollte.

Durch Granvella wurde Anthonis Mor am Brüsseler Hof eingeführt. Als Statthalterin residierte hier Maria von Ungarn, seit Herbst 1548 auch Kaiser Karl V., der sich vom Augsburger Reichstag in die Niederlande begeben hatte, um hier seinen Sohn und Thronerben Philipp zu erwarten, mit dem er von April bis Dezember 1549 eine Präsentationsreise durch die wichtigsten niederländischen Städte unternahm. In der Folge schloß sich Anthonis Mor völlig dem spanischen Hof an; nach einem Aufenthalt in Rom finden wir ihn 1552 in Madrid und Lissabon, 1553 für kurze Zeit in seiner Heimatstadt Utrecht, 1554 im Gefolge Philipps II. in London. Es folgten Aufenthalte in Brüssel und Utrecht, 1559 eine zweite Spanienreise, bis er sich schließlich in Antwerpen niederließ und dort 1576 oder 77 starb.

Anton Perrenot de Granvella hingegen begann nach 1550 als Staatsminister Karls V. und später Philipps II. eine immer wichtiger werdende Rolle zu spielen. Von 1559-64 bestimmte er als Minister Margaretes von Parma die spanische Politik in den Niederlanden, wobei er sich durch die Erhöhung der Steuern die Bürger in den Städten, durch die Unterdrückung und Verfolgung der Calvinisten die Protestanten, durch den straffen Zentralismus seiner Regierung den um seine Vorrechte bangenden Adel zum Feind machte. Nach der 1559 beschlossenen kirchlichen Neuordnung der Niederlande, die Granvella zum Erzbischof von Mecheln und zugleich Sprecher in den Provinzialstaaten von Brabant gemacht hatte, schlossen sich 1563 seine Gegner unter der Führung Wilhelms von Oranien und der Grafen Egmont und Hoorn zu einer Liga zusammen und verlangten von Philipp II. seine Abberufung, eine Forderung, die von den Feinden des Kardinals am spanischen Hof unterstützt wurde, so daß er 1564 die Niederlande verlassen mußte. Granvella lebte eine Zeitlang zurückgezogen in Besançon, bis er als Vizekönig nach Neapel gesandt und schließlich 1575 in den Staatsrat nach Madrid berufen wurde, wo er 1586 starb.

Karl Schütz

Meister des Verlorenen Sohnes

(tätig um 1530 - 1560 Antwerpen)

Die Geschichte des verlorenen Sohnes

Eichenholz, 128,5 × 214,5 cm
1659 in der Galerie,
Inv.Nr. 986
23 (siehe S. 255)

Das große Bild ist in zwei ungefähr gleich große Flächen geteilt: links ein Blick auf eine Landschaft, die sich bis zum Horizont erstreckt, rechts ein Interieur mit Küche und Schlafzimmer. Eine Mauer trennt die beiden Flächen, doch da diese nicht ganz bis zum vorderen Bildrand reicht, gehen sie dort ineinander über.

Die verschiedenen Episoden aus dem Leben des verlorenen Sohnes sind über das ganze Bild verteilt. Die erste, zu der alle Figuren im Vordergrund gehören, zeigt ihn zwischen zwei Frauen an einem Tisch sitzend. Eine greift ihm liebkosend unters Kinn, während die andere ein Geldstück, das sie ihm entwendet hat, einem Narren weiterreicht. Der verlorene Sohn versucht, sein auf dem Tisch verstreutes Geld zusammenzuraffen und so etwas von seinem Reichtum zu retten, doch vergebens: hinter seinem Rücken werden seine Schulden aufgeschrieben. Von links kommt ein verkrüppelter Bettler angekrochen, Vorbote des Schicksals, das den verlorenen Sohn erwartet. Ein Mann, der einen Würfel auf die Ecke des Tisches legt, ist ein Symbol für die Armut, die der Spieler sich selbst zuzuschreiben hat. Zwei Musikanten gehören ebenfalls noch zu dieser Szene, bilden aber gleichzeitig den Übergang zum Interieur des Bordells auf der rechten Seite der Mauer. Dort gibt es Essen und Trinken im Überfluß. Der verlorene Sohn wird aber, nachdem er sein Geld verpraßt hat, brutal mit obszönen Gesten hinausgeworfen. Im linken Hintergrund setzt sich die Geschichte fort, dort sieht man ihn als Schweinehirten. Noch weiter im Hintergrund empfängt ihn dann sein Vater liebevoll auf der zu seinem Landgut führenden Brücke.

Die biblische Geschichte vom verlorenen Sohn warnt vor losem Lebenswandel und seinen Gefahren, die hier so anschaulich dargestellt sind. Das glückliche Ende, das hier (aber nicht auf jedem Bild) gezeigt wird, gewährt die Hoffnung auf letztliche Rettung des Reuigen. Dies erklärt den Erfolg solcher Themen. Kneipen- und Bordellszenen findet man in der Malerei bereits vor der Mitte des 16. Jahrhunderts, ihre moralisierenden Absichten konnten in den letzten Jahren überzeugend bewiesen werden.

Alle Versuche, den Urheber dieses bedeutenden Werkes zu identifizieren (Pieter Aertsen, Hendrick van Cleve, Jan Mandijn) waren erfolglos. 1909 schlug Georges Hulin de Loo vor, den Maler als »Meister des Verlorenen Sohnes« zu bezeichnen und stellte als erster Zusammenhänge dieses Werkes zu mehreren anderen Bildern her. Seitdem erhöhte sich die Zahl der Gemälde und Zeichnungen, die dem Anonymus zugeschrieben wurden, immer mehr, ohne daß man ihn hätte identifizieren können. Der Qualitätsunterschied der ihm zugeschriebenen Werke und die Tatsache, daß einige Kompositionen in mehreren Versionen vorhanden sind, weisen darauf hin, daß der »Meister des Verlorenen Sohnes« in der Mitte des 16. Jahrhunderts ein großes Atelier geführt haben muß. Man erkennt den Maler an den sehr lebendigen Figuren und den typischen Gesichtern mit langer Nase, spitzem Kinn und hoher Stirn. Seine Arbeit beschränkte sich nicht auf moralisierende Darstellungen wie diese, nach welcher er benannt wurde, sondern weist auch Arbeiten mit traditionellen Themen aus dem Alten und Neuen Testament auf.

Carl Van de Velde

Jan Massys

(um 1509 - 1575 Antwerpen)

Lot und seine Töchter

Eichenholz, 151 × 171 cm
1659 in der Galerie,
Inv.Nr. 1015
24 (siehe S. 253)

Sollte das unter Nr. 259 im Inventar der Sammlung des Erzherzogs Leopold Wilhelm von 1659 aufgeführte Bild tatsächlich dieses sein, so müßte man damals Signatur und Datum übersehen haben. Danach sollte es nämlich von einem unbekannten Maler stammen, während deutlich zu lesen ist, daß es sich um ein Werk von Jan Massys aus dem Jahre 1563 handelt. Aber selbst ohne Signatur hätte man heute keine Mühe, es Jan Massys zuzuschreiben.

Die Komposition mit einigen nebeneinander gestellten Ganzfiguren, die vom Vordergrund her den Raum füllen, vor eine Baum- oder Felsengruppe gesetzt, die an beiden Seiten den Blick in die Ferne freigibt, ist für Massys charakteristisch. Die Figurentypen und die unverhohlen dargestellte Schwüle findet man in verschiedenen späteren Werken des Künstlers wieder.

Der Maler hatte keinen leichten Lebensweg, obwohl zuerst seine Chancen vielversprechend waren. 1509 in Antwerpen als ältester Sohn aus Quinten Massys' zweiter Ehe geboren, sollte Jan nach dem Tod seines Vaters dessen florierendes Atelier übernehmen. Zusammen mit seinem jüngeren Bruder Cornelis wurde er vom Vater ausgebildet. Als dieser 1530 starb, wurden beide Söhne 1531 als Meister in die Lukasgilde eingeschrieben. Jan, der Älteste, dem auch die Vormundschaft für seine noch minderjährigen Brüder und Schwestern übertragen worden war, übernahm die Leitung des Ateliers. Man kann, ohne daß es hierfür allzuviele Belege gäbe, annehmen, daß Jan Massys in diesen Jahren den Stil seines Vaters weiterführte. Cornelis hingegen ging ganz andere Wege. Ab 1537 arbeitete er hauptsächlich als Kupferstecher.

Das Leben der Brüder nahm 1544 eine dramatische Wende, als nach der Festnahme von Eligius Pruystinck, auch Loy de Schaliedecker genannt, Kopf der freidenkerischen Sekte der Loisten, eine wahre Razzia unter seinen Anhängern in Antwerpen begann. Auch Jan und Cornelis Massys gehörten zu den Verfolgten, es gelang ihnen aber noch rechtzeitig, zu fliehen. Am 10. November 1544 wurden sie in Abwesenheit mit dem Verbannungsurteil belegt und ihr Besitz konfisziert.

Es ist nicht genau bekannt, wo die Brüder in der Verbannung gelebt haben. Cornelis fand vermutlich in England und Deutschland sein Auskommen und hat vielleicht auch Italien besucht. Jan blieb zweifellos längere Zeit in Italien und es ist nicht ausgeschlossen, daß er auch in Frankreich war. Dafür spricht die stilistische Verwandtschaft mit der italienischen Malerei der Jahrhundertmitte und vielleicht auch der ersten Schule von Fontainebleau. Wahrscheinlich sah Cornelis Massys seine Heimat nie wieder. Er starb bereits im Laufe des Jahres 1556 oder in den ersten Tagen des Jahres 1557. Jan hingegen kehrte ungefähr in der Mitte der fünfziger Jahre zurück, von da an ist durch Dokumente belegt, daß er in Antwerpen lebte. Auch ist eine ziemlich große Zahl datierter Bilder bekannt, zu denen diese alttestamentliche Szene aus dem Jahr 1563 gehört.

Offenbar war das Thema beim Publikum sehr beliebt, denn auch andere Maler stellten es im 16. und 17. Jahrhundert wiederholt dar. Der erotische Inhalt war sicherlich zum großen Teil Grund für die Beliebtheit. Auch andere Themen mit ähnlich »unsittlichem« Inhalt wie *Susanna im Bade, Bathseba im Bade* oder die drastischen Liebesszenen heidnischer Götter wurden gern dargestellt. Daneben zeigt *Lot und seine Töchter* auch noch Züge einer anderen Gattung der Malerei, die Quinten Massys bereits beherrschte, nämlich die der Genrebilder. Ein Gemälde wie die *Ungleiche Liebe* (Washington, National Gallery), auf dem eine junge Frau einen Greis liebkost, ihm gleichzeitig den Geldbeutel entwendet und an einen Narren weitergibt, stellt die Machtlosigkeit des alten Mannes den Verführungskünsten einer jungen Frau gegenüber dar (Lots Töchter hatten ihren Vater zudem betrunken gemacht). Auf diese Weise kann auch die Szene aus dem Alten Testament als moralisierend erklärt werden. Daneben bleibt der biblische Bericht des Geschehens bestehen. Die Töchter Lots verführten den Vater nicht aus Sinnenlust, sondern um den Weiterbestand des Geschlechts zu sichern, was im Sinne des Alten Testaments keine Sünde, sondern eine Pflicht war. Für den Betrachter des 16. Jahrhunderts waren solche Bilder, die einen moralisierenden Gedanken mit erotischer Atmosphäre verbanden, von großem Reiz.

Carl Van de Velde

Pieter Aertsen

(1508/09 - 1575 Amsterdam)

Vanitas Stilleben

Holz, 60 × 101,5 cm
1659 in der Galerie genannt, dann
in Privatbesitz, 1930 erworben.
Inv.Nr. 6927
25 (siehe S. 212)

Die kunsthistorische Bedeutung dieses »religiösen« Bildes ist kaum zu überschätzen. Die Anhäufung von Nahrungsmitteln und vieler verschiedenartiger Objekte (was hier das Hauptthema bildet) kündigt schon lange vor der Zeit das reine Stilleben an. Ein größerer Kontrast zwischen Vorder- und Hintergrund als in dieser Komposition ist kaum denkbar. Es entsteht der Eindruck, als habe der Künstler die Bibelszene im Hintergrund als schmückendes Beiwerk betrachtet, was durch den skizzenhaften Charakter der Bibelszene im Gegensatz zum ausgeprägten Naturalismus der Gegenstände im Vordergrund noch unterstrichen wird. Diese visuelle Hierarchie läuft der inhaltlichen Bedeutung der Darstellung zuwider, was typisch für den Manierismus ist, eine europäische Stilbewegung, die in der zweiten Hälfte des 16. Jahrhunderts mit vielerlei einfallsreichen Konzepten und Effekten spielte, um eine stärkere Aussagekraft zu erlangen.

Die Inschrift »Luc. 10« auf einer Fliese links vorne verweist auf einen Bibeltext, in dem der Glaube über den Wert weltlicher Güter gestellt wird. Das ist verwunderlich in einer Komposition, in der weltliche Güter drei Viertel der Bildfläche einnehmen. In der Szene links im Hintergrund erkennt man Christus bei den reichen Schwestern Martha und Maria. Der Evangelist Lukas berichtet, wie Jesus eines Tages dort zu Gast war. Während Martha sich sofort mit der Zubereitung eines Festmahls ihm zu Ehren beschäftigt, sitzt Maria zu Jesu Füßen und hört seine Worte. Als Martha sich über die mangelnde Hilfsbereitschaft ihrer Schwester beklagt, sagt ihr Christus, sie sei im Unrecht: »Martha, Martha, du hast viel Sorge und Mühe: eins aber ist not. Maria hat das gute Teil erwählt; das soll nicht von ihr genommen werden.« Die Inschrift auf dem Kamin »Maria hat das beste Teil erwählt« verweist nicht nur auf diesen Text des Lukas-Evangeliums (10, 38-42), sondern erlaubt auch eine bessere Interpretation des Bildes. Der antithetische Aufbau zeigt den Unterschied der kontemplativen Maria und ihrer tätigen Schwester. Was Martha interessiert, wird in Fülle und verblüffendem Realismus dargestellt: Fleisch, Brot, Butter, Wein, Blumen und Kostbarkeiten aller Art verdeutlichen ihre Ausrichtung auf die Dinge dieser Welt. Ihr Interesse am Vergänglichen läßt sie aber den Ewigkeitswert des göttlichen Wortes vergessen. Während Maria die Lehre Christi als Nahrung ihrer Seele aufnimmt, denkt Martha nur daran, den körperlichen Hunger zu stillen.

Das Thema »Christus bei Martha und Maria« war gegen Mitte des 16. Jahrhunderts sehr beliebt. Man findet es auf zahlreichen Bildern und Stichen. Von Pieter Aertsen sind mehrere Versionen bekannt, die hier besprochene ist die älteste. Es ist nicht klar, ob die damaligen Künstler das Thema wegen seines moralischen Inhalts oder der Möglichkeit wählten, ein reiches Küchenstück malen zu können. Tatsache ist, daß der Gegensatz von aktivem und kontemplativem Leben eine der großen Streitfragen zwischen Katholizismus und Protestantismus war und somit ein aktuelles Problem in der Zeit der Gegenreformation, in welcher Pieter Aertsen schöpferisch tätig war.

Er wurde 1508 in Amsterdam geboren und ging noch im jugendlichen Alter nach Antwerpen. Dort trat er als Meister 1535 in die Lukasgilde ein und wurde 1542 Bürger der Stadt. Als erfolgreicher Maler realistisch aufgefaßter religiöser Themen und volkstümlicher Genrebilder kehrte er um 1556 in seine Heimatstadt zurück und arbeitete dort bis zu seinem Tod. Seine Bedeutung liegt vor allem im Impuls, den er mit seinem Werk der Entwicklung des reinen Stillebens gab. Er selbst malte nie Kompositionen ohne Personen, aber die Bedeutung, die leblose Dinge in seinen Bildern haben, ermöglichte später die weitere Entwicklung des Stillebens als eigenes Genre.

Paul Verbraeken

Joachim Beuckelaer

(um 1530 - um 1574 Antwerpen)

Bauern auf dem Markt

Holz, 109 × 140 cm
1884 im Kunsthistorischen Museum,
Inv.Nr. 964
26 (siehe S. 216)

Dieses Bild, das zu den schönsten Kompositionen des jung verstorbenen Antwerpner Künstlers Joachim Beuckelaer zählt, ist zugleich ein charakteristisches Beispiel für Ikonographie und Stil des Meisters.

Tatsächlich besteht sein Oeuvre zum größten Teil aus ländlichen Marktszenen — ein Thema, das sich in seinem Werk wie in dem seines Onkels und Lehrmeisters Pieter Aertsen zu einem eigenen Genre entwickelt hat und dann über Jahrhunderte weg eine eigenständige Entwicklung durchmachen sollte. Der bemerkenswerte Realismus, mit dem sowohl die Figuren als auch die Gegenstände wiedergegeben sind, trägt dazu bei, daß das Bild insgesamt wie eine Momentaufnahme des Alltagslebens wirkt. Die Natürlichkeit und Volkstümlichkeit der Personen müssen im Entstehungsjahr 1567 von einem Publikum, das mit religiösen und mythologischen Darstellungen förmlich überschwemmt wurde, zweifellos als revolutionär empfunden worden sein. Dennoch ist ein Werk wie dieses inhaltlich enger mit dem klassischen Formengut verwandt, als man auf den ersten Blick glauben möchte. Bei näherer Betrachtung fallen nämlich Dinge auf, die das Bild als reine Allegorie mit religiösem Einschlag erkennen lassen. Mit den verschiedensten Doppeldeutigkeiten und bildlichen Anspielungen wird das Thema der Fruchtbarkeit und sinnlichen Liebe am Beispiel einer amourösen Szene behandelt, die einen alten Mann und eine jüngere Frau beim Schäkern zeigt. Marktszenen dieser Art — vor allem mit verliebten Gemüseverkäufern — staffierte Beuckelaer stets mit Früchten aus, die zu jener Zeit als aphrodisisch galten oder durch Form oder Namen sexuelle Anspielungen beinhalteten. Ähnliche Bilderrätsel finden sich auch in diesem Werk. Die Vögel weisen schon im Wort auf »vögeln«, einen Vulgärausdruck für Geschlechtsverkehr hin. Die Milch im Holzeimer vorne rechts läßt sich mit dem Verb »melken« in Verbindung bringen, dessen Nebenbedeu-tung »locken« ist. Die Doppelbedeutung des altniederländischen Wortes »motte« ist nicht nur der Name des rautenförmigen Butterklumpens, sondern in seiner zweiten Bedeutung als Anspielung auf das liebestolle Wesen der ungeniert zugreifenden jungen Frau zu verstehen. Eier, die hier wahrlich nicht zu übersehen sind, galten bereits im Altertum als sexuell stimulierend. Unter diesem Aspekt betrachtet, finden sich auch andere Gegenstände nicht von ungefähr im Bild. Wie wir aus Texten des 16. Jahrhunderts wissen, galten verschiedene Gefäße als Sinnbild für die Gebärmutter. Nicht genug damit, daß wir hier den Hals eines irdenen Kruges sehen, steht im Vordergrund außerdem noch ein großer Geflügelkorb, der leer, das heißt »ohne Vögel« ist. Das Tasten in diesen Korb kann als sexuelle Herausforderung gelten und zugleich das junge Weib als Jungfrau charakterisieren. Messerscheide und Geldkatze, die anatomisch suggestiv im Schoß des dreisten Mannes plaziert sind, veranschaulichen sein sexuelles Interesse sehr direkt. In jeder Hinsicht zu dem Paar im Vordergrund kontrastierend sitzt ganz links eine ältere Frau mit im Schoß gekreuzten Armen trübsinnig da: Zeichen der Ohnmacht im Hinblick auf ihren untreuen Mann, oder Hinweis auf die Untugenden der Faulheit und des Müßiggangs, die traditionell Dirnen und Kupplerinnen zugeschrieben wurden?

Durch die geschickte Verwendung solcher Doppeldeutigkeiten geht die Darstellung über das rein Anekdotische hinaus. Was diese Landbewohner hier treiben, wird durch den Kirchturm in der Ferne in den Bereich christlicher Moral gerückt. Fast alle Werke Joachim Beuckelaers beinhalten diesen moralisierenden Unterton, der sich dem Betrachter erst nach und nach erschließt.

Paul Verbraeken

Frans de Vriendt gen. Floris

(1519/20 - 1570 Antwerpen)

Das Jüngste Gericht

Leinwand, 162 × 220 cm
1621 in der Galerie,
Inv.Nr. 3581
27 (siehe S. 237)

Im Gegensatz zur berühmtesten aller Darstellungen des Jüngsten Gerichts, Michelangelos Fresko an der Altarwand der Sixtinischen Kapelle, steht Christus bei Frans Floris nicht im Mittelpunkt. Während Michelangelo die Christusfigur nicht nur formal, sondern auch inhaltlich das Geschehen beherrschen läßt, hat Floris sie mehr in den Hintergrund gerückt, was ihre Position als Mittelpunkt mehrerer konzentrischer Kreise kompositorisch etwas schwächt. Es ist daher zweifellos übertrieben, wenn behauptet wird, Floris habe sich an Michelangelo orientiert, ja mehr noch, dieser sei als Grundlage seines ganzen künstlerischen Schaffens zu betrachten. Natürlich kann man in den kraftvollen Leibern im Vordergrund Michelangelos »terribilità« erkennen. Tatsächlich aber stehen in Floris' Bild die Menschen weit mehr im Mittelpunkt als der göttliche Bereich. Christus thront in den Wolken zwischen den Symbolen der Evangelisten, umringt von Engeln mit den Passionswerkzeugen, und im Halbkreis scharen sich Apostel und Heilige um ihn. Maria nimmt in ihrer Mitte einen gewichtigen Platz ein.

Die Menschen füllen den größten Teil des Bildes, wobei die Trennungslinie zwischen den Erlösten und den Verdammten diagonal von links unten nach rechts oben verläuft. Links werden die Gerechten von Engeln in den Himmel getragen. In der Tiefe wartet noch eine endlose Reihe von Männern und Frauen auf das Urteil. Drastisch ist das Schicksal der Verdammten, die von Teufeln in Ketten gelegt und in die Hölle geschleift werden, ins Bild gebracht. In der Mitte erkennt man einen Mann, eine Frau und ihr Kind, die noch um Gnade flehen und auf ihr Urteil warten. Links unten weist ein alter Mann auf die in einen Steinquader gemeißelte Inschrift, ein Zitat aus dem Buch der Sprüche des Salomo, wonach die Gerechten, welche recht gesprochen haben, beim Jüngsten Gericht errettet werden. Es ist deshalb anzunehmen, das Bild sei eher für einen Gerichtssaal als für ein Grabdenkmal bestimmt gewesen. Die volle Signatur und Datierung mit dem Hinweis, daß Floris aus Antwerpen stammt (was sich bei dem Epitaph in einer Antwerpner Kirche erübrigt hätte) legen die Vermutung nahe, daß es für das Schöffengericht in einer anderen Stadt bestimmt war. Bereits vor 1621 war das Bild nach Prag gelangt, wo es sich, zusammen mit fünfzehn anderen Werken Floris', in den Sammlungen Kaiser Rudolfs II. befand.

Etwa zur gleichen Zeit, in der Floris dieses Gemälde vollendete, verwendete er die gleiche Komposition für ein Triptychon, das als Epitaph für die Familie Bourgeois in der Brüsseler Kirche Notre-Dame-du-Sablon aufgestellt wurde. Dieses ebenfalls signierte und 1566 datierte Triptychon befindet sich heute in den Musées royaux des Beaux-Arts in Brüssel. Das Wiener Bild mit der Jahreszahl 1565 müßte demnach die frühere Version sein. Es ist aber nicht auszuschließen, daß in der Werkstatt von Floris an beiden Werken gleichzeitig gearbeitet wurde. Der Hauptunterschied zwischen beiden besteht darin, daß das Brüsseler Triptychon größer ist, mehr Figuren enthält und die himmlischen Gestalten in den Wolken mehr in den Vordergrund gerückt sind. Unter den Erlösten auf der linken Seite finden sich die Porträts von Familienangehörigen der ursprünglichen Auftraggeber, einige wurden sogar erst viele Jahre später nach Floris' Tod im Jahre 1570 hinzugefügt.

Die beiden Versionen des *Jüngsten Gerichts* in Wien und Brüssel gehören zu Floris' letzten großen Aufträgen, sieht man von einem 1567 entstandenen Altarbild für die Hoveniers-Kapelle, einer *Anbetung der Hirten,* in der Antwerpner Kathedrale ab. Dieses Bild schmückte später den Hochaltar der Liebfrauenkathedrale und blieb dort vierzig Jahre lang, bis 1626 die *Himmelfahrt Mariä* von Rubens diesen Platz einnahm. Zu jener Zeit war der Ruhm Frans Floris', der zu Lebzeiten als flämischer Raffael und neuer Apelles gerühmt wurde, schon längst verblichen.

Carl Van de Velde

Pieter Bruegel der Ältere

(1525/1530 Breda (?) - 1569 Brüssel)

Der Kampf zwischen Fasching und Fasten

Eichenholz,
118 × 164,5 cm,
signiert unten links auf einem Stein
BRVEGEL 1559
Wahrscheinlich Sammlung
Rudolphs II., Inv. Nr. 1016
28 (siehe S. 220)

Der Reichtum der Wiener Galerie an Gemälden Bruegels — trotz starker Abgänge noch immer ein Dutzend Originale — verdankt sich Kaiser Rudolfs II. Sammelleidenschaft. Schon um 1600 galt es als unmöglich, noch zu Werken Bruegels zu gelangen, so sehr zog der Kaiser alles an sich. Die Plünderung Prags 1648 und Napoleons Kunstraub 1809 rissen dann nur die offiziellsten Lücken, anderes fiel der jahrhundertelangen Geringschätzung Bruegels zum Opfer. Im folgenden soll die ganze Sammlung vorgeführt werden.

Der Kampf zwischen Fasching und Fasten, datiert 1559, gehört mit den *Kinderspielen* und dem Berliner *Sprichwörter*-Bild zu einer von Bruegel erfundenen Gattung enzyklopädischer Darstellungen. Auch Sebastian Brant, Erasmus von Rotterdam und Rabelais hatten die »menschliche Menagerie« aus Distanz gliedernd und ironisierend betrachtet; dergleichen lag dem Zeitalter. Bruegels das menschliche Treiben objektiv von oben betrachtender Standpunkt war jedoch nicht der des Literaten und muß gegen eine heute grassierende Tendenz, ihm Moralsatire oder gar religiöse oder politische Parteinahme und Kritik zu unterstellen, energisch verteidigt werden. Bruegels Gemälde enthalten keine Anspielungen, die erst entdeckt und dechiffriert werden müßten. Vielmehr hat Bruegel sich eine eigene didaktische, epideiktische Bildform geschaffen, um seine tiefgegründete Anschauung von Welt und Menschen als Künstler, also direkt und ohne allegorische Umwege, ausdrücken zu können. Er kleidete sich hierbei in das Gewand des Humoristen, ist aber niemals negativistisch und vereint auch gelegentliche Kritik mit Menschenliebe.

Für die »enzyklopädische« Bildergruppe von 1559/60 spielt erstmals ein an Realien nicht zu ersättigendes Interesse am unerschöpflichen, an Sachen und Gestalten reichen Leben des Volks eine Rolle, woran hinfort Bruegels »Welt« sogleich zu erkennen ist. Der Künstler sammelt die zehntausend Dinge des täglichen und auch des nicht alltäglichen Gebrauchs und wiederholt sich kaum je dabei. Sie scheinen ihn ebenso als Dinge wie ihrer Form wegen anzuziehen. Dasselbe doppelte Interesse zeigt er für die menschlichen Erscheinungsformen, die Vielfalt ständisch-berufsmäßiger und auch nach Typen und Kleidung, ja Verkleidung den Humoristen anziehender Differenzierung. Daß all dieser abschildernde Realismus in eine unverkennbare Bruegelsche Form gebracht ist, macht ihn erst für uns — auch ohne daß wir uns dessen bewußt wären — interessant. Bruegels alles verwandelnde Formkraft, ein künstlerisches Phänomen ersten Ranges, ist nach außen die eines großen Humoristen und zugleich Epikers.

Das Thema ist Brauchtum, dargestellt an seinem »Sitz im Leben«. Die geniale humoristische Idee der drei »enzyklopädischen« Werke war es, die Vielfalt des Gegenstandes zugleich sachlich »aufzählend« wie auch »natürlich« darzustellen. Damit ist die »Sicht« als Überschau auf die sich als »Welt-Theater« zu erkennen gebende natürliche Welt bestimmt. Der Schauplatz, Markt- und Kirchenplatz einer Stadt, ist zugleich wie eine Mysterienbühne in Bereiche polarisiert: die Kirche rechts, das Wirtshaus links bezeichnen die antagonistischen Hälften des Spiel-Raums, auf dem, noch die anschließenden Gassen erfüllend, das gesamte Brauchtum von Fasching (Karneval) und Fastenzeit als lebendiges Geschehen dargeboten wird. Die thematische Idee des Antagonismus wird im Vordergrund noch einmal, zugleich real wie »symbolisch«, thematisiert in dem (von einer Karnevalsbruderschaft ausgeführten) Fastnachtsspektakel, das dem Bild den Titel gibt: Prinz Karneval (der fette Vastelavond) und die magere Frau Faste bestreiten einander im Turnier. Ausstattung und Gefolge sind, nach Auskunft der Volkskunde, für die das Bild eine veritable Quelle der Brauchtumsformen ist, bis ins einzelne getreue Schilderung, nichts ist willkürlich. Die Volkskunde gibt auch den Schlüssel für alle anderen Szenen.

Auf der »Faschings-Seite« wird, vor dem Wirtshaus zur blauen »schuyt«, das Fastnachtsspiel »Die schmutzige Braut« (Zigeunerhochzeit) gespielt, ein in vielen Formen populärer Stoff, ebenso wie, nicht weit dahinter vor der Schenke »Zum Drachen« aufgeführt, das uralte Spiel von Bruderkampf und Wiedererkennung der Königssöhne (Urson und Valentin, Wilder Mann). Gleich ums Eck tun es die Kinder den Erwachsenen nach: »Der König trinkt!« Heischeumzüge von Leprosen und Krüppeln, traditionell im Kalenderjahr fixiert, zeigen, im Brauchtum institutionalisiert, den breiten Rand-Status der städtischen Gesellschaft. Im Hintergrund der Gasse glaubt man den Aufzug von Graf und Gräfin Halbfasten sowie ein Feuer, vielleicht das Verbrennen der Strohpuppe des Winters, zu erkennen.

Sitten und Gebräuche der Fastenzeit füllen die rechte Hälfte. Aus der Kirche strömen, das Aschenkreuz, das auch Frau Faste trägt, auf der Stirn, mit Umhang und Kirchstühlen die Zuhörer einer Fastenpredigt ins Freie, wo nach Frühjahrsbrauch altes Geschirr im Fangespiel zerbrochen wird und die Jugend sich schon mit Kreiseltreiben vergnügt. Die Bäckerei zeigt Brauchtümliches; als Rüge für die Verspätung beim Frühjahrsputz — das Fensterputzen wird nachgeholt — hat man ihr zum Spott einen »Butzemann«, eine Stoffpuppe, ins Fenster des Oberstocks gesetzt. Die Szenen rechts vorne bis zur Kirche, wo »Heiltum« gezeigt und Exvotos und Buchsgrün verkauft werden, sind der Christenpflicht gewidmet (nach einem Holzschnitt des Petrarca-Meisters: Bruegel hat sich für seine Wirklichkeitsschilderung auch in der Kunst umgesehen): hier werden Kranke, ja Sterbende (zu krasse Details wurden schon früh übermalt), Blinde und Krüppel, die vor der Kirchtür ihren Bettelort haben, mit Almosen begabt. Antagonistisch zum Waffelbacken auf der Gegenseite wird beim Marktbrunnen die Fastenspeise Fisch verkauft und dem Dreck fressenden Schwein scherzhaft moralisierend das »reine« Wassertrinken entgegengesetzt. Das ist — ebenso wie die Frau Fastes Bienenkorb noch umschwärmenden Bienen — witzige Verlebendigung der im ganzen nicht mehr symbolischen Darstellung. Obertöne wurden nur fallweise noch mitgeliefert.

Bruegels »Wörtlichkeit« der Schilderung setzt sich gelegentlich bis in das geforderte Verbalisieren der Szenen und Gegenstände fort, das er beim kundigen Betrachter seiner Zeit in jener Epoche von Sinnsprüchen und Sprichwörtersammlungen voraussetzen konnte. So wird die Szene in der Bildmitte erst durch solches Verbalisieren zum Schlüssel für das Ganze: hier sucht ein vom Rücken her gesehenes, ins Bild hineinschreitendes Paar, vom Narren geführt, was? Nach dem redensartlichen Zitat aus Sebastian Francks »Weltbuch«: »die fassnacht (am Aschermittwoch!) mit fackeln und latern bei hellem Tag, schreien kleglich wo die Fassnacht sei hin kummen.« So hat der Humorist Bruegel komponiert. Und so

Regie geführt: wie noch auf der Shakespeare-Bühne wird die verschiedene Spielzeit der beiden Hälften des gemeinsamen Spielraums mit dem entblätterten Baum links, dem belaubten rechts oben »symbolisch« — mittelalterliche Darstellungsweise scherzhaft imitierend — angegeben. Durch die Vielfalt solcher Züge ist das Bild, wunderbar schon als anschauliches Kompendium, auch als Kunstwerk ein Wunder, und nicht nur in der Formung, sondern vor allem auch und schon im Gedachten seiner Konzeption.

Klaus Demus

Pieter Bruegel der Ältere

(1525/1530 Breda (?) - 1569 Brüssel)

Kinderspiele

Eichenholz,
118 × 164,5 cm,
signiert rechts unten auf dem
Balken:
BRVEGEL 1560
1594 erworben,
Inv. Nr. 1017
29 (siehe S. 220)

An die 90 mehr oder minder leicht erkenn- und identifizierbare Spiele, von denen viele ja noch lebendig (oder dies bis vor kurzem gewesen) sind, werden von über 230 Kindern gespielt. Die Erwachsenen sind — bis auf zwei Ausnahmen, wo sie nötig sind — ausgeschlossen, den Kindern scheint die ganze Stadt überlassen: der Hauptplatz mit dem Rathaus, die große Straße und, für die ländlichen Spiele, der Außenraum, wo es mit Wiese, Bäumen und Fluß ins Freie geht; alles das kann das unerschöpfliche Treiben kaum fassen. Hat der Betrachter das Lokale überblickt und sich des Bildthemas vergewissert, dann bleibt ihm nichts anderes mehr zu tun als, der eigenen Kindheit sich erinnernd, die Spiele eins nach dem andern — und es wiederholt sich nichts — wiederzuerkennen und beim Namen zu nennen. Das ist eine vergnügliche und, weil sich eine nicht oft gebrauchte Kenntnis daran erproben kann, auch eine interessante und unterhaltende Sache.

Vergnüglich schon wegen des mit dem Erinnern verbundenen Wiedererlebens, das zum Wiedertun hin, sich ins Bild versetzend, gar keine Grenzen hat. Und auch im höheren Sinn interessant, weil erst mit dem Aussprechen des Namens oder dem — lauten oder stillen — Sichklarmachen des Spielvorgangs oder Spielsinnes das Erkennen ans Ziel gelangt. Da es nun für die meisten Spiele verschiedene oder auch mehrere Bezeichnungen gibt und gegeben hat — je nach Region, Zeit (schon Generation) und Mundart (und erst recht Sprache; für Bruegels Zeit heißt das: Volkssprache und Latein) —, so ist mit dieser dem Betrachter vom Bild gestellten, nicht gering zu schätzenden Aufgabe ein über das Vergnügen hinausliegender, weiterer Sinn der Darstellung gegeben: er liegt, wie so oft bei Bruegel, im Abzielen auf das das Bild ergänzende Wort, auf die am »Lesen« mitbeteiligte, es erst als »Wissen« vollendende Sprachlichkeit. (Wer die bei Froissart und Rabelais, und dessen genialem Übersetzer Fischart, als purer Selbstzweck stehenden Listen von Kinderspielen kennt, weiß um den höheren Jux, den Bruegel seinen an derlei »Weltwissen« Geschmack habenden Betrachtern mit und mittels der Verlebendigung sozusagen »frei Haus« lieferte. Man hat für die Spiele unseres Bildes solche Listen erstellt — sowohl der lebensvollen flämischen Bezeichnungen als ihrer Äquivalente im Deutschen und Englischen. Zum Teil existieren neben den »technischen« Bezeichnungen ältere bildkräftig sprechende oder redensartliche Varianten. Gewiß dürfen wir uns die letzteren als das natürliche Korrelat zur drastisch-humoristischen Wiedergabe und Ausformung Bruegels vorstellen.)

Bild und Wort — das sollte, in solcher Fülle dargeboten, genügen. Leider hat sich ein Teil der Wissenschaft in den Kopf gesetzt, das könne der Bildsinn nicht sein; es habe vielmehr als ausgemacht zu gelten, daß der Künstler mit dem Dargestellten Anderes, Tieferes ausdrücken wollte, und dies sei aus dem in der Epoche geltenden Metaphern-Wert der Kinderspiele zu erschließen. Und zwar sei der Generalnenner die Torheit der Menschheit, die all ihr Tun und Lassen gleichsam als kindliches Spiel treibe. Im einzelnen gelte es zu erkennen, daß etwa »Auf dem Kopf Stehen«, »Seifenblasen«, »Steckenpferdreiten« und ähnlich aus sich selbst Sprechendes auf solch ein im Sinne der Vernunft, Moral, christlichen Gläubigkeit usf. defizientes, sündiges, fehlerhaftes menschliches Verhalten gemünzt sei. Bruegel habe somit einen Spiegel der menschlichen Verkehrtheiten am Beispiel des Kinderspiels aufstellen wollen, und es gelte, diesen Sinn durch genaue Analyse auch des am harmlosesten scheinenden Spiels aufzudecken und zu entschlüsseln. — Wir glauben, daß man diesen das Verständnis sich und anderen verstellenden Ansatz sehr bald als lächerlich wird vergessen können. Seiner Aktualität wegen, und zum Zweck der Abschreckung, mußte er indes genannt werden.

In der als drei Variationen des Themas »Bildlichkeit als Wörtlichkeit« konzipierten Trias »Sprichwörter«, »Faschings- und Fastenbräuche« und »Kinderspiele« fassen wir zum erstenmal Bruegels Idee einer Didaktik in der Malerei, und zwar thematisch wie methodisch in der Form enzyklopädischer Schau-Bilder. Er hat sie — sich auch generell, ebenso wie in Einzelheiten, erstaunlicherweise nie wiederholend — nicht fortgesetzt. Sein ganzes Werk als Maler sollte ein Kette immer neu erfundener didaktischer Formen der Aussage sein. Er hat sich das — wir können es nur staunend zur Kenntnis nehmen — als Künstler abverlangt.

Denn das Eigentümliche bei Bruegel ist — überspitzt gesagt — dies: er war ebenso Künstler wie Autor. Das heißt, ein das Genie ausmachendes Maß an Einsichts-

und Erkenntnisfähigkeit (»Weise ist, wer vieles weiß von Natur«), das sich auf Wirklichkeit im ganzen, Natur und Mensch und beider Zusammenhang als »Welt« erstreckte, so daß sie ihm wie ein Buch sinnfällig, »lesbar« war, — eine solche »Weisheit des Auges«, das als Organ sogleich auch artikulierte, drängte ihn zur — vom Werk aus gesehen universalen — Aussage. Da Malerei nur über das Zeigen auch sprechen kann, ihre »Aussage« über die Sichtbarkeit leiten muß, hat Bruegel sich eine eigene künstlerische Form entwickelt. Und zwar eine solche, die weder auf abstrakte Weise, wie die mittelalterliche Symbolsprache der Kunst, noch allegorisierend über festgelegte Exempla und Typen ihr didaktisches Ziel erreicht, sondern die es zustandebringt, dieser Didaktik die seit der Renaissance auch im Norden sich durchsetzende Aufgabe der vollen Wirklichkeitsdarstellung zugrundezulegen. Bruegel hat verschiedene Möglichkeiten gebraucht, im Rahmen einer neuartigen, vor allem an Intensität — zu der zunächst einmal Genauigkeit gehört — unerhörten Wirklichkeitsdarstellung seine Anschauung von der Welt »bildlich zur Sprache« oder »sprechend zu Bild« zu bringen. Die Epoche, das sowohl im humanistischen wie im volkssprachlichen Schrifttum Geübte, bot ihm dafür die Grundlage: Devise, Sprichwort, Emblem lebten von dem durch alle Schichten gehenden, höchst aktuellen und populären Interesse für solches In-, Mit- und Zueinander von Bild und Wort. Das 16. Jahrhundert spricht bildhaft wie kein anderes, und »sprechend« ist seine Graphik nicht bloß ex offo als Buchillustration, Flugblatt und Emblemkunst. Die Malerei nur hielt sich, als »hohe Kunst«, aus solcher in der Gebrauchskunst exerzierten Vermischung und Verquickung der Sphären heraus; sie hatte Bruegel daher keine Formeln, ja nicht einmal Gattung, Bildkategorie zu bieten. Hier mußte er also Möglichkeiten der »Aussage« selbst schaffen.

Eine erste solche war eben das didaktische, enzyklopädische Schau-Bild mit seinen geschlossenen Sachwelten, umfangreich und komplett wie ein Spezial-Wörterbuch, handgreiflich wie ein tausendfältiges Arsenal und unerschöpflich an Detail wie ein ausgestürztes Meer von Formen. Der Held ist das Volk als der Schöpfer einer gegenüber der Natur zweiten, rein menschlichen Welt in Sprache, Brauchtum und Spiel. Die Wirklichkeitslust des im getreuen Abbild noch einmal erschaffenden Künstlers

ist dabei ähnlich monströs wie bei Rabelais; jedoch fehlt bei Bruegel ein bei diesem virtuos gehandhabtes, das Reale würzendes, ja ins Ungeheuerliche aufblähendes Mittel: die Phantastik, die entfesselte Groteske, der höhere Unfug. Bruegels monströses Interesse bezieht sich mit geradezu manischer Genauigkeit auf das So-und-nicht-anders-Sein der Wirklichkeit, er ist absolut verläßlich in der Wiedergabe und vielleicht der treueste Sach-Referent, den die Volkskultur gehabt hat. Aber er ist als Humorist gleichzeitig der große Formkünstler, dem das Inventar wie auch die Menagerie der Welt als Quelle ewigen Vergnügens dient.

Klaus Demus

Pieter Bruegel der Ältere

(1525/1530 Breda (?) - 1569 Brüssel)

Der Selbstmord Sauls in der Schlacht zwischen Israeliten und Philistern auf dem Berge Gilboa

Eichenholz,
33,5 × 55 cm,
signiert links unten
SAUL.XXXI.CAPIT., und:
BRVEGEL.M.CCCCC.LXII.
Alter Bestand,
Inv. Nr. 1011
30 (siehe S. 220)

Ein »großes« kleines Bild: einzigartig in Bruegels Werk und überhaupt mit nichts vergleichbar als etwa Altdorfers Alexanderschlacht. Der Gegenstand ist auf einem Felsstück bezeichnet und wäre sonst wohl nicht leicht zu erkennen: Saul XXXI.Cap. Eine sehr selten dargestellte Geschichte also, dem 1.Buch Samuel (1.Regum) entnommen: vom Untergang König Sauls, der, wegen Ungehorsams gegen den Herrn schwer vom Unglück heimgesucht, in seinem letzten Kampf gegen das Heer der Philister auf dem Gebirge Gilboa Schlacht, Söhne und das Leben verliert — er stürzt sich, als alles schon entschieden ist, von seinem Waffenträger gefolgt ins Schwert. Links auf dem felsigen Absatz vollzieht sich der traurige Akt. Die im nächsten Augenblick heraufgelangenden Verfolger werden nichts mehr zu tun vorfinden.

Wir fragen: was hat Bruegel wohl bewogen, gerade diese Geschichte zum Gegenstand einer so genauen, bis ins winzigste Detail ausführlichen Bilderzählung zu machen? (Es ist ein Wunder, dieses Bild: miniaturhaft vollendet bis in die Lanzenspitzen und Tannenzweige, in die atmosphärische Raumtiefe und die fast greifbare Stimmung dieses trüben Tags am Eingang ins steil einengende, schroff aufgehende Gebirge, mit dem Blick ins Offene des Tals hinaus, wo der Krieg in der Ferne, mit Flußübergang von Truppen und Hinaufzug gegen eine befestigte Stadt, noch weiter geht, und einem Brand am Horizont — ist es eine Flotte auf dem Meer oder liegt dort im Dunst noch eine Stadt?) — Wir wagen eine Antwort. Nach allem, was wir von Bruegel wissen, war er bei der Wahl der Geschichte vom Untergang Sauls nicht wie ein öder Moralist am typologischen exemplum der Todsünde Superbia interessiert, sondern an einem höchst ergreifenden Fall menschlichen Unglücks. Denn wenn wir auch Sauls Verschuldung — die im Bibeltext so schwierig zu verstehen ist — besser verstünden: als Menschen macht ihn sein im Schatten Davids, der ihm alles Licht — und die Krone — raubt, stehendes Schicksal zu einer für alle Zeiten tief tragischen Gestalt. Wie, wenn wir also »Sauls Fall« repräsentativ für eine wenn nicht »pessimistische«, so doch sehr realistische Auffassung vom Leben des Menschen nehmen dürften? Dann hätten wir in dem Bild ein eigenartig persönliches Zeugnis für Bruegels Ansicht von der menschlichen Existenz (und für den, der weitergehen will: für die Art seiner Menschlichkeit). Nehmen wir ein Minimum davon als gegeben an: was folgt daraus für das Verständnis des Bildes?

Es präsentiert sich von vornherein als Landschaft. Nicht mehr als halb phantastische »Weltlandschaft« des vergangenen Stils, aber offenbar auch mit universalem Anspruch. Ihre Einheit ist geradezu dimensional räumlich, sie ist ebenso atmosphärisch und, für das unwiderstehlich aufgerufene einfühlsame Erleben, auch »temporal« im Sinne der Gleichzeitigkeit desselben Weltaugenblicks, der einen erdausschnitthaft gewaltigen, natürlich überblickten Schauplatz von beinahe geographischer Individualität in allen Teilen durchherrscht. Es ist die bestimmte ausgedehnte Einheit des konkreten Hier und Jetzt als Teil eines Grenzenlosen. Man muß das betonen,

weil es diese Phänomenalität vor Bruegel gar nicht und seit ihm nicht mehr so thematisch gibt. Sie scheint auf besondere Weise etwas von »Welt« sichtbar, fühlbar, bewußt erlebbar machen zu können. Wir stehen einem in der Kunst noch nie Erfaßten gegenüber: einem Ganzen, das als Natur und Erde das den Menschen Übergreifende ist. Es hat ein eigenes Sein, ein größeres, als je zuvor als ein »Etwas« sinnlich erfahrbar war. Es scheint ganz genau aussprechbar als ein »Unendliches im Endlichen«.

Nun ist dieser als »Welt« sich gebende Raum der Natur aber Schauplatz für ein höchst thematisches und durch alle Raumtiefen ergossenes Geschehen. Man täte Unrecht, wollte man das eine oder das andere, wie es meist geschieht, als die Hauptsache betrachten. Mit wunderbarer, sinnfällig das Wesen differenzierender Kunst der Veranschaulichung zeigt der Künstler beides, das große, unbeteiligte Sein der Natur und das in dieser seinen ganz anderen Zielen und Zwecken nachgehende unruhige Leben der Menschen. Zwei unterschiedene, aber aus der genommenen Distanz zusammen die Welt, wie sie ist, ausmachende Ordnungen. — Ist dieser Welt-Blick vielleicht dem Gottes nachgebildet, dem das Treiben der Menschen, die inmitten einer friedlichen Natur in sinnlosem Wahnwitz einander morden, ein Greuel ist? Keineswegs, denn es handelt sich ja gerade um die von Gott ins Werk gesetzte Bestrafung Sauls! Ist es also ein philosophischer Distanz-Standpunkt, für den alles Menschenwesen sich um eitle, selbstgeschaffene Wichtigkeiten/Nichtigkeiten dreht? Keineswegs, denn es handelt sich ja nicht um menschliche Verkehrtheit im allgemeinen, sondern um einen zwar repräsentativen, aber gerade als solcher sehr ausgewählten historischen Fall, dem nichts an seiner Individualität verkürzt werden darf.

Denn um diesen einmal näher zu betrachten: wie komplex, mit Phasen, Aktionen, Episoden und Momenten ist dieser am Berg Gilboa entschiedene, aber über das ganze Land gebreitete Krieg nicht geschildert! Die Landschaft spielt dabei als Terrain für das Taktische der Bewegungen und für die »Zufälle«, wie sie den Parteien zu Vor- und Nachteil gereichen, eine wie von jeher bestimmte Rolle. Und doch ist es deutlich: der Fluß war schon vor dem Truppenübergang, die Stadt vor den Belagerern, die Felsklippe, die jetzt von »türkischen« Philister-Bogenschützen besetzt ist und benutzt wird, vor diesen da, denn sie hat zuvor den — jetzt getötet auf ihr liegenden — Israeliten gedient; der Steilhang, zwischen dessen Bäumen die ersten Flüchtlinge hinaufklimmen (sie werden in ihrer »unangepaßten« Rüstung nicht weit kommen), wird von diesen ebenso aus dem Augenblick heraus benutzt wie der Felsabsatz links, der dem König Saul zum Ort seiner letzten Augenblicke geworden ist. Alle Benutzung des Terrains durch die Akteure zeigt den gleichen Charakter von Improvisation aus momentaner Gegebenheit. Wir haben der Eindruck, daß wahr erzählt worden ist, d.h. daß Bruegel die zwei Ordnungen — Natur und Menschen — einander treffen, aber nicht verkürzt zusammenfallen ließ.

Wir versuchen, die Distanz näher zu bestimmen, aus der sich der Sinn des Bildes, seine didaktische Idee, benennen läßt. — Ein denkwürdiger, tragikerfüllter menschlicher Fall, ja Sturz steht am Ausgang — nicht im Zentrum — einer dem Historiker zum Muster dienen könnenden Schilderung, »wie es wirklich zugegangen ist«. Aber nicht bloß am Berg Gilboa: sondern wie es immer und überall zugeht. Wie ein Sichaufspreizen menschlicher Selbstbestimmung, bei Saul; ein vermeintlich geschichtsbestimmendes Planen und Handeln, bei einem Heer; und wie menschliches Tun überhaupt scheitert, und wohl scheitern muß, schon deshalb, weil die andere Ordnung, die in der Natur sich ausdrückt — sie läßt sich zwar benutzen, aber nicht für sich gewinnen —, nicht beachtet, geahnt, gewahrt wird: das ist die sorgfältige, komplexe Demonstration. Der Mensch ist ein Ameisen- und Eintagswesen in der blinden Mechanik seiner Triebe und Taten, wie dieses winzig und vergänglich. Es ist ein Blick auf die Welt und wie es in ihr zugeht:

mit dem armen König Saul die Menschen bedauernd, jedenfalls nicht — wie es dem Künstler auch kaum zustünde — verurteilend; aber auch das Große, Umfassende in seiner eigenen Wirklichkeit zeigend. Das Thema des Bildes, das sich der Künstler stellte, ist beides: Natur und Geschichte, und wie sie sich miteinander verflechten zur Welt.

Klaus Demus

73

Pieter Bruegel der Ältere

(1525/1530 Breda (?) - 1569 Brüssel)

Der Turmbau zu Babel

Eichenholz,
114 × 155 cm,
signiert unten auf einem Quader
BRVEGEL.FE.M.CCCCC.LXIII.
Sammlung Rudolphs II.,
Inv. Nr. 1026
31 (siehe S. 221)

Bruegels großer Turmbau von Babel ist eines der genialsten Werke. Sein fast unerschöpflicher Reichtum in der Schilderung, mehr aber noch die Fülle von Ideen, die in ihm verkörpert ist, suchen in der Malerei ihresgleichen. Nicht zuletzt ist es aber Formgebilde, als das es auch zuerst spricht. Es ist die ungeheuerlichste Imagination, die das Thema gefunden hat, und ein Gipfel künstlerischer Imagination überhaupt. Sein Sinn aber liegt darin, daß es zeigt, aufzeigt. Es ist von der Gattung her ein didaktisches Werk.

Die Frage ist, welches Thema ihm zugrundeliegt — »Bestrafter Hochmut« oder »Architektonisches Wunderwerk«? Das heißt: ist der jetzt noch unvollendete Turm nach Bruegels Absicht vollendbar oder nicht? Bruegel hat den Bildsinn stets durch die Erscheinung selbst sich aussprechen lassen. Was also sehen wir?

Eine kolossale berghähnliche Masse ist, an Stadt und Hafen zu ihren Füßen gemessen und an den winzigen Arbeitern und ihren Maschinen auf ihr — der Humorist Bruegel läßt sie sogar auf ihr wohnen, Wäsche trocknen und Blumen ziehen —, bereits über alles möglich Scheinende hinausgewachsen, ja ins Gewölk gelangt. Seltsamerweise wird einem nicht ganz geheuer bei dem erstaunenden Anblick; sollte etwas wie Ironie beteiligt sein? Die gedrungene, extra breit angelegte, einen Felsberg als Kern geschickt benutzende stumpfe Kegelform steht zwar, aus Ungeschick vermutlich, ein bißchen schief, aber doch vollkommen fest und stabil da, und die Sorge mancher Interpreten, sie könne stürzen oder sei schon eingesunken, ist gewiß grundlos. Freilich ist die Arbeit bis zu dem erreichten Zustand seltsam lückenhaft oder nachlässig geblieben, sogar in der Sockelzone gähnen noch Löcher; aber man ist ja überall dabei, an ihnen zu arbeiten, und realistisch wirkt das allerdings. Oder war es gar die Absicht, uns dabei die Konstruktion recht deutlich zu zeigen? Den ungeheuersten Einblick in diese erhalten wir ja gerade an der Stelle, wo der ganze Baukörper wie von einer kolossalen Wunde zu klaffen scheint. Aber sind die über das Ganze hin verstreuten Lücken und »Verspätungen« in der Fertigstellung nicht trostlose Anzeichen dafür, daß es nicht wie es sollte weitergeht, so wie das heillos Unkoordinierte der Arbeitspartien und einzeln am Bau Verlorenen Trostlosigkeit auszudrücken scheint? Werden die mit der Spitzhacke winzig-ohnmächtig am Fels Herumpickenden jemals dessen Zuviel

abgearbeitet haben? Spricht nicht aus der ganzen riesigen ordnungslosen Baustelle etwas wie gigantischer Hohn auf das irgendwie längst hoffnungslos gewordene Unternehmen?

Es empfiehlt sich, Bauweise und Konzept des Turms zu prüfen. Dabei stößt man auf geradezu monströse Scherze, hinreißend als künstlerische Ideen, von höchster Intelligenz und Kombination, und von einer Kraft der Veranschaulichung, die an Leonardo denken läßt. Die offen daliegende Grundidee, in der alles zusammenhängt, war allerdings, unglaublicherweise, bis jetzt — zu gut versteckt.

Bruegel zeigt ganz offen, wie geplant, wie gearbeitet wird. Die Basis ist ein wulstiger Ring, der sich zur Rampe aufhebt und langsam als Schnecke höherschraubt; Stützmauern sichern ihn ab, hier lastet ja das ganze Gewicht. Um dieses möglichst gering zu halten, unbeschadet der Festigkeit der Konstruktion, ist römische Ingenieurkunst zu Rate gezogen worden. Denn das eindrucksvolle System von Mauer, Bogenöffnung und Stützpfeilern, das sich als »Ordnung« Rampe um Rampe gleichbleibt, folgt, ebenso wie die kluge Trennung dieses massigen Hausteinmantels vom wabenartig entlasteten Innenskelett aus Ziegelmauerwerk, unmittelbar dem Vorbild des Colosseums in Rom. (Das Zitat sollte nebenbei Vertrauen erwecken.) Gezeigt wird, wie mit Hilfe von Lehrgerüsten Bögen und Tonnen gewölbt, die Blöcke für den Mantel behauen, transportiert, durch alle möglichen Hebezeuge — auch ein Kran mit Tretrad ist dabei — gehievt und versetzt werden. Didaktisch-humoristisch, aber mit Bruegels eigenstem, auf Vollständigkeit ausgehendem Sacheifer, wird en passant die ganze Praxis des Bauwesens und -lebens erzählt. Wir sind überzeugt: alle Probleme am Bau können sicherlich bewältigt werden, wie der Plan es verlangt. Und dennoch zweifeln wir?

Wir erreichen jetzt die faszinierende Stelle, wo wie in einen geöffneten Bienenstock Einblick in den oberen Teil des Kerns, in die innere Konstruktion des Turms also, gewährt ist. Der Anblick ist ebenso technisch-rational wie, als Enthüllung, hoch phantastisch. Wir erkennen ein zu gleicher Zeit zwiebelförmig in Schalen, radial in gewölbten Gängen und konisch ansteigend, in übereinanderliegenden, hängenden Quirlen konstruiertes System — den Kammern und Schaufelrädern einer Turbine etwa vergleichbar. Aber o Wunder: es ist, ganz ein-

Pieter Bruegel d. Ä.
Der Turmbau zu Babel (Ausschnitt)

deutig, nichts anderes als die Projektion der Konkavität des Inneren des Colosseums ins Konvexe, mit den dort radial nach außen ansteigenden gewölbten Gängen, die hier, umprojiziert, nach innen zusammenlaufen! Eine Formidee, die schon als Operation ihresgleichen sucht. Äußeres und Inneres des gleichen Modells also, aber genial verwandelt und vom Trichter zur spiraligen Schnekke des Turms auseinandergezogen! — Ist aber diese Konstruktionsidee hier angemessen? Wie geht es nach oben zu weiter? — Da herrscht noch ein Chaos unverbunden fortwuchernder Elemente. Um den schalen- und stockwerkförmig gebauten zylindrischen Kern scharen sich weite Mauerringe, radiale Fächerteilungen, schiefe Ebenen, und wir fragen: wie ist denn vom Etagenbau des Inneren her zur Schneckengestalt des Äußeren eine Verbindung möglich, müßte nicht notwendigerweise das Ganze die Struktur einer Schnecke haben?!

Es ist geschehen, der Turm hat sein Geheimnis enthüllt, der lachende Architekt Bruegel läßt die Maske fallen: die Konstruktion ist absichtsvolle Unmöglichkeit, ausgeklügelte Absurdität, abgründige Ironie in Bezug auf alle Rationalität. Denn Schnecke und Stockwerkbau, Zwiebel, Fächerwerk und konischer Quirl mit radialen Röhren: das ist kein architektonisches Wunderwerk, aber ein Triumph der künstlerischen Idee, die es den Turm selber aussprechen ließ, daß er nicht bloß nicht fertig-, sondern überhaupt nicht gebaut werden könne! Nicht genug: um der Stabilität willen haben die Bauleute alle »Vertikalen«, auch die Hauptachse, sorgfältig im rechten Winkel auf die »Horizontalen« gesetzt; weil aber die letzteren, wie es die Schneckenform verlangt, ansteigen, mußte der Turm zwangsläufig schief werden! Er ist also »schief gedacht«!

Somit ergibt sich: Der babylonische Turmbau ist durch den biblischen Mythos Paradigma dafür, daß alles Menschenwerk Stückwerk bleiben muß. Er ist unvollendbar, weil hier ein hybrishaftes Wollen an seine Grenzen gelangt. Also hieß das künstlerische Thema: Demonstration der Unvollendbarkeit, des Scheiterns der bloßen Rationalität, in die der — besonders der neuzeitliche — Mensch sich aufspreizt, an der damit gepaarten Unvernunft. (Wir würden es heute eine Satire auf die Technik nennen.) — Schon für den ersten Anblick scheint sich der Turm gleichsam als »Berg« gegen das ameisenhafte Tun der Menschen und ihre der Natur entgegengesetzten, aus deren Ordnung sich entfernenden Zwecke mit seinen anderen, »großen« Gesetzen — eben denen der Natur — zu wehren. (Auch die Wolke sagt, mit leisen symbolischen Obertönen, dasselbe.) So irrational das klingt, weil der Turm ja das Gemächte der Menschen und nicht Natur ist, so versteht es doch das Auge. Denn wem gilt die Ironie des Turms? Doch denen, die sich eigenmächtig zu Weltbaumeistern aufgeworfen haben. Er aber »spielt nicht mit«.

Klaus Demus

Pieter Bruegel der Ältere

(1525/1530 Breda (?) - 1569 Brüssel)

Die Kreuztragung Christi

Eichenholz,
124 × 170 cm,
signiert rechts unten
BRVEGEL.MD.LXIIII.
Sammlung Rudolphs II.,
Inv. Nr. 1025
32 (siehe S. 221)

Das Thema der Kreuztragung hatte in der niederländischen Malerei eine auf Van Eyck zurückgehende, bis zu Bruegel fortgesetzte und weiterentwickelte Tradition, die dieser zur Gänze aufnahm, in außerordentlicher Weise erweiterte und zum unwiederholbaren, unerreichbaren Werk steigerte. Hier wie nirgendwo sonst ist Bruegels Bedeutung, die altniederländische Entwicklung vollendet wie auch der Kunst neue Bereiche eröffnet zu haben, deutlich zu greifen. Er bringt die alte niederländische Aufgabe, schildernd zu erzählen, zu ihrem Gipfel und Abschluß. Und er weist, mit seinem höchst konkreten Begriff von der Natur, der späteren flämischen Malerei die Richtung.

Die ganze Komposition mit dem halbkreisförmigen Zug aus Jerusalem nach Golgatha, mit erzählerischen und formalen Formulierungen und vielen von Vorgängern übernommenen Einzelheiten, ist von Bruegel als Gegebenheit verwendet worden. Er hat den alten Rahmen, der die panoramatische Darstellung ermöglichte, bloß im Ganzen wie in der Menge der darin enthaltenen Teile erweitert. Der Blick auf das vielfigurige szenenreiche Geschehen im Gelände zwischen Ausgangspunkt und Ziel wird zum Blick in die Welt wie sie ist, unendlich im Endlichen, sowohl der Tiefe der Wirklichkeit als der Fülle des Lebens nach; und an die Stelle eines mit den Glanzlichtern realer Einzelheiten Plausibilität vortäuschenden legendenhaften Erzählens, das auf Märchenton, Phantasie und traditionelle exotische topoi nicht verzichten wollte, trat nun eine fast grenzenlos ausgeweitete neue epische Form, die die Wirklichkeit selbst einzufangen, ja sich ihrer zu bemächtigen unterfing.

Bruegel hat – und dies ist das Besondere seines Standpunkts unter den Großen der Renaissance – die beiden Kunstepochen, das Mittelalter und das als die neue Welt Erfahrene, auf die seltene Weise der Kontinuität miteinander verbunden. Er erzählt im Präsens, transponiert die Historie in die Gegenwart der Erfahrung und Wahrnehmung; er sagt nicht »Es war einmal«, sondern läßt Wirklichkeit erleben, ja, solches Erleben erhält unmittelbaren Wirklichkeitsstoff optischer wie scheinbar trivialster Natur – wir bekommen ebenso Spiegelungen in Pfützen vorgeführt wie die Wirkung von Windstößen an vom Kopf fliegen wollenden Mützen zu sehen. Es ist, als ob die Epik des 19. Jahrhunderts, die

erzählerische Breite eines Tolstoj, vorweggenommen wäre. Der erzählte Vorgang wird in seiner Vollständigkeit vorgestellt, auseinandergefaltet und mit einer Unzahl von Einzelzügen, deren jeder von originaler Beobachtung und Genauigkeit der Vorstellung zeugt, zu einem summenhaften Ganzen gebracht, das tatsächlich über das, was der Maler als solcher bildhaft zusammenbringen kann, weit hinausgeht und das Ingenium, den erfindenden und gliedernden Verstand des Epikers voraussetzt.

Bruegel ist jedoch keineswegs Modernist — im Gegenteil. Wenn seine Vorgänger im 16. Jahrhundert das heilsgeschichtliche Thema in säkularisierter, oder zumindest veräußerlichter, Form fast schon dem Genrehaften ausgeliefert hatten, ist bei Bruegel der ganze Ernst des religiösen Gegenstands wieder ins Recht gesetzt. Und nicht nur das: er wird zum Anlaß, das ganze Treiben der Menschheit an ihm zu prüfen, zu scheiden, und aufzuzeigen, daß es damals wie heute gleich blind, beschränkt, in sich befangen und rettungslos »profan« ist, der Wahrnehmung nicht nur der höchsten, sondern jeder höheren Realität als der banalen vor Füßen liegenden unfähig. Alle mit pointiertem Humor des Epikers aufgespießten Typen, Verhaltensweisen, Reaktionen, die das Bild wahrhaft unerschöpflich für das »Einanderzeigen« machen, führen die Menge als heillose Menagerie vor und stellen bloß die wenigen heraus, die auch im Leben von ihr geschieden sind: die Armen und Besonderen (die Gruppe von Zigeunern unterhalb der Bildmitte, die als einzige — außer den Beginen rechts im Vordergrund und der Gruppe rechts außen mit dem Selbstbildnis des Künstlers — das Zusammenbrechen Christi betrachten und beweinen) und die Kinder (die von ihren Eltern — links von der Radstange — für den segenbringenden Anblick des Erlösers bereitgehalten werden).

Das stärkste Bekenntnis zum Glauben an ein Heiliges in einer profanen Welt ist jedoch die Heraushebung und Absetzung der Figurengruppe im Vordergrund, thematisch der »Ohnmacht Mariens«. Die feierlich hochstilisierten Gestalten, archaisierend zitiert im Sinne eines Van der Weyden und Van der Goes, sind die einzigen das Ideale verkörpernden Elemente. Auch wenn die Welt wie auf einer Drehscheibe um die geflügelte Achse — die groteske Felsnadel mit der Windmühle obendrauf (beide Elemente einzeln schon bei Van Eyck, aber genial

Pieter Bruegel d. Ä.
Die Kreuztragung Christi
(Ausschnitt)

humoristisch erst von Bruegel so kombiniert) — sich ewig im Profanen weiterbewegt, ist der geforderte wahre Standpunkt hier bei den still Trauernden, Leidenden, dem blinden, gemeinen und heillosen Treiben des profanen volgus Entrückten zu suchen. (Mit welcher Tollheit sich die Herzlosigkeit paart, ist an dem, Christus als König der Juden beigegebenen, »Hofnarren«, ja an dem einen Herold des Messias karikierenden, phantastisch »jüdisch« gekleideten, das Schofarhorn blasenden Anführer der Kreuztragungsgruppe gezeigt: nur ein Beispiel für Bruegels geniale Übersteigerungen der — hier wohl Bosch entnommenen — Tradition.) Man würde Bruegel aber falsch verstehen, wollte man — wie es weithin geschieht — ihm auch das zu dem Horazischen »profanum volgus« gehörende »odi«, die moralisierende Verdammung des Allzumenschlichen also, anlasten, welch letzteres er auf Schritt und Tritt im Bild lebenswahr und nicht ohne den Sinn des Humoristen für das Läßliche der unausrottbaren Torheiten der menschlichen Menagerie ausgebreitet hat. Buben müssen sich beim Springen über Pfützen vergnügen, Hunde an Abdeckerplätzen (mit Haufen von Widderhörnern) toben können, ohne daß Ikonologen schon »Allegorie« oder »Satire« rufen dürften. Und die weiteste Wellen der Reaktion schlagende »Verhaftung« des Simon aus Kyrene, damit er beim Kreuztragen helfe, ist dem Epiker, aber nicht dem Sittenrichter, Bruegel willkommener Anlaß zu köstlichster Entfaltung lebenswahrer Menschenschilderung gewesen. Und wer sieht mit den Ikonologen abgründigen Doppelsinn darin, daß den armen Sündern Dismas und Gesmas auf ihrem Karren von den Beichtigern — Kruzifixe vorgehalten werden? Wäre nicht vielmehr ihr Fehlen ein Regiefehler gewesen? (Dieser Humorist Bruegel: er hat sich für ein komisches Detail — daß der Fuhrmann auf der Deichsel über der morastigen Stelle die Beine hochzieht — aus einem ernsten Bild von C. Massys eigens das Motiv für seinen spaßhaften Zweck entlehnt!)

Das Bild ist, als das größte von Bruegel, der materialiter größte Landschaftsraum der älteren niederländischen Malerei. Auch seine Erstreckung im Bild ist eine große: ausgedehnte Terrainformen von sehr verschiedenem Charakter haben in ihm Platz, und doch ist es eine Landschaft von größter Naturwahrheit. Wie der schöne Sommertag sich im Verlauf des Zuges zur »Finsternis um die sechste Stunde« hin wandelt, so wandelt sich die Erde selbst in ihrem Aussehn vom Blühenden zum Kahlen, Sandig-Öden, Vegetationsentblößten. Die Natur spiegelt damit als die wirkliche, die wahre »Welt« das von der mitten darin sich bewegenden weltlichen Menschheit nicht bemerkte, nicht geahnte Karfreitagsgeschehen, das diese doch erlösen, erretten wird. Das ist das eigentliche, das höchste Thema des Bildes.

Klaus Demus

Pieter Bruegel der Ältere

(1525/1530 Breda (?) - 1569 Brüssel)

»Der düstere Tag« (Vorfrühling)

Eichenholz,
118 × 163 cm,
unten links signiert (in Resten)
BRVEGEL.MDLXV
1594 erworben,
Inv. Nr. 1837
33 (siehe S. 222)

»Die Heimkehr der Herde« (Herbst)

Eichenholz,
117 × 159 cm,
signiert unten links
BRVEGEL.MDLXV.
1594 erworben,
Inv. Nr. 1018
34 (siehe S. 85, 87, 221)

»Die Jäger im Schnee« (Winter)

Eichenholz,
117 × 162 cm,
signiert links unten
BRVEGEL.M.D.LXV.
1594 erworben,
Inv. Nr. 1838
35 (siehe S. 89, 91, 222)

Als Höhepunkt von Bruegels Schaffen gilt sein gewaltigstes Werk, der sechsteilige Zyklus »Die Zeiten des Jahrs«. Als der Stadt verfallene Bürgschaft des Antwerpener Kaufmanns Nicolas Jongelinck 1594 dem Statthalter Erzherzog Ernst geschenkt, dann bei Kaiser Rudolf II., kam er schließlich — schon um ein verlorenes Bild vermindert — in Erzherzog Leopold Wilhelms Sammlung und mit dieser in die Wiener Galerie. Napoleons Kunstraub entführte ein weiteres (heute im Metropolitan Museum, New York), ein drittes kam auf ungeklärte Weise nach Schloß Raudnitz in Mähren (jetzt in der Narodni Galerie, Prag). Für die drei in Wien verbliebenen Gemälde ging die Kenntnis des Zusammenhangs verloren. Erst seit den zwanziger Jahren sind die fünf Bilder wenigstens als Zyklus wiedererkannt. Bis zum Katalog der Gemäldegalerie von 1981 (auf den verwiesen werden muß) blieb er aber, unterdessen weltberühmt geworden, ein offenes Problem der Bruegel-Forschung.

Wie die alten Dokumente und Inventare, richtig gelesen und verstanden, eindeutig erweisen, bestand der Zyklus ursprünglich aus sechs Bildern. Seine Bezeichnung schwankte; im Inventar Leopold Wilhelms von 1659 wird er *Die Zeiten des Jahrs* genannt, und dies, und nicht »Die Monate«, ist sachlich auch die einzig richtige. Das bedarf einer Erläuterung.

In Nachfolge der Kalenderillustration der Buchmalerei taucht im höheren 16. Jahrhundert auch in der Tafelmalerei das zyklische Thema der Monatsdarstellungen mit den gebräuchlichen Motiven ländlicher Arbeiten und Tätigkeiten auf, meist Serien von zwölf Bildern. Davon unterscheidet sich die vierteilige Darstellung der Jahreszeiten, die ebenfalls geläufige Ikonographie hatte. Schon zu Bruegels Zeit taucht aber auch eine sechsteilige Variante auf, die sich auf die ebenso übliche Einteilung des Jahrs in sechs Jahreszeiten bezog. Diese war eine praktische und unterschied die für das mittlere und nördliche Europa natürliche Folge Vorfrühling, Frühling, Frühsommer, Hochsommer, Herbst und Winter. Beide Folgen operierten ebenso wie die Monats-Serien mit den Motiven saisonbedingter Tätigkeiten, oft mit den gleichen; zu einem festen Kanon war es hier wie dort nicht gekommen.

Als Beginn der Beschäftigung mit den als Teile eines Zyklus erkannten Gemälden stand das Problem ihrer Be-

stimmung, Benennung und Anordnung. Da die Anzahl die Vier überstieg, schien nur eine Monats-Folge möglich (daß auch Jahreszeiten-Folgen sechsteilig sein konnten, blieb unbeachtet). Die Frage war daher nur, ob die fünf Bilder zu einer der üblichen Zwölferserien gehört hatten, oder ob sich aus der Häufung der Charakteristika in einigen Bildern auf eine verkürzte, sechsmal je zwei Monate koppelnde Folge schließen lasse. Darüber entstand eine nicht wieder zu einende Trennung der Lager. Denn da ein Kanon der Monats-Charakteristika nicht bestand, Bruegel aber zum Überfluß noch individuell verfahren war, mußte ja die Identifizierung der Monate bzw. Monatspaare ebenso wie die Streitfrage nach dem Umfang des Zyklus hoffnungslos kontrovers bleiben.

Die Frage nach dem Umfang ließ sich inzwischen durch ein besseres Verstehen der Dokumente eindeutig beantworten. Die theoretisch damit allein noch mögliche »verkürzte« Monats-Hypothese scheitert aber aus mehreren Gründen ebenso wie die lange. Den Ausweg aus dem unfruchtbaren Streit bildet die — zur Gewißheit zu bringende — Einsicht, daß wir es gar nicht mit einer Monats-, sondern eben mit einer Jahreszeitenfolge zu tun haben. Es gibt, der Zähigkeit, mit der der alte Irrtum bis heute nachgesprochen wird, zum Trotz, keine »Monate« von Bruegel. Es gibt nur die »Zeiten des Jahrs«.

Das nächste — für die Monatshypothese unlösbare — Problem, das der Anordnung und Reihung, löst sich nun fast von selbst. Eindeutig ist, für welche Jahreszeit jedes Bild steht. Welches aber beginnt, welches beschließt die Reihe? Man hat zumeist den Winter an den Anfang gestellt, weil das gregorianische Jahr mit diesem beginnt. Der stylus Bataviae des 16. Jahrhunderts hielt es aber mit der alten Jahreszählung von März bis Februar, und so ist auch jener Februar 1565, in dem Jongelincks Bürgschaft verfiel, gregorianisch schon der des Jahres 1566 gewesen. Das offizielle Jahr begann also mit dem Vorfrühling. Da nun Bruegel die Gemälde des Zyklus 1565 datierte, so hat er zwischen März 1565 und Februar 1566 daran gearbeitet und der »Vorfrühling« ist — wie auch nach der natürlichen Zählung der Jahreszeiten — das erste (und früheste), der »Winter« das letzte (und späteste) Bild der »Zeiten des Jahrs«. Die Gemälde selbst bestätigen das. Man hat es wahrscheinlich gemacht, daß Bruegel seinen Zyklus für einen Saal von Jongelincks prunkvollem Haus

82

»Die Heimkehr der Herde«

in der Marggravelei als Frieskomposition konzipiert hat. Denkt man sich die fünf erhaltenen Bilder – der eigentliche »Frühling« ist verloren – nebeneinandergereiht und achtet darauf, daß jedes eine andere Haupt- und Grundfarbe besitzt, dann ergibt sich eine »harmonisch ausgewogene« Farbkomposition zwischen den Polen Schwarzbraun (Vorfrühling) und Weiß (Winter) als Anfang und Ende, mit – hypothetischem – Blau (Frühling), Hellgrün (Frühsommer), Gelb (Sommer) und Goldocker (Herbst). Auch als formale Kompositionen erweisen sich, wie wir noch sehen werden, das Vorfrühlings- und das Winterbild als Einsatz und Abschluß.

Das Wichtigste bleibt aber, nach diesen notwendigen Präliminarien, die Erörterung des Gehalts dieses Hauptwerks von Bruegel. Wenn der Zyklus etwas »zeigen« wollte – und man kann gewiß sein, daß Bruegel immer etwas zeigen will –, dann lag dies nicht in der Tradition der Kalender und auch nicht, wie man ebenfalls gemeint hat, in der literarischen der »Georgica«, der in der Nachfolge Vergils immer wieder erneuerten Darstellung des Jahreslaufs aus dem Gesichtspunkt des Landbaus und der bäuerlichen Arbeiten. Bruegels Begriff vom Jahreszeitenthema ist weiter und moderner: er zeigt, was nur der Maler zeigen kann, wenn er sich vom bloß abbildenden Hinstellen der zum Thema gehörigen Gegenständlichkeit zur »Darstellung« eines kaum mehr Säglichen, nur eben Zeigbaren erhebt. Er gibt das Ganze nicht als abzählbare Summe, sondern als Zusammenfassung in einer Einheit. Das heißt, er bietet einen anschaulichen Begriff von dem, was jede Jahreszeit in ihrem Wesen ist, und wie sie die Welt als Wirklichkeit formt. Sein Anliegen war es daher nicht, das Jahr in seinen Teilen mit der – für den Städter schon zu Vergils Zeiten nur mehr »ästhetisch« interessanten – Veranschaulichung der saisonbedingten Tätigkeiten gefällig und lebensvoll dargeboten auszubreiten. Bruegels »Zeiten des Jahrs« sind daher nicht die »flämischen Georgica«. Er referiert nicht Bekanntes. Er zeigt vielmehr das wenig erkannte, als Erfahrung jeden Begriff übersteigende Wesen der Natur, im Jahreslauf auf verschiedene Weisen zu »Welt« zu werden; anders gesagt: die ganze Erfahrung, die das Jahr in seinen »Zeiten« bietet, um das, was Natur im Ganzen ist, ahnen zu lassen. Bruegel geht stets auf Vollständigkeit aus. Die Thematik dieses Zyklus bot ihm die größte: die

Natur und das Leben in ihr als »Welt«, im vollständig erfaßten Jahreslauf.

Es wurde ausgesprochen, daß die Bilder dieses Zyklus die ersten großen selbständigen Landschaften der abendländischen Malerei sind. Das ist umso erstaunlicher, als Bruegel von seinem übrigen Werk her nicht als Landschaftsmaler bezeichnet werden kann. Erstaunlich ist aber noch mehr: daß hier, in Malerei verkörpert, ein Naturbegriff eingeführt ist, der wohl praktisch in Entdeckungsreisen und Wissenschaft (Geographie), aber weder philosophisch noch auch ästhetisch (in Literatur und Kunst) in der Epoche schon seinesgleichen besitzt. Bruegels Naturbegriff stammt aus der Erfahrung, ist aber zugleich eine künstlerische »anschauliche Idee« von der erlebnishaft als »schöpferisch« erfaßten Welt-Wirklichkeit der Natur. Kraft dieser Idee bringen die Phänomene leise aber wirksam ein Erkenntnishaftes mit zum Vorschein. Ein allem Immanentes und Übergeordnetes, ein Unendliches im Endlichen, scheint in seinen welthaft geweiteten, aber auch von Weltwirklichkeit temporal erfüllten Bildräumen vorhanden, dem sich der Betrachter wie in der Realität hinzugeben vermag und dabei außer dem Erlebnishaft-Konkreten, der »Dimension« der Wirklichkeit, auch noch einen anschaulichen Begriff empfängt, wie »alles« in einem Ganzen zusammenhängt. Das ist mehr als eine »kosmische«, es ist fast eine spezifisch Bruegelsche Erfahrung. Sie ist in der Malerei weder überboten noch je wieder so erreicht worden, auch in Bruegels Werk selbst nicht.

Sechsmal im Jahr wird die Welt im Begriff einer Jahreszeit zu einem jeweils anders erfahrenen Ganzen. Bruegels sensible Erfassung prägt dies im Bild der Natur selbst »plastisch« aus. Das menschliche Dasein, das in seinen ländlich schlichten Tätigkeiten dem sowohl Notwendigen wie Hergebrachten nachgeht, ordnet sich dem, auch ihm das Gesetz gebenden, Welt-Gesetz der Natur vollkommen ein. Das ist zweifellos der Schlußstein im Ganzen, das Bruegel »zeigen« will. Eine ungeheure Darbietung und Veranschaulichung, kaum mehr Didaktik zu nennen, dient dieser schlichten Weisheit als Vehikel.

Der »Vorfrühling« erhielt seinen heute gebräuchlichen Übernamen *Der düstere Tag* erst vor achtzig Jahren, als das Bild (durch eine Behandlung mit Aloe) noch

Pieter Bruegel d. Ä.
Die Heimkehr der Herde
(Ausschnitt)

dunkler als heute war; und sicherlich ist es ursprünglich noch viel heller gewesen. Der Übername ist aber auch sonst nicht glücklich gewählt: er trägt dem Stürmisch-Aufgerissenen, der gärenden Anbruchsstimmung nicht Rechnung, die dieses Bild zum dynamischsten der Serie macht. Der Übergang von der Starre des Winters zum Wiedererwachen der Natur im Vorfrühling ist als das Wesen dieser Jahreszeit thematisiert; die lichten und starken, das Dunkle und Leblose abschüttelnden Kräfte regen sich, Gewalten werden aufgeboten, die die Welt durchrütteln und in den Fugen lockern und erschüttern. Dieses kosmische Geschehen und Sichdurchsetzen eines unfaßbaren, aber mit absoluter Herrschergewalt alles mit in seine Richtung reißenden Willens zeigt sich als furchtbare, aber heilsame Notwendigkeit für die Erneuerung. Natur ist vor diesem Bild so groß noch nicht gesehen worden. Es muß auf den jungen Rubens den ungeheuersten Eindruck gemacht haben.

Wir betreten den Bildraum zu ebener Erde und doch schon im ersten Stock: wie ein Altan ist der Hügel rechts an die Schwelle des Bildrands herangeführt, so daß wir ohne Künstlichkeit, auf natürliche Weise den Vorteil eines erhöhten Standpunktes für die ungeheuerste Überschau auf ein Stück »Welt« genießen. Und was zeigt nicht der hohe, fern hinausgerückte Horizont! Wie eine gewaltige, am Beginn des Frieses, den wir in der Leserichtung von links nach rechts zu durchwandern haben werden, liegende C-Initiale erstreckt sich ein mit Alpengipfeln noch im Schnee liegendes, vom Föhnsturm überbraustes Gebirge in die Raumtiefe, wo am Horizont, dort wo die letzten Ausläufer der Küste in die Meereslinie einfallen, im noch vorübergehenden, aber hoffnungsvoll wirkenden Aufklaren die winzige Nadel einer Kirche uns fern gegenüber den Visierpunkt zu bilden scheint. Die ganze linke Bildhälfte, mit dem tief unten liegenden Dorf, mit dem brodelnden Ästuar eines Stromes, auf dessen wild aufgeregtem Wogen die Schiffe der Reihe nach tanzen und scheitern, liegt schon wie ins Präteritum gerückt hinter und unter uns. Hier wird viel Stimmungshaftes in Einzelheiten erzählt. Der Hinausblick ins Freie der rechten – dem Entwicklungsgang nach »späteren« – Bildhälfte geht über überschwemmtes Land mit geborstenen Deichen ins Ferne, sich Hellende, das das Ziel des Einsatzes der aufgebotenen Kräfte sein wird.

Das Wesen der Jahreszeit ist im Austrag seiner Polaritäten zur dynamischen Einheit gebracht.

Wie ruhig, vom Geschehen überwölbt, aber fast darin geborgen (die Schiffs- und Wassernot gehört mehr der Natur an) ist das Leben der Menschen, ihr geringes, ganz in den engen Rahmen des ihnen vorgeschriebenen Spielraums verhaftetes Tun! Das Bessern der Hauswand, Schneiden und Binden von Weidenruten, die Faschingsgruppe (mit Einzelheiten aus dem Bild von 1559): all das gibt das Gefühl von Heimlichkeit und Behaustsein des sich in das Gesetz der Natur fügenden Lebens. Es ist die Welt, wie sie ist und wie sie sein soll. Und vor den Toren der Stadt beginnt sie.

Der »Herbst«, nach dem verlorenen Frühling, dem Frühsommer (mit der *Heumahd*, Prag) und dem Hochsommer (der *Kornernte*, New York) schon das vorletzte Bild des Zyklus, erhielt als Titel-Szene kühn, monumental und eindrucksvoll gewählt und verwendet ein in den Niederlanden unbekanntes, für die Alpenländer (woher Bruegel es als Motiv von seiner Rückreise aus Italien mitgebracht hatte) aber sehr bedeutungsvolles jahreszeitliches Ereignis: den »Almabtrieb«. (*Die Heimkehr der Herde*, kein alter Titel, ist nicht präzis genug; ein verbessernder Vorschlag, »Die Talfahrt der Herden«, setzte sich nicht durch.) Er fällt mit dem Ende der schönen Jahreszeit zusammen, und wir sehen auch schon, wie von rechts – also gegen die Leserichtung des Frieses und von der sich verschlechternden Witterung der kommenden Jahreszeit her! – ein alles verdüsterndes Wetter über das sogleich finster und drohend aussehende Gebirge hereinzieht. Schon hat es in der Ferne unter dem Gewölk zu regnen begonnen, der Regenbogen dort verrät es. Noch ist, in der linken Bildhälfte, die andere, frühere, schöne Witterung des Herbstes, die nach dem Laubfall lang andauernde Klarheit und Durchsichtigkeit, Limpidität, mit dem Leuchten der Farben weit in die Tiefe des Raums, wie des Jahrs, hinein, nicht davon berührt. Hierher geht denn auch – wiederum also gegen die Entwicklungs- und Bewegungsrichtung des Frieses – der »Rück«-Zug der Herde, hin in den schützend bergenden heimatlichen Dorfbereich. (Der »Schaffner« oder »Meier« zu Pferd, die Knechte mit Stangen die prachtvollen, in der langen Almzeit wohlhäbig gewordenen Tiere auf dem schmalen Weg zusammenhaltend.) Die Weidezeit ist zu

Ende, das Jahr neigt sich. Der einsame Vogel hoch auf dem kahl hinausragenden Ast weiß es, er ist, wie mit Klage oder Mahnung, dem von »drüben« drohend und verdunkelnd herankommenden Umschwung der Jahreszeit zugewandt: ein unübersehbares, unvergeßlich ausdrucksvoll geprägtes Motiv Bruegels.

Die große Poesie der Komposition — sie ist nicht »nachzurechnen« — beruht auf dem Einsatz der Einzelheiten und Züge als »Motive« und deren Steigerung zum Mitschwingen und Mitanklingen einer existenziellen Thematik. Man glaubt in Obertönen eine Symbolik des Daseins, eine gewaltige »Pastorale« zu vernehmen, so sehr ist alles Motiv in einem zusammenstimmenden Ganzen. Das Thema ist hier noch deutlicher als in den anderen Bildern des Zyklus die prekäre, aber harmonisch »lösbare« Verschränkung des vergänglichen Lebens und Wohnens auf der Erde mit dem Unermeßlichen, nicht mehr als Gegenüber zu Fassenden der All-Natur. Was wir als Einstimmung in das Gebot und Gesetz der Jahreszeit sehen, ist sorgende Schutzsuche, Flucht. Die dunklen Kräfte der Welt breiten sich aus, es gibt keinen Widerstand. So wird das ganze Bild, in der Thematik des aktiv-passiven Verhältnisses seiner beiden Hälften — die der Zug der Menschen und Tiere wie eine Parallelisierung des gegen die Lebensrichtung von der Zukunft hereinbrechenden Verhängnisses miteinander verbindet —, zu einer einzigen gewaltigen Metapher der Mächte und des Daseins. Und es ist doch nichts weiter als ein Blick in die Natur, eine »Landschaft«.

Über deren Außerordentlichkeit und Schönheit braucht nichts gesagt zu werden. Sie ist die letzte, im »erhabenen« genus ausgeformte und stilisierte Fassung von Reiseerinnerungen wohl aus dem oberen Rheintal, die Bruegel schon als Vorlage für den Stich seiner Emaus-Pilger so gezeichnet hatte. Man hat die Landschaft, ja sogar den eingenommenen Standpunkt im Gelände, lokalisieren wollen. Es ist aber gewiß, daß Bruegel in keinem seiner gemalten Werke — und nur in wenigen auszunehmenden Zeichnungen — eine topographische Ansicht wiedergegeben hat. Nicht ein bestimmter Erdenwinkel, sondern »Welt« war sein Gegenstand. Nur seine die Unbeholfenheit der älteren »Weltlandschaft« weit hinter sich lassende volle Eroberung der Natur läßt vergessen, daß er kein — Realist, sondern Dichter war.

Auch der Titel des Winter-Bildes, *Die Jäger im Schnee*, ist modern, und nicht glücklich gewählt. Denn er lenkt ins Anekdotische ab und läßt darüber vergessen, daß es sich um eine Darstellung der Jahreszeit, des Winters als solchen, handelt. Man muß es sich vergegenwärtigen, daß es nicht nur das erste, sondern auch das bedeutendste Winterbild der europäischen Malerei ist. Weil aber die Jäger schon genannt sind, muß zunächst über sie etwas gesagt werden.

Man hat ihr Hineingehen ins Bild als Introitus-Motiv gewertet und darin einen Beweis für die Stellung des Winter-Bildes am Beginn des Zyklus erblickt. Er ist aber etwas anderes, wenn man die zwölf Monate — an deren Darstellung man lange dachte — mit denen des Winters beginnen läßt, oder wenn man die Jahreszeiten, seien es vier oder sechs, in ihrer natürlichen Abfolge zählt: dann nämlich erhält der Winter die letzte Stelle. Und diese hatte er auch im niederländischen Jahr, selbst wenn man nach Monaten rechnete: denn dieses begann am 1. März. Im einen wie im andern Fall also hat Bruegel das Winter-Bild an den Schluß setzen müssen. Wie aber, wenn man die Heimkehr der Jäger tatsächlich als »Heimkehr« und Einkehr in die winterliche Stille und Starre alles Lebens am Ende des Jahres sieht? Dann ist es kein Introitus, sondern ein Exodus der Personae dramatis von der Bühne, ein Sichverabschieden des Künstlers hier am Ende des Zyklus. Denn ihre Hinabwendung in die sich in Fernen verlierende Tiefe ist so »endgültig« durch den dreifachen sie begleitenden Hügelkontur und die perspektivische Baumreihe wie ein vorgeschriebener Weg bezeichnet und betont, daß dies, im Verein mit ihrem und der Hunde trübseligem Nachhauseschleichen nach kümmerlichstem Jagdglück (der ehrliche Humorist Bruegel identifiziert sich natürlich mit ihnen!), nur ein »Abzug«, ein in Demut und Bescheidenheitshaltung vollzogener Abschied vom Betrachter sein kann. (Daß das Wirtshaus — vor dem ein geschlachtetes Schwein gesengt wird — laut Schild mit Eustachius-Darstellung »Zum Hirschen«, »Dit is in den Hert«, heißt, erhöht nur, als Kontrast zum jämmerlichen Mißerfolg der Jäger, die zwiespältig bewegende Pantomimik ihres Abzugs.)

Das Winter-Bild ist somit das letzte in der sechsteiligen Jahreszeitenfolge, und es ist auch kompositionell ein »letzter Satz«. Zunächst fällt auf, daß die Komposition,

Pieter Bruegel d. Ä.
Die Jäger im Schnee (Ausschnitt)

mit dem Altan-Motiv des Hügels, auf den der Betrachter direkt hinaustritt, um von ihm aus seine »natürliche« Überschau zu halten, mit der tief unten beginnenden, sich bis in die ferne Meeresebene hinaus erstreckenden anderen Bildhälfte, endlich mit der das Ganze begrenzenden hohen Gebirgsmauer, die den Fries auch hier am Ende »rahmt«, das genaue spiegel-symmetrische Gegenstück zum »Vorfrühling«, dem Einsatz des Zyklus und Beginn der Jahreswanderung, ist. Bruegel hat also die organisch gliedernde Rhythmik des Frieses wohl bedacht und sorgfältig Anfang und Ende als »Ecksätze« aufeinander bezogen. (Das geht so weit, daß die in die Bildtiefe hineingehenden, »abziehenden« Jäger ihre symmetrischen »Antipoden« in der im »Vorfrühling« aus dem Bildraum herauskommenden Faschingsgruppe haben: Eintritt und Abgang sind wie die Figürchen in einem sich drehenden Wetterhäuschen »komplementär« balanciert.)

Dem Finalecharakter entspricht es auch, daß der Betrachter nicht mehr weitergehen, nur mehr schauen kann. Das drunten wimmelnde Kleinleben, komisch-harmlos bis in die fernsten Raumtiefen ausgestreut, unterstützt in seinem Ziel- und Zwecklosen den Ausdruck des Verweigernden der Jahreszeit. Die mückenhafte Beweglichkeit der winzigen Figürchen scheint die lastende Starre unter dem trüb gefärbten Himmel, das grenzenlos-reglose Einerlei der schneeverhüllten Welt, nicht zu spüren. Es ist eine aus Lachen und Ernst zugleich bestehende, Trost und Trauer eigenartig vermischende Gestimmtheit, die den Betrachter in den Bann eines wie zum Grübeln und Träumen anregenden Schauens zwingt und nicht losläßt. Man ahnt, daß hier eine anschauliche Formel des ganzen Verhältnisses Natur und Menschen, Welt und Dasein, von ewiger Verschiedenheit und harmonisch-möglichem Miteinander vorgestellt wird. Aber sie hat die Physiognomie des traurig machenden Rätsels. Die Natur, in der Pathosform des Berghorns den alleinigen Primat des kosmischen Gesetzes gerade in der erstarren machenden Verweigerung des Winters behauptend, bleibt dem Dasein das unausweichliche Schicksal. Dieses erträgt sich am leichtesten unbewußt und fügsam. Denn selbst der intimsten Erfahrung bleibt es undurchdringlich.

Ein seltsamer Schluß, wie man sich das von Bruegel Gezeigte auch immer artikulieren mag. Die Thematik der »Zeiten des Jahrs« enthält, und bezieht sich auf, das Ganze des Verhältnisses Natur und Mensch. Die Stilisierungskraft des Künstlers kann Unaussprechliches, Unsägliches, aber tief Erkanntes in Gestaltungen formulieren. Wir verstehen, indem wir aufnehmen, was stumm-beredt gezeigt wird. Die in diesen Bildern entbundene Aussage hat ihresgleichen nicht mehr gefunden. Wir brauchen Bruegels Bilder, um etwas vom Rätsel der Welt zu verstehen, worauf er allein, es sichtbar machend, die »Antwort« gefunden hat.

Klaus Demus

Pieter Bruegel der Ältere

(1525/30 Breda (?) - 1569 Brüssel)

Die Bekehrung Pauli

Eichenholz,
108 × 156 cm,
signiert rechts unten auf dem Felsen
BRVEGEL.M.D.LXVII.
1594 erworben,
Inv. Nr. 3690
36 (siehe S. 223)

Das Bild zählt ebensowenig wie der »Babylonische Turmbau« zu Bruegels religiösen Historienbildern (obwohl es gegenständlich ein solches ist), sondern bildet —fast wie eine Ergänzung der im »Turmbau« gezeigten »Lehre« — eines der Lehrstücke Bruegels. Seltsamerweise wurde das noch nicht erkannt. Aber das lag wohl daran, daß der Humorist Bruegel bei diesem Gegenstand nicht mitbeteiligt vermutet wurde. In diesem Fall hat er aber dem Didaktiker in ihm, der eine dringende, ihm am Herzen liegende Wahrheit über den Menschen darstellen wollte, mit einem Witz die Bildidee gegeben. (Wir sparen ihn noch ein wenig auf und wollen erst das Bild betrachten.)

Wieder ist eine der ungeheuersten Landschaftskompositionen Bruegels die Szene, diesmal das Hochgebirge (das er von seinem Rückweg aus Italien durch die Schweiz als staunenerregendes Besitztum nachhause brachte): himmelhohe »sehr schöne Felsen«, wie sein Landsmann und Biograph sagte, eine abscheulich steile Schlucht als Aufstieg aus der Ebene drunten, und eine sich von einem erreichten ebeneren Standort, wo märchenhaft gewachsene Lärchen ein Wäldchen bilden, weiter ins Höhere, Fernere, Unabsehbare verengende Schlucht oder Via mala, aus der das Gewölk schaut. Nicht die Art von Gelände, für das die Armee, die da in sehr aufgelöstem Zug unterwegs ist, mit Gepanzerten und lang auseinandergezogenem Troß, vorbereitet und ausgerüstet erscheint. (Sie irren auch zum Teil auf ausgesetzten Gratwegen und Felssteigen unberaten im Gebirge herum.) In der Mitte des Bildes, wo Bruegel öfter das Wichtigste unbetont enthüllt, in einer umdrängten Lücke, ein liegendes Pferd und ein offenbar von ihm gestürzter Mann, blau gewandet. Er blickt auf, wo von links oben her ein gebündelter Lichtstrahl — schwach zu sehen — auf ihn herabzielt. Es ist Saulus, der soeben seine Bekehrung zum Apostel Paulus erfährt.

Warum wohl, so fragt man sich, hat Bruegel das »Damaskus-Erlebnis« ins Hochgebirge verlegt? In der Apostelgeschichte ist nicht davon die Rede. Hat Ortelius, der Geograph, Bruegels Freund, ihm vom Gebirge Hermon erzählt? Aber der Weg von Jerusalem nach Damaskus führte nicht darüber. Bloße phantasievolle Bereicherung der Erzählung also? Die Bruegelforschung gab sich damit zufrieden, aber noch schlechter waren die beraten, die darüber hinausgehend die »Antwort« fanden, Bruegel habe eben auf Albas Zug über die Savoyischen Alpen (im Entstehungsjahr des Bildes, 1567!) angespielt, fromm hoffend, er werde sich in den Niederlanden nicht als der Christenverfolger »Saulus« erweisen. Indiskutabel. Das Bild schwieg weiter.

Aber sein Titel spricht es doch laut und deutlich aus! Ein bißchen mit Witz, zugegeben. Was heißt doch »Conversio Pauli«? Bekehrung, Umkehr, Umwendung auf dem falschen Weg. Und sogleich wird das ganze Bild eine einzige Demonstration der Unmöglichkeit des Gelingens dieser umständlichen und offenkundig improvisierten Unternehmung der Gebirgsüberschreitung eines Heeres, wird zur gewaltigen Metapher einer vor ihr Scheitern gelangenden Hybris, aus der es keinen Ausweg als die Umkehr gibt. Bekehrung gleich Umkehr: das innere Geschehen also durch das äußere illustriert! Denn wie wäre jenes sonst glaubhaft darzustellen? (Bruegel tut nicht bloß äußerlich die Pflicht des Malers, er will auch die Mühe des Denkens an die Aufgabe wenden, damit es sich lohne. Das Genie macht es sich schwerer als andere, das ist das Geheimnis.) Aber inwiefern ist »Umkehr«, äußerliche, dargestellt? Ja, hat Bruegel denn nicht alles aufgeboten, um das Gebirge abweisend und unübersteiglich zu machen? Ist für die fern und winzig klein in die immer gräßlichere Via mala eindringende Heeresspitze auch nur die geringste Hoffnung vorhanden, dieses Gebirge je zu überwinden? Kein Horizont zeigt sich mehr, kein Ende des Gebirgs, der Felsen und Wände ist absehbar, und wenn sonst nichts zu überzeugen vermag: spricht es denn nicht die Wolke, genauso wie beim Babelturm, zeichenhaft numinos genug aus, daß es hier kein Weiter gibt? Paulus, sich als neuer Mensch erhebend, wird seinen Weg, den er als Saulus begonnen hat, nicht fortsetzen. (Das hat nichts mit seinem tatsächlichen Weg nach Damaskus zu tun, auf dem er ja nicht umgekehrt ist. Wir sind, als im Gebirge, der platten nachrechenbaren Realität entrückt und in der gleichnishaften Situation: der dem Himmel schon nahen Gegend des »Inneren«.) Es wird ihm schwer gemacht, »wider den Stachel zu löcken«, und er erfährt die totale Korrektur seines falschen Weges, die Umkehr. So wenig wie die Menschlein die Natur — in ihrer erhabensten Form, der des Hochgebirges — bezwingen können, so wenig ist die Auflehnung gegen Gott durchzuhalten. Das Bild ist somit — und das allein erklärt die Wahl des Alpen-Lokals — die symbolische Veranschaulichung des menschlichen Sichversteigens, Sichverrannthabens ins Unmögliche und Sinnlose, es ist eine Metapher der Krise und Peripetie: Conversio, die Umkehr.

Klaus Demus

Pieter Bruegel der Ältere

(1525/30 Breda (?) - 1569 Brüssel)

Der Bauer und der Vogeldieb

Eichenholz,
59 × 68 cm,
signiert links unten
BRVEGEL.M.D.LXVIII
1659 erworben,
Inv. Nr. 1020
37 (siehe S. 221)

Bruegel hat sich für seine didaktischen Absichten immer neue Formen ausgedacht, um die zu illustrierende »Wahrheit« durch das ganze Bild, in der Gestalt einer Idee, auszudrücken. Es gibt in seinem Werk einmalige solche Bild-Ideen, wie etwa im Turmbau von Babel, der seine Unvollendbarkeit durch sein falsches architektonisches Konzept an sich selber demonstriert, oder in der Bekehrung Pauli, die mit dem Wortsinn von »Conversio« spielend ein ganzes Gebirge auftürmt, um ein Heer daran scheitern zu lassen: beidemale ein falsches, sich nicht einordnendes, eigenwillig gegen die Gesetzlichkeit von Vernunft, Maß, Einsicht verstoßendes Verhältnis von Natur und Mensch als absurdes demonstrierend. Die Zeiten des Jahrs — in ihrem Gehalt nicht so leicht auszuloten — geben zu schauen (wenn dies auch fast ein Nebeneffekt in der Konzeption des Ganzen ist), wie dieses Verhältnis sein soll. Auch der Selbstmord Sauls führt die beiden Ordnungen, die als Natur und Menschendasein die Welt ausmachen, vor — wieder in unharmonischem Verhältnis, wie es sich für den Distanzblick der Geschichte aber leider im exemplarischen Einzelfall als »normales« ergibt. Die frühen »enzyklopädischen« Bilder zeigen zwar keine Weisheit (die in dieser Richtung schürfenden Interpreten sind noch unbelehrbar), machen aber mit Humor das, was jedermann kennt und erfahren hat, im Bewußtsein rege; in dem zum Karnevals- und Kinderspiel- gehörigen Sprichwörter-Bild (Berlin) eben auch in der Wechselform von Bildlichkeit und Wörtlichkeit, die für Bruegel überhaupt, bis in seine Wirklichkeits-Besessenheit hinein, charakteristisch ist, aber als solche öfter auch selbst thematisiert wird. Das vorliegende Bild vom Bauern und dem Vogeldieb ist eine Spätform dieser das Wort zum Bild machenden, den Sinn bildhaft beim Wort nehmenden echt Bruegelschen Gattung von Humor und Didaktik.

Es ist, bei gewissen Werken Bruegels, niemals ganz leicht, den Schlüssel zur Idee zu finden (beim Turmbau von Babel und der Bekehrung Pauli zeigte es sich, wie unerläßlich er für das Verständnis ist), für dieses Bild aber fehlt er noch. Wir können sein Fehlen auch nicht durch »eigene« Interpretation wettmachen und ersetzen. Man hat jedes Detail fast buchstäblich »umgedreht« und vieles gefunden, über das Bruegel selbst vermutlich hellauf gelacht hätte. Aber der einfache Gesamtsinn, der — wahrscheinlich sprichwortartige oder redensartliche — »wörtliche« Handgriff, mit dem der Gehalt zu »fassen« wäre, geht (allem einzelnen Optimismus zum Trotz) schlichtweg noch ab. Er müßte wahrscheinlich, ohne vieles Grübeln über Symbolik und verzwickte Doppeldeutigkeiten, jemandem einfach »einfallen«.

Aus der Tiefe des Bildraums — wo eine sehr schön gemalte Landschaft, Bauernland mit Wiesen, Gehöften, in den Stall geführten Pferden, einer Krüppelweide und einem mit Bäumen bestandenen Bächlein (das Bild ist rechts um ein Stück beschnitten, wir wissen aber, wie es dort weiterging) und einer Reihe von Eichen gezeigt ist — kommt ein Bauer dicht an den vorderen Bildrand heran. Beim nächsten Schritt schon muß er in den Bach treten, dessen unmittelbares Erreichthaben er, offenbar ganz er-

füllt von dem, was er uns zeigen will, nicht bemerkt. Sein dumm-lächelndes Gesicht — es ist leider nicht zu entscheiden möglich, ob es Überlegenheit, Schadenfreude, Selbstgerechtigkeit oder bloß Schläue ausdrücken will — unterstützt sein Hinweisen auf dieses Gezeigte. Das ist ein Junge als Vogeldieb oder Nesträuber im Baum, dem die Mütze vom Kopf und wohl in den Bach fällt; ob er ihr selbst nachstürzen wird oder dieses kleine Ungeschick im Gegenteil seine Kühnheit unterstreichen soll, ist nicht zu entscheiden. Sein Bündelchen, das schon einiger Raub zu füllen scheint, liegt im Gras.

Nun hat man, der Spur einer alten Aufschrift auf einer dieses Detail mit dem Jungen zeigenden Zeichnung Bruegels folgend, auf ein Sprichwort geschlossen, dessen beste Fassung lautet: »Die t'voghelken weet / die weet: die t'vanght / die hevet.« (Womit natürlich die lachende Volksweisheit derb und drastisch ausgedrückt ist, daß der kecke Liebhaber dem schüchternen die Braut ausspannt.) Der Junge »hat« also, der Bauer »weiß« bloß. Aber warum wird dieser gleich ins Wasser fallen? Steht hier etwa das biblische Gleichnis vom Selbstgerechten dahinter, der — im Bilde des Spans im fremden, des Balkens im eigenen Auge — ein rechter »Pharisäer« von Gemüt ist? Das scheint zu Bruegels humoristischer Verteilung der Akzente nicht ganz zu passen. Oder ist der Bauer, der als ein Unschuldiger in dieser dem Bösen den Erfolg gönnenden Welt obendrein noch zu Schaden kommen wird, das Opfer der ihn noch dazu verlachenden »Klügeren«? Das paßt noch weniger zu Bruegel. Wir fühlen, daß das rechte »Wort«, das sogleich — als ein oder vielleicht mehrere einander in die Hände arbeitende Sprichwörter — all diese Schwierigkeiten auflösen würde, noch nicht gefunden ist. Das Bild hat uns seinen Humor und seine Lehre noch nicht übermittelt. Sicherlich hat der Künstler auf ein allen auf der Zunge Liegendes angespielt, damit voll Witz und — für das anspruchsvollere Publikum — auch voll »Gescheitheit« pointierend. Aber das in aller Munde Befindliche — denn das der bildlichen Rede frohe sechzehnte war das Jahrhundert der Sprichwörter — ist verweht. Es aus dickleibigen Sammlungen so treffsicher auszuheben, daß der lebendige Witz gleich von der Zunge abspringt, ist noch nicht überzeugend geglückt. Und so bleibt das Bild stumm, es ist nach den Intentionen Bruegels nicht mehr — vielleicht nur noch nicht wieder — zu lesen.

Das hindert nicht, in diesem Bild genug für das Betrachten zu finden, auch wenn uns die Einstellung zum Protagonisten, dem Bauern, hinter dem seine »Welt« steht, nicht im Sinne der Thematik entscheidbar ist. Diese rurale Welt ist jedenfalls ganz positiv in ihrer Wirklichkeit, sie wird uns in einem friedlichen, ja so schönen Licht gezeigt, daß mit diesem Zeigen eine Absicht verbunden sein muß. Wir treten damit ein in die Thematik der beiden Spätwerke Bruegels, die das Landleben noch einmal — nach den *Zeiten des Jahrs* — zum Gegenstand haben, nun in einer substantivischen, ja monumentalen, den Künstler zu seiner höchsten, im Sinne von Stil gesteigertsten Leistung anregenden Form.

Klaus Demus

Pieter Bruegel der Ältere

(1525/30 Breda (?) - 1569 Brüssel)

Bauernhochzeit

Eichenholz,
114 × 163 cm
1594 erworben,
Inv. Nr. 1027
38 (siehe S. 222)

Die beiden großformatigen, auch großfigurigen Wiener Bauernbilder – sie bildeten wohl kein Gegenstückpaar, gehören aber nach Gegenstandsbereich und Stil eng zusammen – haben, nicht zu Unrecht, zum Ruhm Bruegels wohl am meisten beigetragen. Seine in neuerer Zeit im Deutschen wie im Französischen gebräuchlichen Übernamen – »Bauernbruegel«, »Brueghel le Drôle« – leiten sich ebenso von ihnen her wie sein Ruhm als Schilderer und Verherrlicher flämischen Volkstums und Bauernlebens. Ja, diese beide Bilder sind zunächst gemeint, wenn der Name Bruegel fällt. Solche Popularität von Werken der Kunst hat nie ganz Unrecht, aber sie fördert gleichzeitig immer die falschen Begriffe und verstellt im Grunde die Sicht auf das Werk, übertönt seine unhörbar gewordene Aussage. So ist denn die moderne Wissenschaft, die von den Täuschungen, ja von Subjektivität frei machen will, ihrerseits selbst auf dem Irrweg, den beiden zum Allerweltsklischee gewordenen Bildern mit Interpretationen beigesprungen. Man höre: Bruegel, freudianisch geschult, habe in beiden Bildern das animalische Exedieren in den aufgefächerten Katalog aller Todsünden und, als Bürger für Bürger kritisierend, die aus der Distanz des Kulturmenschen lächerliche und abscheuerregende Primitivität des im 16. Jahrhundert nicht anders denn als Vieh betrachteten Bauern in dessen berüchtigten, am Ort aufgesuchten Festivitäten zum Gegenstand verächtlichen Lachens und moralischer Entrüstung gemacht. Trunk- und Freßsucht, Wollust, Hochmut, Zorn, irreligiöses Verhalten und anderes noch seien, wenn man nur zu lesen verstünde, in offenen und versteckten Anspielungen, zum Teil kunstgerecht verschlüsselt, realistisch oder allegorisch zur Darstellung gebracht. Die Inquisition hätte nicht gründlicher – und grundloser – verdammend interpretieren können. (Eine andere, schwächere ikonologische Position will das von ihr freilich nicht bezweifelte Lächerliche, Komische der Bauernwelt immerhin moralisch indifferent genommen wissen.) Aufweis politischer Zeitkritik – Bruegel als Widerstandskämpfer in spanischer Besatzungszeit! – mischt sich als dritte Stimme in die Belehrung, welcher Unstimmigkeit untereinander wenig gilt und in der nur das Eine verpönt ist: das Kunstwerk dem Auge zu überlassen, das bei Bruegel mehr als sonst als das über Vernunft vermögende Zentralorgan vorausgesetzt ist.

Es läßt sich aber durch nichts beweisen, ja es spricht nicht das geringste dafür, daß beide Bilder anderes, und weiteres, sind als künstlerisch höchst durchdachte und ausgeformte Kompositionen mit Darstellungen aus dem Bauernleben. (Auch Homer hat man – von der Bibel zu schweigen – die längste Zeit nach dem »mehrfachen Schriftsinn« verstehen wollen, auslegen zu können gemeint, weil es zu einfach schien, den Dichter bloß »erzählen« zu lassen.) Man scheut sich freilich, und mit Recht, sie als »Genre« zu bezeichnen: diese Bildgattung war erst im Entstehen – und nicht ohne Berufung auf Bruegel –, aber sie mußte Bruegel erst verkleinern, auf ein niedrigeres, der Neugier für das Derbe, Lächerliche, Dumm-Komische entgegenkommendes Niveau herun-

terbringen, auf welcher das Genre dann seine Existenz hatte. Nicht anders als in *Fasching und Fasten* und in den *Kinderspielen* wird auch in den Bauernbildern Menschenwelt geschildert, und jene ersteren wären, hätten sie schon ihre enzyklopädische Erzählweise mit der neuen realistischen vertauscht, ebenso »Genre«, wenn dieser Begriff nicht der Höhenlage wegen, auf der Bruegel erzählt, unangebracht, ja von ihm fernzuhalten wäre. Denn es ist epischer Stil, die Schilderung ist von Homerischer Größe und Simplizität, das Interesse ist rein und scheinbar ganz auf die Sache gerichtet. Aber, und dies sollte von Anfang an im Blick sein: es gibt keine reineren Formkunstwerke in der niederländischen Malerei nach Hugo van der Goes und Bosch.

Bruegel hat das Gegenständliche einer reichen Bauernhochzeit genau nach dem brauchtümlichen Dekorum geschildert. Die Hochzeitstafel ist im Raum der Tenne aufgeschlagen. Wie die zwei mit dem Rechen an der Strohwand befestigten, als Segenszeichen aufgehobenen und in dieser Symbolik hier verwendeten Garben zeigen, ist es die für Hochzeiten bevorzugte Zeit nach der Ernte. Über der Braut, die herkömmlicherweise allein, mit dem Kränzlein auf dem gelösten Haar, mit niedergeschlagenen Augen und gefalteten Händen, ohne sprechen und essen zu dürfen, an der Mitte der Tafel sitzt, ist vor einem Rücklaken die papierene Krone befestigt. Im hohen Lehnstuhl sitzt, mit pelzverbrämtem Rock und Barett, der für die Aufstellung des Kontrakts benötigte Notar. Der Franziskaner ihm zur Seite unterhält sich mit dem Gutsherrn, zu dem der Hund gehört. In dem Mann, der, wie der Speisemeister auf der Hochzeit zu Kana, das Bier in Trinkkrüge verteilt, wurde der Bräutigam vermutet: dieser wurde aber erst am Abend der Hochzeit mit der Braut zusammengeführt (wenn er sie nach dem Brauch nicht gar erst zu rauben hatte). Die bessere Kleidung und das Physiognomische wollen daher – als nicht bäurisch – einen Diener der Gutsherrschaft bezeichnen, die das Hochzeitsbier spendet. Denn nach dem Brauch ist der Bräutigam nicht auf der Hochzeit zu suchen. (Die Volkskunde weiß das; die Ikonologen aber haben dahinter gleich wieder den (falschen) Braten gerochen.) Aufgetragen werden zwei Breispeisen, die eine mit Safran gefärbt, die für Ernte- und Hochzeitsmahl gleich bedeutungsvoll und herkömmlich sind. Zwei Dudelsackspieler, der Brot Austeilende am Ende der Tafel und das sich am Eingang drängende Gesinde oder Neugierige vervollständigen das Personal – das vorn am Boden sitzende, mit dem Ausschlecken der Schüssel beschäftigte Kind nicht zu vergesen, das an der Mütze die festliche Pfauenfeder trägt. Keine einzige der lebenswahr und individuell charakterisierten Typen ist ins Komische, Derbe oder gar Häßliche karikiert und alles geht in unverschönter, aber ordentlicher Natürlichkeit zu. Man kann geradezu von Bruegelscher Homerik sprechen.

Man kann die Absichtslosigkeit, die erzählerisch über die Schilderung, wie es in allen Einzelheiten wirklich zugeht, nicht hinauswill (um noch einmal den Schwarm

der Interpreten zu verjagen), endgültig mit dem Hinweis auf Bruegels gleichzeitig — aber im kleinen Format — entstandene Komposition *Der Besuch auf dem Pachthof* beweisen (eine Version von Jan Brueghel d.Ä. befindet sich in der Wiener Galerie). In dieser ergänzenden Schilderung im genus humile, in der Einzelheiten aus den beiden großen Bauernbildern wiederverwendet sind, Todsündenallegorese oder Bauernspott aufzuspüren, wäre nicht leicht.

Noch ein Wort zum Klassischen der Komposition. Sie folgt einem schon älteren, aktuell belebten, höchst wirksamen formalen Schema (es ist so unauffällig der Wirklichkeit zugrundegelegt, daß man die Form unreflektiert mit aufnimmt) mit dem schräg in den Raum geführten Tisch (die Hochzeit zu Kana, auch das Abendmahl, oder Belsazars Fest kann damit ebenfalls die Szene bilden); die »Ecklösung« ist kunstvoll inszeniert. Die beiden prächtigen Speisenträger mit der schüsselbedeckten Tür sowie ihre Bindung an den Tisch mittels des wie ein serpentiniertes Scharnier breitbeinig nach vorne Sitzenden (es ist kein Fuß zuviel!) sind große, unvergeßliche Formerfindungen Bruegels. Das Ganze ist musterhaft in Klarheit und Deutlichkeit und zugleich unübertrefflich intelligent und interessant erzählt.

Klaus Demus

Pieter Bruegel der Ältere

(1525/30 Breda (?) - 1569 Brüssel)

Bauerntanz

Eichenholz,
114 × 164 cm,
signiert rechts unten
BRVEGEL
Sammlung Rudolphs II.,
Inv. Nr. 1059
39 (siehe S. 222)

Der Wiener »Bauerntanz« trägt seine Bezeichnung nicht ganz zu Recht. Denn nicht der allgemeine Tanz, wie auf einem Gemälde in Detroit, ist hier dargestellt (Bruegel hat sich, mit einer Ausnahme, die keine ist, nie wiederholt), sondern die Eröffnung der Dorfkirchweih durch die Vorführung des traditionell von zwei Paaren ausgeführten Springtanzes. (Jan Brueghels d.Ä. dokumentarisch festgehaltene *Kirchweih in Schelle*, in der Wiener Galerie, zeigt im Mittelgrund die gleiche, ebenfalls von Zuschauern umstandene Szene.) Der Gegenstand — in den alten Inventaren noch als »Bauernmusica« bezeichnet — ist hier nicht so leicht zu erkennen wie bei der mittels leichter Aufsicht und schräger Perspektive des Raums vollständig überschaubar gemachten Hochzeitsmahlzeit. Denn auffälligerweise hat Bruegel hier (wir werden noch zu fragen haben, warum) zum ersten und, als am Ende seines Lebenswerks, auch einzigen Mal auf die didaktische Aufsicht, die erhöhte Überschau auf ein Geschehen, verzichtet. Auf dem gleichen Boden mit seinen Figuren stehend, hat der Künstler — und mit ihm der Betrachter — Sicht und Horizont mit ihnen gemeinsam. Was infolgedessen von außen wie ein Gewühl aussieht, wird erst beim Näherkommen (dies tut das im Vordergrund herbeieilende Paar: sie tanzen keineswegs) als die »res media«, eben jener die Kirchweihbelustigung eröffnende Schautanz erkennbar. Erst nach dessen Vorführung wird wohl der jetzt mitzuschauende Mann im Narrengewand zum allgemeinen Tanzvergnügen animieren. Die vorne Herbeieilenden kommen also noch rechtzeitig; aus dem mit der Fahne einer Bogenschützengilde geschmückten Haus zieht einer erst noch seine widerstrebende Tänzerin. Im Hintergrund warten die Kirchweihbuden, vorne aber, wo der Dudelsackpfeifer »freigehalten« wird, hat auf einem improvisierten Tisch vor der Schenke mit Brot, Butter, Salz und Dünnbier die frugale Konsumation schon begonnen. Auch für die Kinder hat das Fest begonnen: ihr Nachahmen der Erwachsenen gilt wohl dem Versuch, die erste Stufe des berühmten, Virtuosität verlangenden Springtanzes zu erreichen. Und noch einen Teilnehmer hat das Näseln der Sackpfeife

herbeigelockt — den von links barhaupt und stumm, aber mit beredtem Heischegestus ins Bild tretenden Bettler oder Pilger, (Seine Gebärde zieht die Aufmerksamkeit der im Laufschritt Herbeieilenden auf sich — so wird kompositionell im Vordergrund eine Brücke geschlagen.) Alles ist da, was den Künstler in Begleitung des Kaufmanns Franckert auf solchen Kirchweihen erfreut hat — die kleine Burleske am Tisch miteingeschlossen. (Die Szene ist kompliziert, soll aber zum Frommen der hier gleich drei Todsünden, neben gula und ebrietas/intemperantia auch ira, er-findenden Ikonologen erläutert werden: der die Hand Ausstreckende hat, den Pilger zum »Mithalten« einladend, dabei den sich vorbeugenden Blinden — oder ist es ein Dummling? — im Gesicht gestriffen, und dessen Wehschrei weckt die Schützerbereitschaft der Frau. Keine Satire also, aber Humor!)

Es ist, alles in allem, das küssende Paar miteingeschlossen, wohl die »ordentlichste« aller Kirchweih-Darstellungen der flämischen Malerei — keine Spur von ausschweifendem Treiben, es geht alles ganz ehrbar zu. Dennoch hat die Forschung — in Verlegenheit wegen des genrehaften Charakters der »sinn-freien« Darstellung — den bösen Ruf, den das Treiben auf bäuerlichen Kirchweihfesten allgemein genoß, aus dem in diesem Bild Dargestellten mit scheulos betastendem Spürsinn ins Recht setzen wollen. Daß Bruegel mit den auf dem Erdboden verstreuten Strohhalmen und Nußschalen die für die Kirchweih glücklichste Zeit nach der Ernte bezeichnen wollte, wurde übersehen, daß aber der die gekreuzten Halme formal an die Fläche bindende Fuß notwendigerweise auf sie tritt, soll, ebenso wie daß das Marienbild am Baum nicht ganz gerade hängt (!), das Irreligiöse der bäuerlichen Sitten brandmarken. Und so geht es durch alle Einzelheiten im Sündenregister fort.

Demgegenüber ist festzustellen, daß es in diesem Spätwerk des Humoristen nicht bloß nicht auf Satire, sondern nicht einmal auf Spott oder Lachen, auf Ironie, angelegt ist. Jegliches Augenmerk auf die Spuren von Hintersinn und Doppelbödigkeit des Dargestellten

Pieter Bruegel d. Ä.
Bauerntanz
(Ausschnitt)

bringt sich um die Bewunderung für das sachliche Ethos, mit dem die Gegenständlichkeit zur höchsten Formgestalt gebracht ist. Das Bild besitzt die volle klassische Einheit, in der Gegenstand, Thema und Inhalt eins sind. Die an der Gegenständlichkeit, und mit ihr, entwickelte künstlerische Form erreicht hier eine Reinheit und Klassik der Bildung, die jegliche negativistische Tendenz als inferiore Stoffbefangenheit völlig ausschließt. Bruegels einzigartige Verbindung einer vom Detail besessenen Wirklichkeitstreue und Liebe zum Gegenstand mit großartig persönlicher, fein und scharf stilisierender Formkunst zeigt sich hier auf die reifste, und eine monumentale, Form gebracht. Es ist erfahrene Renaissancekunst, die aber anstelle figürlicher Idealschönheit das natürlich Gewächshafte, unantik Barbarische des heimischen Menschenschlags prägnant ausprägen will, die also bei ihrer nationellen flämischen Konstante bleibt und Klassik — als höchsten Grad kunstmäßig ausgearbeiteter Form verstanden — doch erreicht. (A propos: Bruegel ist auch hier kein Manierist, die Form degeneriert bei ihm nicht ins Expressive, und noch ihr eigenwilligstes Ausstilisieren erfolgt im Einverständnis mit der Tugend sachlicher Treue.)

Warum Bruegel die Zentralperspektive mit dem Fluchtpunkt in Augenhöhe nur in diesem Bauernbild, einem seiner letzten Werke, angewandt hat, kann man wohl fragen. Ist es erlaubt, das Akzeptieren aller Formen und Aspekte der menschlichen Lebenswelt, die er so oft aus der Überschau gezeigt hatte, als den symbolischen Grund für ein solches Sich-auf-den-gleichen-Boden-stellen zu vermuten, dann wäre das wohl das ausdrücklichste Zeugnis für eine Humanität, die alle »humanistische« Ironie und Distanz aufgeben, ja aufheben will.

Klaus Demus

Joos de Momper der Jüngere

(1564 - 1635 Antwerpen)

Seesturm

Eichenholz,
70,7 × 97 cm,
Seit 1884 im Kunsthistorischen
Museum, Inv. Nr. 2690
40 (siehe S. 257)

Es gibt Bilder, die, wie gewisse Sterne, nach langer Zeit des Unbemerktgebliebenseins plötzlich zu großem Glanz gelangen, ebenso plötzlich aber wieder in ihre natürliche bescheidene Leuchtklasse zurückfallen können. Nicht sie haben sich gewandelt, aber es trat ein Verstärkungsfaktor hinzu, der ihr Potential solange als er da war um ein Vielfaches größer erscheinen ließ. Dieser Faktor ist bei Kunstwerken immer möglich, und nur wenige kritische Geister vermögen sich seiner Täuschungskraft zu entziehen. Ist aber seine Zeit vorbei, dann wird er in seiner Koboldhaftigkeit allen sichtbar.

Der *Seesturm*, ein im Grunde unfertiges, weder der Idee noch den Motiven nach originelles, geschickt die Konjunktur der Ideen seiner Entstehungszeit ausnützendes Bild Josse de Mompers d.J., schlummerte wahrscheinlich fast drei Jahrhunderte lang in den kaiserlichen Depots, bis er, längst namenlos geworden, zunächst versuchsweise als Werk von Pieter Bruegel d.Ä. seine Nottaufe und zweite Geburt erlebte. Sie wurde aber nicht anerkannt, sogar sein richtiger Name wurde wieder aufgefunden und ihm gegeben. Unterdessen aber wurde Bruegel, der zwar nie ganz vergessen, aber doch schmählich im Lauf der Zeiten ins Halbvergessensein geraten war, zu Beginn unseres Jahrhunderts vom Staub befreit und allmählich in seiner Einzigartigkeit mehr und mehr sichtbar. Es war ein wachsender Prozeß, an dem sich nicht bloß kritische Erkenntnis seiner Kunst — die sich erst langsam bilden mußte —, sondern auch allerhand zeit- und modegebundener Enthusiasmus beteiligte. Kurz, es geschah, was nicht hätte geschehen dürfen: das Bild wurde, mit dem Hinweis auf gewisse Segelschiffstiche nach Bruegel, diesem wieder gegeben, und nun begann in der Literatur ein unbegreifliches und, von heute aus gesehen, enthüllendes, ja komisches, die Augen schließendes Balzen um die Vorzüge dieses »letzten Wortes« und »künstlerischen Testaments« Bruegels, für das sich mildernde Umstände nur in der Eigenblindheit und Selbstbefangenheit der Zeitgenossenschaft der modernen Kunst anführen lassen. War doch Bruegel mit diesem Bild sozusagen einer ihrer Ahnherren geworden! Das Treiben wurde unverantwortlich erst, als die Ikonologie — sprich das Spekulieren um Hintersinn in Kunst — sich der Details des Bildes für unwiederholbar unsinnige Interpretationen bemächtigte (wir wollen sie mitleidsvoll in ihrem Abgetansein ruhen lassen).

Was sah man in dem Bild? Impetuose schöpferische Kraft in der skizzenhaften Suggestion gewaltig aufgebotener Naturmächte, ein Drama von Himmel und Meer, Licht und Finsternis, entfesselt in Unwetter, Sturm und schrecklich aufgewühlten Wogen, dazu das Gleichnis vom ohnmächtigen Dasein im Wüten blinder Elemente; die wie die geschlagene Armada vom Orkan zerstreute, in Resten aus ihm geisterhaft herflüchtende Flottille, auf das Erlösende, Helle mit dem Symbol christlichen Glaubens, der Kirche am Horizont, zustrebend, aber, als auf der Lebens-Fahrt, immer noch weiter bedroht, auch von Ungeheuern der Tiefe, die mit blutrot aufgerissenem Rachen zwar jetzt noch mit der listig ausgeworfenen Tonne

spielen (die sich an diesem Detail bis ins Lächerliche überschlagenden Interpretationen seien verschwiegen), aber zweifellos bald das mühselig davoneilende, hinter dem glücklich voraus-entrinnenden zurückbleibende Schiff doch bedrängen würden. Ein welterschütterndes Drama von zutiefst symbolischem Gehalt, das letzte, vielleicht schon nicht mehr vollendet zurückgelassene Werk des großen, dem größeren Rubens die Fackel weiterreichenden Bruegel, eines gewaltigen und freien Geistes. Und die absolute Inkunabel der Marinemalerei, genial die Gattung begründend.

Und wie sehen wir es? Ein in der Erfindung epigonales, in der Ausführung schwächliches manieristisches Werk ohne Thema und Gattung, unvollendet infolge fehlerhafter Konzeption; kompositionell ein schematisches Klischee nach älteren (Cornelis Massys) und berühmten zeitgenössischen (Paul Bril) Werken, ohne Naturwahrheit und von tastender, sekundärer, gleich zu Effektwirkungen gedrängter Kunstgesinnung, »romantisch« in einer vorher nicht existierenden melodramatischen, zutiefst unsoliden Weise. So unernst gegenüber dem Darzustellenden, daß es die Schiffe absurderweise gegen die Richtung von Wind, Wetter und Wogen fahren läßt, sogar mit geblähten Segeln; daß der eine ausgemalte blaugrüne Keil — das einzige Mittel des Malers, um die Meeresfläche zu gliedern (im Grunde jedoch eine manieristische Formel-Form, die elegant ausstilisiert wird, aber keine Funktions-Notwendigkeit besitzt: denn was soll sie »darstellen«?) — die Ausmalung des übrigen Meeres unmöglich macht, ebenso die der erst in Braun angelegten Schiffe. Das Ganze ein »romantisches« Capriccio ohne Thema, weder die Jonasgeschichte noch schon wirklich eine »Marine«. Malerisch ein formloses, auch nicht wirklich koloristisches, in keiner Tradition, Richtung und Ordnung stehendes Unding von monumentalisierter Skizze. Ein, von seiner Zeit gesehen, unglücklich gescheitertes, der Konzeption wie der Qualität des Metiers ermangelndes Werk, das denn auch gewiß über ein Depotdasein nicht hinausgekommen ist, unbeachtet bis zum Verlust seiner Identität.

Hat denn, so darf man fragen, niemand gesehen, daß dies so ist? Wenige Einzelne. Aber sie drangen nicht durch gegen das Unisono der frenetischen Verhimmelung, getrauten sich wohl auch nicht, die Schwächen, das ganz Fragwürdige recht beim Namen zu nennen. Die zweimal, erst vorsichtig, dann entschiedener erhobene Stimme eines jungen Schweden, K. Boström, dem die Nähe des Bildes zu einer in Stockholm befindlichen Komposition *Schiffbruch der griechischen Flotte auf der Heimfahrt von Troja* von Joos de Momper d.J. aufgefallen war, wurde nicht beachtet, ja niedergezischt. Fast ausnahmslos wurde das Bild auch danach als Bruegels größte Leistung weiter gefeiert — bis heute noch.

Die kritische Bearbeitung der Wiener Bruegel-Sammlung hatte zu prüfen, was an jener Gegenstimme Wahres war. Und siehe da, die dendrochronologische Untersuchung der Holztafel, also die datierende Bestimmung der Jahresringe, ergab, daß der Baum noch stand, als

Bruegel nicht mehr lebte! Und wie stand es mit der ver-
muteten Autorschaft Mompers? Die Forschungslage war
noch schlecht, aber schließlich konnte mit Sicherheit erkannt (und durch die Ähnlichkeit mit einem Stich erwie-
sen) werden, daß in der Tat Momper der Maler des Bildes
ist. Es muß in nächster Nähe zu jenem Bild in Stockholm
entstanden sein, um 1595.

    Das Bild bleibt damit, was es immer gewesen ist, es ist
nicht falsch. Wandeln muß sich nur die auf falsche Füße
gestellt gewesene Anschauung von ihm. Sie ist, in den
hintereinander weg gelesenen Äußerungen der letzten

100 Jahre über das Bild, ein nachdenklich stimmendes
Kapitel der Wissenschaftsgeschichte geworden.

Klaus Demus

Maerten van Cleve

(1527 - 1581 Antwerpen)

Ausgeweideter Ochse

Eichenholz, 68 × 53,5 cm
Seit 1906 im Kunsthistorischen
Museum, Inv.Nr. 1970
41 (siehe S. 228)

Im bis heute noch nicht genügend erforschten Gesamtwerk Maerten van Cleves nimmt dieses Gemälde eine bemerkenswerte Sonderstellung ein. Durch das Motiv des geschlachteten Tieres läßt es sich aber mit einem früher entstandenen Bild in Verbindung bringen, der *Flämischen Haushaltung* (s. S. 228) ebenfalls im Kunsthistorischen Museum in Wien. Es ist allerdings, wie die übrigen ihm zugeschriebenen Arbeiten, querformatig, zeigt zahlreiche Figuren, Tiere und Gegenstände in einem gut gegliederten Interieur und hat einen ausgesprochen anekdotischen Einschlag.

Hier haben wir es mit dem genauen Gegenteil zu tun, einer Komposition, die sich relativ statisch und starr um ein monumentales, bildbeherrschendes Element aufbaut. Der beinahe schockierende Realismus läßt unweigerlich an die Frühwerke Pieter Aertsens und Joachim Beuckelaers denken. Ersterer schuf 1551 sein berühmtes Bild *Fleischerladen* (Uppsala, Universität), in dem erstmals in der Geschichte der Malerei eine Komposition fast ausschließlich aus verschiedenen Fleischstücken bestand. In jenem Bild sieht man einen blutigen Ochsenkopf und rechts dahinter ein ausgeweidetes Rind. Zwölf Jahre später malte sein Schüler Joachim Beuckelaer als erster ein großformatiges Gemälde, auf dem ein geschlachtetes Schwein fast die ganze Bildfläche einnimmt (Köln, Wallraf-Richartz-Museum). Das Tier hängt in einem stallähnlichen Raum, rechts dahinter sieht man einen Mann und eine Frau mit einem Krug in der Hand.

1566 malte Maerten van Cleve dieses Bild, das auf den ersten Blick große Ähnlichkeit mit dem Joachim Beuckelaers aufweist: Format, Motiv, Realismus und Entstehungsjahr lassen auf einen direkten Zusammenhang schließen. Es gibt aber auch Unterschiede: Maerten van Cleve bemüht sich wenig um das Interieur, die Lichtwirkung, Detailausführung und sein Interesse an greifbaren Gegenständen ist nicht das gleiche. Die verschiedenen Abweichungen von Beuckelaers Vorbild bestätigen indessen gleichsam die Abhängigkeit von diesem. So ist hier der genau in der Bildmitte aufgehängte Tierleib von belebenden Elementen umrahmt: links ein trinkender Mann und eine Frau, die Fleisch einlegt, rechts in der Türöffnung zwei Kinder und im Vordergrund ein Hund, eine Schüssel, ein Beil und ein Rinderkopf in einem Bottich.

Der Rinderkopf und das weißgestärkte Tuch über dem Stock, der den Rumpf des geschlachteten Tieres spreizt, erinnern stark an Pieter Aertsens Bild in Uppsala.

Schlachthausszenen und Abbildungen geschlachteter Tiere hatten im 16. Jahrhundert bereits eine lange Tradition. Im Mittelalter findet man Bilder mit Tierschlachtungen in der Ikonographie der November-Arbeiten.

Doch erst in den Werken von Aertsen, Beuckelaer, Pieter Bruegel d.Ä. und Maerten van Cleve taucht das ausgeweidete Tier als selbständiges Motiv auf, das sich vor allem im 17. Jahrhundert großer Beliebtheit erfreuen sollte. Literarische Quellen wie Emblembücher und Schriften der niederländischen Rhetoriker legen die Vermutung nahe, daß die Beliebtheit dieses Motives im allegorischen Bereich zu suchen ist. Auch in diesem Bild finden wir Elemente die darauf hinweisen, daß es dem Künstler nicht nur darum ging, eine realistische Schlachthausszene zu malen. Es entspricht dem Geist jener Zeit, in der Darstellung geschlachteter Tiere eine Anspielung auf den Tod zu sehen und ihnen damit eine moralische Funktion zu geben. In dem Knaben mit der Blase ist eine volkstümliche Verarbeitung des klassischen Homo-Bulla-Motivs zu entdecken, das auf die Nichtigkeit des menschlichen Daseins verweist. Die sprichwörtlich kurze Lebensdauer einer Seifen- oder Tierblase hat der Emblematiker Jan Luyken 1712 treffend formuliert:

»Wie stark du bläst, oh Weltenkind, Du fängst nichts weiter als den Wind. Was ist die Welt, die dieses sieht? Eine Blas' voll Wind und weiter nichts«.

Die Messer am Gürtel des trinkenden Mannes weisen ihn als Schlächter aus. Seine ostentative Art zu trinken deutet auf Trunksucht und Liederlichkeit hin, die den Schlächtern seit dem Altertum zugeschrieben wurden. So soll vielleicht auch die Frauenfigur verstanden werden, die mit verschränkten Armen in der Tür des Hauses im Hintergrund steht.

Da Hunde häufig als Symbol der Gier verwendet werden, gibt es keinen Grund, das Ganze nicht als Allegorie der Beschränktheit eines nur auf irdische Dinge ausgerichteten Lebens zu sehen. Möglicherweise gingen auf der linken Seite bei der Abtrennung eines Bildstreifens — darauf deuten das fehlende Stück an der Figur des Schlächters, der Lichteinfall von links und der perspektivisch asymmetrische Verlauf der Bodenfliesen hin — Elemente verloren, die eine solche Interpretation ikonologisch untermauern würden.

Van Cleve, Abkömmling einer bekannten flämischen Malerfamilie, war anfänglich Schüler von Frans Floris, von dem er vor allem den Sinn für dekorative Monumentalität und eine großflächige Malweise übernahm. In dieser Periode war er von den Werken Pieter Aertsens und Joachim Beuckelaers beeinflußt. Später entwickelte Maerten van Cleve nach dem Vorbild Pieter Bruegels d.Ä. einen mehr zeichnerischen Stil, der Hand in Hand mit einem frischen, kräftigen, auf der Verwendung der Farben seiner Umgebung basierenden Kolorit ging.

Paul Verbraeken

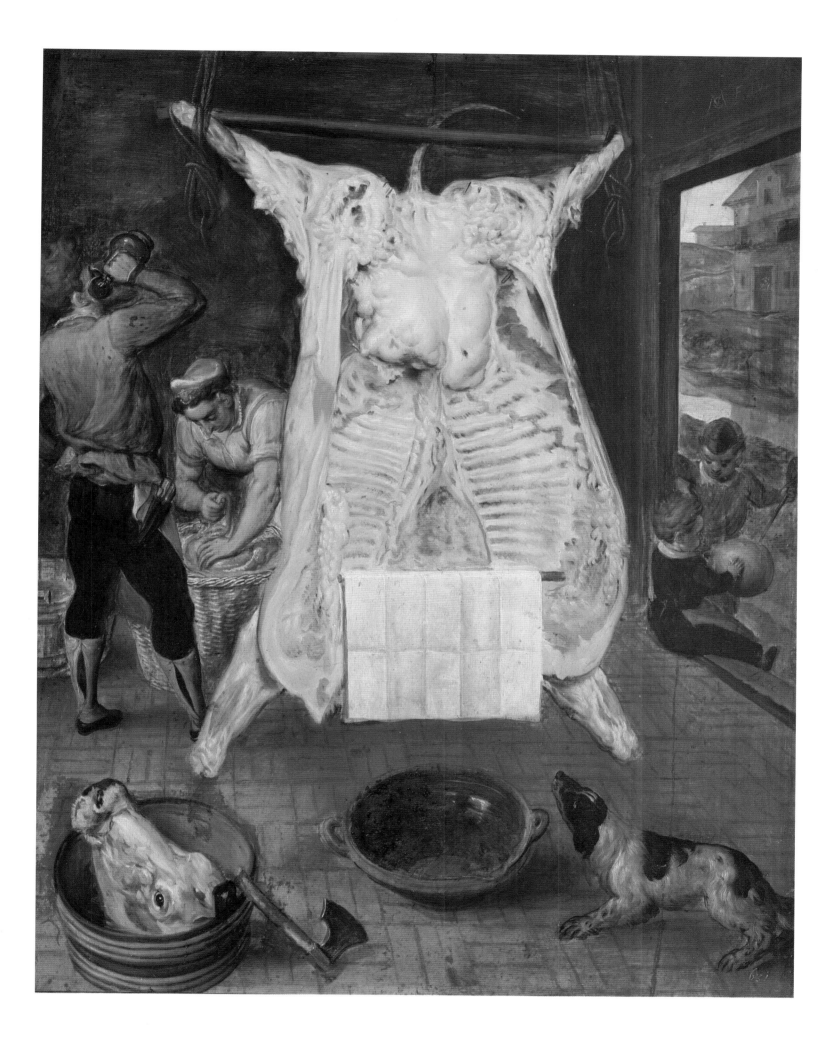

Bartholomäus Spranger

(1546 Antwerpen - 1611 Prag)

Herkules und Omphale

Kupfer,
24 × 19 cm,
signiert links unten auf dem
Fußgestell des Stuhls BAR.
SPRANGERS. ANT.FESIT
1619 in der Galerie,
Inv. Nr. 1126
42 (siehe S. 280)

Der Prager Hof Kaiser Rudolfs II. war um die Wende des 16. zum 17. Jahrhundert eines der bedeutendsten künstlerischen Zentren. Die Sammelleidenschaft des Kaisers fand in seiner Kunstkammer mit exotischen, materiell wertvollen und besonders kunstreich hergestellten Objekten und in seiner Gemäldesammlung mit Meisterwerken der Malerei des 16. Jahrhunderts von Dürer, Bruegel und Correggio ihren Ausdruck. Rudolf II. sammelte aber nicht nur Kunstwerke vergangener Zeiten, sondern zog als großzügiger Mäzen einen Kreis von Künstlern an seinen Hof, deren Werke seinem verfeinerten Geschmack entsprechen konnten, ob es sich nun um die technisch virtuose und künstlerisch raffinierte Behandlung von edlen Metallen und kostbaren Steinen handelte, oder die elegante Malerei Bartholomäus Sprangers oder Hans von Aachens. An der Naturforschung gleichermaßen interessiert wie an den schönen Künsten, ermöglichte er den Spitzen der astronomischen Wissenschaft, Tycho de Brahe und Johannes Kepler, zu forschen, war gleichzeitig aber nicht frei von astrologischem und alchemistischem Aberglauben, der im Bewußtsein seiner Zeit zusammen mit den auch heute als exakt anerkannten Wissenschaften ein in sich gerundetes Denksystem bildete.

Von allen Künstlern, die Rudolf II. beschäftigte, war Bartholomäus Spranger am längsten für den Kaiser tätig. Bereits vom Vater Rudolfs, Kaiser Maximilian II. zur künstlerischen Ausgestaltung des »Neugebäudes«, eines heute nur mehr in bescheidenen Resten erhaltenen Renaissanceschlosses in der Umgebung von Wien herangezogen, begleitete er Rudolf, als dieser nach 1580 seine Residenz von Wien nach Prag verlegte und bezog als Kammermaler ein Atelier in unmittelbarer Nähe der kaiserlichen Wohnung. Von seiner künstlerischen Ausbildung zählte Spranger zu den typischen Vertretern des internationalen Manierismus, der ein Vielerlei an Einflüssen, überwiegend aus der italienischen Kunst in sich aufnahm und zu einem charakteristischen eigenen Stilbild formte. 1546 in Antwerpen geboren und zuerst im Atelier des durch seine Hieronymus Bosch-Nachahmungen bekannten Jan Mandyn ausgebildet, zog er in sehr jugendlichem Alter über Fontainebleau und Lyon nach Italien und arbeitete in Parma, Rom und Caprarola, wobei er mit Giulio Clovio, Taddeo und Federico Zuccari zusammenarbeitete und die Werke Correggios und Parmigianinos, Michelangelos und Giambolognas kennenlernte.

Seit 1584 hatte sich Spranger als Kammermaler Rudolfs II. fest in Prag etabliert, war der dortigen Malergilde beigetreten und bezog im darauffolgenden Jahr ein Haus auf der Kleinseite. In der Folge entstand eine große Anzahl mythologischer Bilder im Auftrag des Kaisers, unter denen auf Grund ihrer besonderen malerischen Qualität zwei kleine, auf Kupfer gemalte Darstellungen von *Vulkan und Maia*, bzw. von *Herkules und Omphale* auffallen. Sie dürften um 1585 entstanden sein und entsprechen in der Verbildlichung ihrer erotischen Thematik genau den Vorstellungen und Wünschen Rudolfs II.

Die alten Schriftsteller berichten, daß Herakles den Frevel an Apollon — er hatte versucht, den Dreifuß aus dem Heiligtum des Gottes in Delphi zu stehlen — büßen mußte. Von Hermes wurde er nach Kleinasien gebracht und als namenloser Sklave von Omphale, der Königin von Lydien gekauft. Er diente ihr ein oder auch drei Jahre als Kämpfer, der Kleinasien von allerlei Gesindel, wie den ephesischen Kerkopen oder dem gewalttätigen Weingärtner Syleus reinigte, aber auch als Liebhaber und zeugte mit ihr drei Söhne. Am öftesten wurde erzählt und dargestellt, wie Herakles die Kleider mit Omphale tauschte — ursprünglich wohl eine ferne Erinnerung an eine frühere Kulturstufe (wie sie noch in den antiken Hochzeitsbräuchen der Insel Kos, wo der Bräutigam weibliche Kleider anlegte, weiterlebte), aber schon von den klassischen Schriftstellern als warnendes Beispiel angeführt, wie leicht auch der stärkste Held durch eine Frau zum willenlosen Sklaven werden könne. Diese Autoren führten auch die Erzählung des Kleidertausches weiter aus und ließen Herakles Frauenarbeit mit dem Spinnrocken verrichten und ihn im Kreis der anderen Sklavinnen Wolle zupfen, während die schöne Omphale mit Löwenfell und Keule umherging.

In den Verbildlichungen der nachantiken Kunst diente dieses Thema immer wieder als Beispiel für die »Weibermacht«, die seit dem späten 15. Jahrhundert mit Vorliebe durch biblische, mythologische oder anekdotische Themen, wie David und Bathseba, Salomo und die Königin von Saba, Aristoteles und Phyllis dargestellt wurde. Für Bartholomäus Spranger war es eine Gelegenheit, seine Fähigkeit in der Darstellung verführerischer Akte in geschmeidiger Bewegung zu zeigen.

Karl Schütz

Bartholomäus Spranger

(1546 Antwerpen - 1611 Prag)

Minerva als Siegerin über die Unwissenheit

Leinwand,
163 × 117 cm
Sammlung Kaiser Rudolphs II.,
Inv. Nr. 1133
43 (siehe S. 280)

Die Malerei Bartholomäus Sprangers, wie die rudolfinische Hofkunst überhaupt, ist an kaum einem zweiten Ort in solcher Breite und Qualität vorhanden, wie im Kunsthistorischen Museum. Die meisten Bilder stammen, obwohl durch die Zerstörungen und Plünderungen des Dreißigjährigen Krieges in Prag vieles verlorenging, aus der Sammlung des Kaisers selbst. Von den zahlreichen, zwischen 1580 und 1595 im Auftrag Rudolfs II. entstandenen Werken Bartholomäus Sprangers vorwiegend mythologischer und allegorischer Thematik, faßt die große Komposition mit dem Triumph der Weisheit über die Unwissenheit wie kein zweites Werk die formalen Fähigkeiten des Künstlers und die Gedankenwelt des Kaisers in einem Bild zusammen. Mit dem Personal der antiken Mythologie wird der abstrakte Gedanke des Sieges der Weisheit über die Unwissenheit in allegorischer Form anschaulich gemacht. Minerva, die jungfräuliche, kriegerische Göttin der Künste und Wissenschaften besiegt als behelmte und gepanzerte Beschützerin aller höheren Kultur die Personifikation der Unwissenheit, einen wie ein Opfertier am Altar gefesselten eselsohrigen Nackten, der sich unter dem Tritt der Göttin windet. Der Kompositionsgedanke ist dabei von den christlichen Psychomachie-Darstellungen des siegreichen Kampfes der Tugenden über die Laster, die ihren Ursprung in der Spätantike haben, abgeleitet. Minerva erinnert aber auch an den auferstehenden Christus, die antike Göttin als Verkörperung der höchsten menschlichen Ideale wird damit den christlichen Glaubensinhal-

ten gleichwertig. Die hochaufragende, von Engelsputten mit Siegeskranz und -palme geschmückte Göttin ist von den Musen und den »artes liberales«, den Verkörperungen der freien Künste umgeben. Zu erkennen ist Urania, die eine Armillarsphäre hält, ein aus mehreren konzentrischen Ringen bestehendes Gerät, das, mit der Erde im Zentrum, die verschiedenen Himmelsbewegungen anschaulich macht. Vorne rechts Clio, die Muse der Geschichtsschreibung mit Lorbeerkranz, Buch und Feder, dahinter die Personifikation der Malerei mit Pinsel und Palette, der Skulptur mit einer Statuette und der Architektur mit Zirkel. Die behelmte Figur der Kriegsgöttin Bellona im Vordergrund soll die Klugheit des Herrschers in den Kriegskünsten ausdrücken, während die übrigen Personifikationen dem Kaiser als Friedensfürsten huldigen. Die ganze Komposition ist damit als eine Allegorie auf die Klugheit des Kaisers, als die hervorragendste Tugend eines guten und gerechten Herrschers zu deuten. Sie dürfte um 1591 entstanden sein, am Ende der ersten Regierungsperiode Kaiser Rudolfs II., die vom Antritt der Herrschaft 1576 bis zum Ausbruch des langjährigen Krieges gegen die Türken im Jahr 1592 reicht und als der zumindest nach außen hin politisch erfolgreichste Abschnitt seines Lebens erscheint, geprägt durch eine aktive Politik im Inneren und Äußeren, die sich in der tatkräftigen Unterstützung der Gegenreformation und der Abwehr der Türken im Südosten äußert.

Karl Schütz

Jodocus a Winghe

(1544 Brüssel - 1603 Frankfurt am Main)

Apelles und Kampaspe

Leinwand, 210 × 175 cm
signiert IODOCVS.A.WINGHE.
1604 in der Galerie,
Inv.Nr. 1686
44 (siehe S. 297)

Immer wieder haben Maler sich selbst bei der Arbeit an der Staffelei dargestellt und damit ihrer eigenen Auffassung von Kunst oder den Anschauungen der zeitgenössischen Kunsttheorie Ausdruck verliehen. Sich an einem im Bild erscheinenden Werk, einem Reflex der eigenen Tätigkeit, malend darzustellen, ist eine legitime Form der künstlerischen Selbstäußerung des Malers, alle Formen der schriftlichen Mitteilung an Prägnanz der Aussage bei weitem übertreffend. Dennoch liegt den meisten dieser gemalten Selbstzeugnisse, auch jenen, die uns vorwiegend als Naturbeobachtung oder als Genrebild erscheinen, ein literarischer Gedanke zugrunde. Erst recht ist dies bei einem Bild wie *Apelles malt Kampaspe* von Jodocus a Winghe der Fall, das aus einer Zeit stammt, die gewohnt war, in ihren künstlerischen Äußerungen mit Personifikationen und Allegorien zu operieren, die jeder Darstellung über ihren offenliegenden, evidenten Gegenstand hinaus eine verborgene, nur dem Eingeweihten lesbare Bedeutung verleihen.

Bereits im späteren Altertum galt Apelles, der in der zweiten Hälfte des 4. vorchristlichen Jahrhunderts gelebt hatte und immer in Verbindung mit Alexander dem Großen, von dem er als dessen Hofmaler zahlreiche Aufträge erhalten hatte, gebracht wurde, als größter Maler seiner Zeit und bald als größter Maler aller Zeiten. Sein Ruhm war so groß, daß wir zahllose Anekdoten über ihn besitzen (zumeist mit dem Inhalt der täuschenden Ähnlichkeit gemalter Gegenstände mit der Wirklichkeit), die hauptsächlich Plinius d. Ältere, aber auch andere Autoren überliefert haben. Eine dieser kleinen Geschichten regte die malerische Phantasie der Renaissance besonders an. In ihr wird berichtet, daß Apelles für Alexander den Großen dessen Sklavin und Geliebte Kampaspe malte und sich dabei unsterblich in sein Modell verliebte; Alexander schenkte daraufhin dem Maler großmütig das Mädchen. Diese nur für die Geisteshaltung der Antike nicht anstößige Erzählung gewinnt in der geistreichen bildlichen Interpretation des 16. Jahrhunderts eine neue Sinndeutung, die sie über das Anekdotische hinaus in den Bereich der für alle Maler und die Betrachter ihrer Werke gültigen Kunsttheorie erhebt. Dies war möglich, weil Apelles in den Schriften des 16. Jahrhunderts vom gefeierten Maler zum »dio della pittura« selbst geworden war.

Jodocus a Winghe, der aus Brüssel stammende Hofmaler Alessandro Farneses, der bald nach der Übergabe der Stadt 1585 nach Frankfurt am Main emigrierte und dort den Rest seines Lebens verbrachte (er starb 1603), hat nach den Angaben Karel van Manders das Thema zweimal in variierter Komposition gemalt, eine Fassung für Kaiser Rudolf II., die andere für den Kaufmann Daniel Forreau aus Hanau. Dieses Exemplar gelangte über die Sammlung des Herzogs von Buckingham um die Mitte des 17. Jahrhunderts ebenfalls in die kaiserliche

Galerie; zusammen mit einer Darstellung der Überwältigung Simsons (Kunstmuseum Düsseldorf) sind das die drei einzigen durch Signaturen gesicherten Werke des Jodocus a Winghe. Die beiden im Grundgedanken der Komposition übereinstimmenden Fassungen unterscheiden sich vor allem durch die Haltung der Kampaspe, auf dem für Forreau gemalten Bild erscheint sie als Rückenakt, auf der Fassung Rudolfs II. ist sie frontal von vorn gesehen. Das Hanauer Exemplar ist in der Komposition reicher, zeigt mehr Figuren, so den zu Kampaspe als Modellfigur aufblickenden Meergott mit Dreizack und den über der Staffelei mit Lorbeer und Palme schwebenden Genius, die Dienerin, die sich zwischen Modell und Staffelei schiebt, sowie mehr Beiwerk, wie die große Muschel zu Füßen von Kampaspe/Venus, den erzählenden Aspekt des Themas dadurch stärker betonend.

Die Auffassung der antiken Vorlage durch Winghe verleiht der Darstellung eine Fülle weiterer Bezüge. Das Bild des malenden Apelles, oder eigentlich genauer: des im Malen innehaltenden, wie von einer plötzlichen Eingebung getroffenen, die Schönheit seines Modells gewahr werdenden Apelles ist porträthaft aufgefaßt und als Selbstbildnis des Künstlers verstanden worden. Es zeigt in den beiden Fassungen etwas unterschiedliche Gesichtszüge, so daß vermutet werden konnte, bei der für Rudolf II. bestimmten Fassung handle es sich um ein Bildnis des kaiserlichen Hofmalers Bartholomäus Spranger. Schon Vasari hatte sich in den Fresken in seinem Florentiner Wohnhaus, darin ganz selbstbewußter Renaissancekünstler, mit dem größten Maler der Antike und damit aller Zeiten, gleichgesetzt. Bei Winghe malt Apelles (oder vielmehr er selbst) Kampaspe in Gestalt der schaumgeborenen Venus. Nach den Zeugnissen der antiken Schriftsteller war das Bild der Aphrodite Anadyomene, von Apelles für das Asklepieion von Kos gemalt und später nach Rom gebracht, das am meisten gerühmte Werk des Malers; es zeigte die Göttin dem Meer entsteigend, noch halb im Wasser stehend und mit beiden Händen das Wasser aus den Haaren drückend. Der Maler erblickt in der Gestalt der Kampaspe die Göttin Venus (in der von Apelles gemalten Form) und damit die Verkörperung von Schönheit schlechthin. Der kleine Amorknabe, der mit seinem brennenden Pfeil der Liebe den Maler trifft und dabei zu Venus aufblickt, entfacht die Leidenschaft des Apelles zu seinem Modell, macht aber zugleich darauf aufmerksam, daß der Maler der Schönheit zur Inspiration seines Werks benötigt. Neben diesen Figuren im Vordergrund tritt Alexander der Große, in beiden Fassungen als orientalischer Herrscher mit Turban und zahlreichen Goldketten dargestellt, in dem man eigentlich den Auftraggeber als freigiebigen Förderer der Künste erkennen sollte, in den Hintergrund.

Karl Schütz

Lucas I van Valckenborch

(um 1535 Löwen - 1597 Frankfurt)

Der Angler am Waldteich

Eichenholz, 47 × 56 cm,
Inv.Nr. 1073
45 (siehe S. 290)

Am Ufer eines schilfbestandenen Teiches, der fast den gesamten Vordergrund einnimmt, sitzt ein Angler, den Blick auf den Betrachter gerichtet. Der Mann, ein Selbstbildnis des Künstlers, hat sich am Fuße eines hohen Baumes niedergelassen. Auf der anderen Seite des Baumes, dessen Laubkrone, obgleich größtenteils durch den Bildrand beschnitten, dennoch einen beträchtlichen Teil der Bildfläche bedeckt, steht ein Jäger mit zwei Hunden. Da und dort aus der Erde ragendes Wurzelwerk und die umgebende Vegetation sind minutiös wiedergegeben. Die weitverzweigte Baumkrone schließt an die Baumgruppe des Mittelgrundes an und diese wiederum an einen Baum ganz rechts, der ebenfalls durch den Bildrand beschnitten ist. In diesem üppigen Bewuchs, der sich wie zu einem Vorhang zusammenfügt, öffnen sich zwei schmale Durchblicke auf den Hintergrund. Links sieht man eine Jagdszene und ganz hinten erhebt sich ein Kirchturm, der einst als einer der Türme von Linz identifiziert wurde. Der rechte Durchblick geht auf eine Waldlichtung.

Lucas van Valckenborch stammte aus einer Familie, die in drei Generationen Maler hervorbrachte. Doch nur Lucas, sein Bruder Maerten und dessen Söhne Frederick und Gillis schufen Werke, welche die Zeit überdauerten. Lucas wurde um 1535 in Löwen geboren und erhielt vermutlich auch dort seine erste Ausbildung. Er wurde Meister in Mecheln und nahm dort 1564 Jasper van der Linden als Schüler auf. Bereits 1566 begab er sich auf die Wanderschaft und ließ sich nach einiger Zeit in Antwerpen nieder. 1579 wurde er Hofmaler des Erzherzogs Matthias, der zum Statthalter der Generalstaaten der Niederlande gewählt worden war. Als dieser 1582 aus politischen Gründen die Niederlande verließ, folgte ihm Valckenborch nach Linz. Elf Jahre später siedelte der Maler von der Donaustadt nach Frankfurt über, wo er 1597 starb.

Lucas van Valckenborch trat ausschließlich als Land-schaftsmaler hervor. Wir kennen vor allem seine Landschaften mit imposanten Berg-oder Felspartien. Der *Angler am Waldteich* ist von ganz anderer Art und kann zudem als ein kunsthistorisch recht bedeutsames Werk gelten. Es trägt das Monogramm des Künstlers und die Jahreszahl 1590, ist also während Valckenborchs Aufenthalt am Hofe des Erzherzogs Matthias in Linz entstanden. Das Bild weicht in mancherlei Hinsicht von der Auffassung der Landschaft in anderen Werken des Malers ab. Es stellt keine Gebirgslandschaft dar und das große Panorama, Kennzeichen fast aller Landschaftsbilder Valckenborchs, fehlt. Auch die starken räumlichen Kontraste, die in vielen Werken Valckenborchs den Bildaufbau bestimmen — besonders der Gegensatz kleiner Szenen im Vordergrund zu einem weiträumigen Hintergrund, der nicht nur den größten Teil der Bildfläche einnimmt, sondern auch weit stärker die Aufmerksamkeit des Betrachters auf sich zieht — sind hier nicht zu finden. Beim *Angler am Waldteich* ist es der Vordergrund und daran anschließend der Mittelgrund mit seinen mächtigen Bäumen, welche die Landschaft dominieren. Die schmalen Durchblicke auf den Hintergrund dienen allein dem Zweck, dies zu unterstreichen. Das Werk beweist auch, daß Lucas van Valckenborch, der vielfach als ein eher mittelmäßiger Künstler eingestuft wird, sich eingehend mit der Darstellung der Waldlandschaft beschäftigt und sie schon vor Gillis van Coninxloo gemalt hat, der aufgrund seiner 1598 datierten *Waldlandschaft* (Sammlungen des regierenden Fürsten von Liechtenstein) bis vor kurzem — und für manche noch heute — als Schöpfer der Waldlandschaft gilt. Valckenborchs 1573 datiertes Bild *Viehweide unter Bäumen* (Städelsches Kunstinstitut, Frankfurt), in welchem der Blick auf den Hintergrund fast ganz von Bäumen verstellt ist, bestätigt diese Auffassung.

Hans Devisscher

Lucas I van Valckenborch

(um 1535 Löwen - 1597 Frankfurt)

Frühlingslandschaft (Mai)

Leinwand, 116 × 198 cm, signiert
in der Mitte des Vordergrundes:
1587 LVV
1610 in der Galerie (?),
Inv.Nr. 1065
46 (siehe S. 290)

Die weite Landschaft, eine Darstellung des Frühlings oder des Monats Mai, ist durch eine von links unten nach rechts oben verlaufende Diagonale geteilt. Links öffnet sich ein Blick in die Ferne, die Szene rechts ist näher zum Betrachter herangerückt. Den linken Teil des Bildes beherrscht der alte herzogliche Palast in Brüssel, vor welchem auf einem großen Platz ein Turnier im Gange ist. In zwei Reihen aufgestellt, wohnen ihm zahlreiche Zuschauer bei. Die hinter dem Palast gelegene Stadt muß Brüssel sein: einzelne Gebäude, so etwa das Rathaus mit seinen schlanken gotischen Türmen, sind deutlich zu erkennen. Die Umgebung der Stadt aber, durch die sich ein Fluß windet, und Berge, deren Konturen sich im Hintergrund verlieren, hat nichts mit der Umgebung Brüssels gemein.

Vor dem Turnierplatz erstreckt sich ein Renaissancegarten, in dessen Mitte auf einem Wasserbecken ein Brunnen steht. Das Wasser entspringt den Brüsten einer Frauenfigur, welche eine von vier wasserspeienden Faunen getragene Brunnenschale krönt. Rund um den Brunnen lustwandeln mehrere Figuren, darunter zwei Paare. Die Umgrenzung des Gartens bildet teils eine dichte Hecke, teils eine Mauer, an die sich ein befestigtes Torhaus anschließt. Dort begrüßt ein eben vom Pferd gestiegener Reiter eine Frau. In der Nähe des Torhauses sehen wir auf einer Insel im Fluß ein Labyrinth. Es ist nicht ausgeschlossen, daß hier ein moralisierendes Element ins Spiel kommt, eine Warnung vor Laster und Leidenschaften, die den Menschen in ein auswegloses Labyrinth führen können. Vielleicht ist diese Warnung an die galante Gesellschaft gerichtet, die auf einem baumbestandenen Hügel in der rechten Bildhälfte ein Fest unter freiem Himmel feiert. Ein prächtig herausgeputztes Paar befindet sich auf dem Weg vom Renaissancegarten zum schattigen Hügel, um sich der dort feiernden Gesellschaft anzuschließen. Im Vordergrund haben sich drei Damen niedergelassen und flechten einen Blütenkranz. Ein zu ihren Füßen lagernder Mann macht der mittleren den Hof, scheint aber, ungeachtet der ermunternden Gesten eines Narren, keinen großen Eindruck zu machen. Weiter im Hintergrund musizieren drei Schalmeien- und ein Posaunenbläser. Rings um ein auf den Boden ausgebreitetes Tuch mit allerlei Speisen und Geschirr sitzen mehrere Personen, zwei Frauen und ein Mann singen, ein Paar studiert ein Notenblatt. Zahlreiche andere Figuren sieht man ins Gespräch vertieft.

Das Bild folgt einer sehr alten niederländischen Tradition der Darstellung von Monaten oder Jahreszeiten. Sie reicht zurück bis zu den illuminierten Stundenbüchern, vor allem den Kalenderminiaturen, deren Thema die jahreszeitlichen Veränderungen in der Natur und die damit verbundenen Arbeiten darstellen. Ob dies hier ein Bild des Frühlings oder des Monats Mai ist, bleibt unklar. Es soll Teil eines Jahreszeitenzyklus aus der Brüsseler Sammlung des Erzherzogs Ernst gewesen sein. In dem 1595 nach dessen Tod angelegten Inventar seiner Kunstsammlung ist der Zyklus als »Vier große Stuck auf Leinwath die vier anni temporibus, M. Lucas« aufgeführt. Vier Bilder mit dem Monogramm LVV und den Jahreszahlen 1585 *(Herbst und Sommer),* 1586 *(Winter)* und 1587 *(Frühling),* alle im Kunsthistorischen Museum, werden allgemein als diese vier Jahreszeiten identifiziert. Neuerdings ordnet man die vier Bilder allerdings auch einem Zyklus der zwölf Monate zu. Hierzu gehört zunächst eine *Obsternte* (September), ein gleichgroßes Bild (ebenfalls im Kunsthistorischen Museum) mit dem Monogramm LVV und der Jahreszahl 1585. Auch zwei weitere Bilder, beide im Mährischen Museum in Brünn, der *Baumschnitt* (März oder April) und die *Heimkehr der Herde* (November) mit dem Monogramm LVV und den Jahreszahlen 1584 und 1585 sind ebenfalls Teil des Zyklus.

Dieses Werk ist ganz anders angelegt als der drei Jahre später entstandene *Angler am Waldteich* (Nr. 45). Von einem begrenzten Naturfragment oder einem geschlossenen Bildaufbau kann hier keine Rede sein, vielmehr hat der Künstler, der Tradition folgend, ein weites Panorama aufgebaut und mit der starken Betonung des Vordergrundes und dem weiten Blick auf die Landschaft in der linken Bildhälfte ein gewisses Gleichgewicht geschaffen. Zudem ist die in vielen flämischen Landschaften des 16. Jahrhunderts so ausgeprägte räumliche Bewegung vom Vorder- zum Hintergrund durch die Einführung zahlreicher Horizontalen in Mittel- und Hintergrund stark abgeschwächt.

Hans Devisscher

Paul Bril

(1554 Antwerpen - 1626 Rom)

Hafen mit Leuchtturm

Kupfer, 22 × 29,5 cm, unten links
1601 datiert
1659 in der Galerie,
Inv.Nr. 5770
47 (siehe S. 220)

Eine Studienreise nach Italien war für die flämischen Künstler des 16. und 17. Jahrhunderts selbstverständlich und häufig bildete sie den Abschluß ihrer Ausbildung. Zum einen konnten sie dort die Welt der Antike, zugleich aber auch die Werke der italienischen Renaissance kennenlernen. Für manche Historienmaler war die Italienreise von entscheidender Bedeutung für die weitere stilistische Entwicklung. Ihre Werke weisen unverkennbar italienische Einflüsse auf, sehr oft stellt man auch direkte Entlehnungen fest. Auch viele Landschaftsmaler zogen über die Alpen nach Süden. Einige von ihnen, darunter Pauwels Franck, Lodewijck Toeput, Matthijs und Paul Bril, blieben sogar für immer dort und erfreuten sich großer Wertschätzung. Dies beweisen nicht nur die bedeutenden Aufträge, die sie erhielten, sondern auch die lobenden Worte ihrer Zeitgenossen.

Paul Bril wurde 1554 in Antwerpen geboren. Nach seiner malerischen Ausbildung verließ er die Stadt und lebte von 1575 bis zu seinem Tod in Rom im Hause seines Bruders Matthijs, der dort bereits mehrere Jahre als Landschaftsmaler arbeitete. Nach Matthijs' Tod im Jahre 1584 stellte Paul Bril verschiedene unvollendet gebliebene Auftragswerke seines Bruders fertig, unter anderem eine Reihe von Landschaftsfresken in verschiedenen Sälen des Vatikans. Diese und andere größere Aufträge und seine Mitgliedschaft in der Accademia di San Luca zeugen von seinem Ruhm und der Wertschätzung, wie sie etwa 1612 der italienische Schriftsteller Mancini zum Ausdruck brachte, als er ihn den besten Landschaftsmaler Roms nannte.

Es war Paul Brils unvergleichbare Fähigkeit, die Charakteristika niederländischer und italienischer Landschaftsmalerei miteinander zu verbinden. Er verstand es meisterhaft, den Sinn der Niederländer für Details mit dem italienischen Streben nach Synthese und klarer Anordnung zu verknüpfen. Um 1600, etwa zur Mitte seines künstlerischen Schaffens, das mit seiner Ankunft in Rom 1575 begann und mit seinem Tod am 7. Oktober 1626 endete, erkennt man eine gewisse Wandlung im Stil Paul Brils. War in seinen früheren Werken die niederländische Tradition noch deutlich erkennbar, was sich vor allem in reichen Details und der Dreifarbenkomposition zeigt, so tritt diese ab der Jahrhundertwende zugunsten großzügig aufgebauter, harmonischer und übersichtlicher Kompositionen, die sich mit einem Blick erfassen lassen, allmählich zurück.

Auf dem hier gezeigten, 1601 datierten Bild, das also genau in dieser Übergangsphase entstand, ist eine breite, von Felsen umschlossene Bucht zu sehen. In dieser liegen zahlreiche Schiffe und Schaluppen, in einem Hafen herrscht reges Treiben. Schiffszimmerleute arbeiten an einem Boot, zwei Männer vertäuen die hoch aufgetürmte Ladung eines Schiffes, aus einem anderen werden Fässer an Land geschafft. Ganz links sitzen zwei Männer in einem Boot bei einem Schwätzchen, ein Stück weiter wirft ein Fischer seine Netze aus. Rechts im Vordergrund sieht man zwei Männer ins Gespräch vertieft, während drei andere sich vor einem Feuer neben einem an die Felswand gelehnten Schuppen niedergelassen haben. Hinter diesem schmalen Streifen im Vordergrund erhebt sich ein mit Bäumen und Sträuchern bewachsenes Felsmassiv, auf dem einige Häuser stehen. Das ganze wird von einem steinernen Leuchtturm mit breiter Plattform gekrönt, auf welcher der Leuchtturmwärter ein Feuer entfacht hat. Links, am anderen Ende der Meerbusen, ragen Felsen aus dem Wasser. Auch hier erkennt man verschiedene Bauwerke und am Ufer herrscht große Geschäftigkeit. Berge, deren Konturen sich im bewegten Wolkenhimmel, den einige Sonnenstrahlen durchbrechen, in der Ferne verlieren, schließen das Bild im Hintergrund ab.

Dieses Werk, ein Pendant zur 1600 datierten und signierten *Flußlandschaft mit Turmruine* (ebenfalls im Kunsthistorischen Museum, Inv.Nr. 5773) veranschaulicht trefflich, wie Bril niederländische und italienische Elemente zu verbinden verstand. Die für die niederländische Malerei so typische Aufteilung in drei voneinander getrennte räumliche Bildbereiche ist hier nur teilweise beibehalten. Zwar hebt sich der dunkle Vordergrund sehr scharf von der Landschaft dahinter ab, doch fließen Mittel- und Hintergrund fast unmerklich ineinander und ziehen sich kontinuierlich bis zum Horizont hin. Die dunklen Felsen links unterbrechen die Raumbewegung nicht, zwingen jedoch den Blick, dem Flußverlauf zu folgen. Die reichen Details sind nicht nur Beweis dafür, wie stark Bril der niederländischen Tradition verhaftet war, sondern machen auch seine typisch nordische Beobachtungsgabe deutlich. So sind die Schiffe in allen Details wiedergegeben und auch das Treiben der Menschen im Hafen genau erfaßt. All diese Einzelheiten führen freilich nirgends ein Eigenleben, sondern sind stets den Kraftlinien der klar aufgebauten und logisch gegliederten Komposition untergeordnet.

Hans Devisscher

Gillis van Coninxloo

(1544 Antwerpen - 1606 Amsterdam)

Waldlandschaft

Eichenholz, 56 × 85 cm. Auf dem
Baumstamm links Reste des
Monogramms
1925 Geschenk der Galerie St.Lukas,
Wien,
Inv.Nr. 6504
48 (siehe S. 229)

Der Name Gillis van Coninxloo wird meist ganz spontan mit Waldlandschaften in Zusammenhang gebracht, ja er gilt geradezu als Schöpfer dieses Landschaftstyps. Zum Beweis wird in der Kunstgeschichte regelmäßig seine 1598 datierte *Waldlandschaft* (Sammlungen des regierenden Fürsten von Liechtenstein) angeführt. Neuere Untersuchungen haben jedoch ergeben, daß Künstler wie Jan Brueghel d. Ä. und Paul Bril neben weniger bedeutenden Meistern wie Hans Bol und Lucas van Valckenborch schon vor Gillis van Coninxloo Waldlandschaften malten und damit ebenfalls zur Entstehung dieses Landschaftstyps beigetragen haben. In seiner Weiterentwicklung und Verbreitung hat Coninxloo dann allerdings eine wichtige Rolle gespielt. Einige meisterhafte Waldlandschaften, darunter diese im Kunsthistorischen Museum, weisen ihn als einen der bedeutendsten Künstler unter den zahlreichen flämischen Landschaftsmalern aus.

Bei diesem Werk, wie auch bei anderen Waldlandschaften, nehmen Bäume, die teilweise durch die Bildränder beschnitten sind, fast die ganze Fläche ein. Die Komposition zeichnet sich durch Ruhe und Übersichtlichkeit aus. Die Laubkronen der Bäume, die das Bild an beiden Seiten begrenzen, berühren sich oben fast und bilden zusammen mit dem dunklen Bodenstreifen im Vordergrund einen Rahmen für die dahinter liegende Landschaft. In dieser tritt vor allem eine in hellerem Licht liegende Baumgruppe auf einem kleinen Hügel rechts von der Mitte hervor. Sie zieht den Blick des Betrachters auf sich und lenkt ihn dann links und rechts in die Tiefe des Bildes. Tiefe ist hier allerdings etwas zu viel gesagt, denn rechts stößt man schon bald auf das undurchdringlich scheinende Dunkel des Waldes und auch links verwehren die Bäume den Blick in den Hintergrund. Die Illusion räumlicher Tiefe wird in diesem Werk durch Farbtonalitäten, verschiedene Abstufungen von Grün und Braun und Lichteffekte in meisterhafter Weise geschaffen. Nicht nur der Wechsel zwischen heller erleuchteten und dunkleren Bereichen, sondern auch das allmähliche Abdunkeln gegen den Hintergrund zu erzeugt diese Tiefenwirkung. Keine einzige Figur ist auf diesem Bild zu finden. Der Künstler konzentriert sich ausschließlich auf die Darstellung der Landschaft, die allein das Thema der Komposition ist. Die Analogie dieser undatierten Waldlandschaft mit einigen anderen datierten Werken läßt den Schluß zu, daß sie in den letzten Lebensjahren des Künstlers entstand.

Gillis van Coninxloo wurde 1544 in Antwerpen geboren. Er verließ seine Geburtstadt nach der Besetzung durch die Spanier im Jahre 1585 und kam nach einigen Umwegen 1587 nach Frankenthal in der Pfalz, wo sich bereits seit etwa 25 Jahren Flüchtlinge aus den Niederlanden aufhielten. Doch 1595 verließ er Frankenthal wieder und erwarb im Frühjahr 1597 das Bürgerrecht in Amsterdam. Dort wurde er am 4. Januar 1607 begraben.

Coninxloo wurde vor allem seiner Waldlandschaften wegen geschätzt. Die datierten Werke deuten darauf hin, daß er sich erst gegen Ende seines Lebens damit beschäftigt hatte. Ein 1588 datiertes Werk, *Landschaft mit dem Midas-Urteil* (Dresdner Gemäldegalerien) bleibt nämlich immer noch in der Tradition der panoramahaften Berg- und Felslandschaften und hat mit dieser Waldlandschaft noch nichts gemein.

Hans Devisscher

Gillis von Coninxloo Waldlandschaft
(Sammlung des regierenden Fürsten von Liechtenstein, Vaduz)

Roelandt Savery

(1576 Kortrijk - 1639 Utrecht)

Orpheus unter den Tieren

Kupfer, 28 × 26 cm, signiert rechts oben neben einem Bären: R., darunter FE.
1621 in der Galerie, Inv.Nr. 3534
49 (siehe S. 275)

Die griechische Sage von Orpheus und Eurydike berichtet, daß Orpheus mit seinem Gesang und dem Spiel auf der Lyra selbst wilde Tiere besänftigen, ja Steine und Bäume bewegen konnte. Nach dem Tod der Eurydike rührte sein Spiel die Götter der Unterwelt so sehr, daß sie ihm die Geliebte zurückgaben. Als er sich aber, entgegen dem Verbot der Götter, nach ihr umwandte, um sie anzublicken, bevor sie das Tageslicht erreicht hatten, entschwand sie auf immer. Doch nicht diese bekannte Szene ist hier dargestellt. Der Künstler zeigt vielmehr Orpheus, im Mittelgrund des Bildes, nahezu im Zentrum, auf einem Felsen sitzend, während sich eine bunte Vielfalt von Tieren in heiterer Ruhe und Gelassenheit um ihn schart, um seinem Gesang und Saitenspiel zu lauschen.

Den Vordergrund dieser Landschaft, die eigentlich nur den Rahmen für die Versammlung der Tiere darstellt, nehmen zwei Hügelpartien ein, zwischen denen ein Felsblock liegt. Die Hügel fallen zur Mitte hin ab und umschließen dort ein sprudelndes Bächlein. Zahlreiche Tiere bevölkern diesen vorderen Bildraum: Pferde, Rinder, Dromedare, Löwen, Damhirsche und ein Edelhirsch, Elefanten, Eichhörnchen, ein Wisent, ein Wildschwein und auch ein Dutzend Vögel, Strauß, Storch, Enten, Schwäne, eine Gans, ein Pelikan, ein Reiher, eine Wachtel und ein Kiebitz. Auch in den Bäumen, die das Bachufer säumen, sitzen Vögel, darunter ein Adler, ein Geier, ein Dompfaff, eine Elster, ein Hahn, ein Baumfalke, ein Kreuzschnabel, eine Rauchschwalbe und ein Dohlenpaar*. Dieser Vordergrund ist in Braun aller Abstufungen und Schattierungen gehalten, im Ensemble, das sich scharf gegen die hellere Landschaft des Mittel- und Hintergrundes abhebt, in der Grün-und Gelbbrauntöne dominieren. Ein dunkler Vordergrund als Rahmen für den helleren Hintergrund — wofür Roelandt Savery eine besondere Vorliebe entwickelte — ist ein Charakteristikum der südniederländischen Landschaftsmalerei des Spätmanierismus.

Im Mittelgrund sitzt Orpheus an einem felsigen Ufer, umgeben von allerlei Tieren, darunter Füchse, Löwen, ein Dromedar, ein Rind, Schafe, Hunde, Ziegen und ein Strauß. Ganz links steigen eine Hirschkuh, ein Rind und ein Esel einen steilen Abhang herab, um sich unter die bunte Gesellschaft zu mischen. Der Mittelgrund wird von Bäumen beherrscht, die den Ausblick auf den Hintergrund teilweise verstellen. Zwischen dieser Baumgruppe und der Felspartie, die das Bild rechts begrenzt,

öffnet sich ein waldiges Tal, durch Berge abgeschlossen, deren Konturen sich in der Luft zu verlieren scheinen.

Auf prägnante Weise belegt das Bild, daß Roelandt Savery, der üblicherweise als Landschaftsmaler gilt, vor allem ein begabter Tiermaler war. Jedes der Tiere ist hier, wie auch in seinen anderen Werken, ganz realistisch und in seiner typischen Haltung wiedergegeben, ein Beweis für seine sorgfältigen Naturstudien. Saverys Bilder sind allerdings von Tieren geradezu übervölkert und es werden Arten einander zugesellt, die in der Natur nicht als Nachbarn leben, was den Bildern einen phantastischen Zug verleiht.

Saverys Tierstücke stehen im Zusammenhang mit einem weit verbreiteten Interesse an der Tiermalerei zu Beginn des 17. Jahrhunderts. Hervorragende Vertreter dieses Genres waren Antwerpner Meister wie Jan Fyt, Pieter Boel, Frans Snyders, Paul de Vos, Adrian van Utrecht und Jan van Kessel. Roelandt Savery führte diese Thematik in den nördlichen Niederlanden ein. Natürlich wurden auch schon im 15. und 16. Jahrhundert Tiere dargestellt, von regelrechter Tiermalerei oder ausgesprochenen Tierbildern konnte damals jedoch noch keine Rede sein. Dazu bedurfte es erst des wachsenden wissenschaftlichen Interesses für die Zoologie, das in der zweiten Hälfte des 16. Jahrhunderts erwachte. Die Vorliebe der Fürsten für eigene Tiergärten mit fremden und exotischen Tieren erreichte zu jener Zeit ihren Höhepunkt. Ein Beispiel dafür ist der Tierpark, den Kaiser Rudolf II. 1576 auf dem Prager Hradschin anlegen ließ. Genau dort hatte Savery auch die Möglichkeit, zahlreiche Tiere nach der Natur zu zeichnen.

Roelandt Savery, vielfach der Holländischen Schule zugerechnet, stammte aus Kortrijk, wo er 1576 geboren wurde. Von 1591 an lebte er in Amsterdam, wo auch sein Bruder Jacob tätig war. 1602 befand er sich in Wien, und 1604 trat er in Prag, dem wohl bedeutendsten künstlerischen Zentrum jener Zeit, in die Dienste Rudolfs II. In seinem Auftrag unternahm er von 1606 bis 1608 eine Studienreise nach Tirol, von der er zahlreiche Landschaftszeichnungen mitbrachte. 1616 kehrte er in die nördlichen Niederlande zurück und ließ sich 1619 in Utrecht nieder, wo er bis zu seinem Tod im Jahre 1639 lebte.

Hans Devisscher

* An dieser Stelle möchte ich Marc Vandenven für seine Unterstützung bei der Bestimmung der abgebildeten Vögel danken.

Hans Vredeman de Vries

(1527 Leeuwarden - 1606)

Palastarchitektur mit Musizierenden

Leinwand 135 × 174 cm
signiert HANS (Ligatur)
VREDEMAN (Ligatur)
VRIESE INV. 1596.
Sammlung Kaiser Rudolfs II.
Inv.Nr. 2336
50 (siehe S. 294)

Hans Vredeman de Vries gehört zu jenen Künstlern, deren Wirkung bedeutender ist als ihr Werk. 1527 in Leeuwarden in Friesland geboren und bei einem lokalen Glasmaler ausgebildet, verbrachte er sein Leben in Antwerpen und auf ausgedehnten Reisen, die ihn nach Wolfenbüttel, Hamburg, Danzig und Prag führten. Frühzeitig auf die Darstellung von Architektur spezialisiert, übte er durch seine Stichserien und Publikationen mit theoretischer Anleitung zur perspektivischen Konstruktion — der ersten eines niederländischen Künstlers überhaupt, wenn wir von der Übersetzung des 2.Buches der »Architectura« Sebastiano Serlios durch Coecke van Aelst absehen — bedeutenden Einfluß nicht nur auf Architektur und Malerei, sondern auch auf Kunstgewerbe und Ornamentik, bis zur Gartengestaltung seiner Zeit aus.

Von 1596-1598 war Hans Vredeman in Begleitung seines Sohnes Paul am Prager Hof Kaiser Rudolfs II. tätig. Er schuf hier Wand- und Deckenmalereien in der Residenz des Kaisers, sowie eine Reihe von Gemälden, unter anderen eine Serie von vier Phantasiearchitekturen gleicher Größe. Der Aufbau ihrer Komposition ist in allen Fällen gleich, prunkvolle und weiträumige Säulenhallen und Gänge sind von elegant gekleideten höfischen Müßiggängern, die musizieren, Besuche empfangen und spazieren gehen, bevölkert. Die weite Tiefenerstreckung der gebauten Räume ist der vorherrschende Eindruck, die perspektivische Konstruktion erscheint bei aller komplizierten und filigranen Kleinteiligkeit der architektonischen Details recht einfach: alle Bauteile sind rechtwinkelig ausgerichtet, ihre Vorderseite parallel zur Bildfläche angeordnet, die Fluchtlinien der Treppen, Sockel, Gebälke und Gesimse führen machtvoll auf einen einzigen Fluchtpunkt, der am Ende eines Ganges in der Tiefe des Raums liegt. Bei dem vorliegenden Bild blickt man links in eine weite, zweigeschossige, kreuzge-

wölbte Säulenhalle, die im Hintergrund in einen allseits offenen Innenraum mit Kassettendecke übergeht. Während alle architektonischen Elemente mit dem Dekorationssystem des nordischen Manierismus, Groteskenmalerei und Rollwerk überzogen sind, zeigt der den Hof einschließende, mit mehrstöckigen Galerien versehene Bau rechts im Hintergrund eine charakteristische Form des Übergangsstils des frühen 16. Jahrhunderts. Die Dekoration ist im Detail spätgotisch, die Anlage des Baus hingegen folgt einer moderneren Struktur mit weiten Säulenhallen und Arkadengängen.

Da eines der vier Bilder der Serie von Hans Vredeman de Vries signiert und monogrammiert ist, gleichzeitig aber das Monogramm seines 1567 in Antwerpen geborenen Sohnes Paul trägt, der seinen Vater als Mitarbeiter auf den Reisen nach Deutschland und Prag begleitet hat, wurde mit Recht angenommen, daß alle vier in der Malerei gleichartige Bilder von Hans Vredeman de Vries entworfen, hingegen von Paul ausgeführt — genauer gesagt: in den architektonischen Teilen ausgeführt — worden sind. Die Figuren stammen nämlich, wie sich auf Grund stilistischer Vergleiche vermuten läßt, von einem anderen Künstler des rudolfinischen Kreises, von Dirck de Quade von Ravesteyn, der aus den nördlichen Niederlanden kommt und seit 1589 als Maler am Hof Rudolfs II. erwähnt wird.

Seit seiner Entstehung befindet sich dieses Bild zusammen mit den drei anderen der Serie (s. S. 294) in der kaiserlichen Gemäldegalerie; sie werden, wie die meisten anderen aus der Sammlung Rudolfs II. stammenden Bilder zum ersten Mal in einem 1619 angefertigten Inventar der Kunstsammlung von Kaiser Matthias in der Wiener Hofburg erwähnt.

Karl Schütz

Jan Brueghel d. Ä.

(1568 Brüssel - 1625 Antwerpen)

Die Anbetung der Könige

Kupfer, 33 × 48 cm, links unten
signiert und datiert: BRVEGHEL
1598
Erworben 1806, Inv.Nr. 617
51 (siehe S. 223)

In der flämischen Kunst des 16. und 17. Jahrhunderts war die Anbetung der Könige ein überaus beliebtes Thema. Es stellt dar, wie die Mächtigen dieser Erde aus drei Kontinenten, Europa, Asien und Afrika, herbeieilen, um ein neugeborenes Kind, den Friedensfürsten, anzubeten. Diese Könige sind nach den Hirten die ersten, die dem Jesuskind Ehre erweisen und sich damit zu ihm bekennen. Darstellungen der Anbetung können folglich als Appell verstanden werden, sich, den Königen gleich, Christus zuzuwenden und manch angesehene Christen mochten sich gerne mit diesen Königen identifizieren. So wird verständlich, daß dieses Thema in vielfältiger Weise behandelt wurde. Auch Jan Brueghel werden zahlreiche Darstellungen zugeschrieben, von denen fünf mit Sicherheit von seiner Hand stammen. Zwei davon — das hier abgebildete Gemälde im Kunsthistorischen Museum zu Wien und eine Replik in der National Gallery zu London — sind signiert und 1595 datiert. Ein drittes, mit der Datierung von 1600 befindet sich im Koninklijk Museum voor Schone Kunsten in Antwerpen. Ein kleines Tafelbild in der Eremitage in Leningrad ist nur signiert, aber nicht datiert und das letzte in der Reihe der eigenhändig ausgeführten Bilder ist ein 1970 auf dem Londoner Kunstmarkt aufgetauchtes, unsigniertes Werk.

Das hier abgebildete Gemälde ist fast identisch mit den vier eben erwähnten. Den Vordergrund beherrscht ein äußerst baufälliger Stall, von dessen Fachwerkmauern da und dort der Lehmputz abgebröckelt ist. Durch das schadhafte Strohdach kommt an mehreren Stellen das Gebälk zum Vorschein. In einem fast ungeschützten Winkel dieser unwirtlichen Behausung hat die Heilige Familie Zuflucht gesucht und die drei Weisen samt ihrem Gefolge sind angekommen, um das Jesuskind anzubeten. Den Hintergrund bildet eine Dorflandschaft, in der rechts die Begegnung der drei Könige zu sehen ist.

In ihrer Grundkonzeption — etwa in der Mitte des Vordergrundes der von einer Menschenmenge umringte Stall und rechts im Hintergrund eine Landschaft — hat diese Komposition auffallende Ähnlichkeit mit Pieter Bruegels d. Ä. *Anbetung der Könige* (Musées Royaux des Beaux-Arts Brüssel). Die Gruppe mit den Hauptfiguren — die Jungfrau Maria mit dem Kind, die Position der drei Könige und vor allem die Figur Josephs, der, mit dem Hut in den Händen, seinen Kopf einem Mann zuwendet, der ihm etwas ins Ohr flüstert — sind eindeutig inspiriert von einer anderen *Anbetung der Könige* Pieter

Bruegels (National Gallery, London). Den Stall mit seinen Fachwerkmauern, dem Heuboden, dem baufälligen Dach, das im Vordergrund rechts von einem gabelförmigen Ast gestützt wird, dem schweren, die Fassade teilenden Pfeiler, an den sich ein Mann lehnt, wie auch die Idee, den Stall mit Zuschauern zu bevölkern, entlieh Jan Brueghel von Hieronymus Bosch, genauer gesagt der Mitteltafel seines *Epiphanie-Triptychons* (Prado, Madrid).

Zurecht stellt sich nun die Frage, ob hier noch von einer gewissen Eigenständigkeit, einem eigenen Stil bei Jan Brueghel die Rede sein kann. Seine Anbetungsszene ist vor einen Hintergrund gestellt, den eine recht natürlich wirkende Dorflandschaft bildet. Die Reiterschar neben dem Stall bildet die Verbindung zwischen Vorder- und Hintergrund. Bei Pieter Bruegels Brüsseler Bild dagegen sind die verschiedenen Bildgründe gleichsam bis zum Horizont übereinandergeschichtet, der mit dem oberen Bildrand fast zusammenfällt. Jan zeigt in diesem Bild recht deutlich seine Vorliebe für Blautöne, vor allem im Hintergrund, aber auch in der Kleidung der Figuren. Die Jungfrau Maria und das Jesuskind sind völlig andere Typen als in Pieters Londoner Bild. Wo dort das Kind eher erschreckt blickt und sich fast in seinen Tüchern zu verstecken scheint, strahlt es bei Jan Brueghel Ruhe und heitere Gelassenheit aus. Maria gibt sich viel eleganter und ist reicher gekleidet. Es scheint mir, als ob Jan Brueghel in diesem Werk in erster Linie eine reizvolle Szene habe darstellen wollen und sich im Gegensatz zu seinem Vater und zu Hieronymus Bosch nicht so sehr auf eine mit dem Thema möglicherweise verknüpfte Symbolik eingelassen hat; seine Anleihen beschränken sich denn auch auf rein formale Dinge. Wo man bei Boschs Bild Spekulationen darüber anstellen kann, ob der Mann neben dem Holzpfeiler der Antichrist, Adam oder der jüdische Messias sei, stellt sich diese Frage bei Jan Brueghels Bild nicht. Auch scheint ihm nicht allzuviel daran gelegen zu sein, den baufälligen Stall als Symbol für das Alte Testament oder die vor Christi Geburt vom Untergang bedrohte Welt zu zeigen. Der Stall ist hier vielmehr ein Stimmungselement. Desgleichen ist eher unwahrscheinlich, in der Katze auf dem Heuboden das Sinnbild des Bösen und in dem Hahn auf dem Dach eine Präfiguration der Verleugnung Christi durch Petrus zu sehen.

Hans Devisscher

Jan Brueghel d. Ä.

(1568 Brüssel - 1625 Antwerpen)

Großer Blumenstrauß in einem Holzgefäß (Kaiserkronenstrauß)

Eichenholz, 98 × 73 cm
1659 in der Galerie,
Inv.Nr. 570
52 (siehe S. 223)

Jan Brueghel d. Ä., auch »Samt-« oder »Sammet-Brueghel« genannt, widmete sich, wie sein Vater, zu Beginn seiner Laufbahn hauptsächlich der Landschaftsdarstellung, einem Genre, dem er sein Leben lang treu blieb und in dem er Beachtliches geleistet hat. Dennoch wird sein Name meist, und nicht zu Unrecht, im Zusammenhang mit Blumenstilleben genannt. Einige seiner Blumenstücke werden nicht nur als Höhepunkte seines künstlerischen Schaffens, sondern auch als Meilensteine in der Entwicklung der Blumenmalerei betrachtet.

Zu Beginn des 17. Jahrhunderts erfreuten sich Blumenstilleben so großer Beliebtheit, daß man sich dieser Gattung der Malerei intensiv zuwandte. Der Aufschwung der Blumenmalerei zu jener Zeit kam freilich weder unvermittelt, noch darf man ihn als isoliertes Ereignis betrachten. Bereits in der zweiten Hälfte des 16. Jahrhunderts erwachte in den Niederlanden und anderen Ländern ein lebhaftes Interesse an Blumen. Die Einfuhr exotischer Blumen wie Tulpen und Kaiserkronen aus der Neuen Welt trug dazu bei. Diese wurden zu sehr hohen Preisen gehandelt und stellten wahre Kostbarkeiten dar. Vor dem 17. Jahrhundert sind Blumenstücke in der flämischen Kunst äußerst selten, was nicht heißen soll, daß keine Blumen oder Blumensträuße gemalt worden seien. Beispiele dafür gibt es in Hülle und Fülle, auf den Verkündigungsbildern der flämischen Primitiven durfte die Vase mit der Lilie – Symbol der Jungfräulichkeit Marias – nicht fehlen. Blumensträuße findet man im 15. Jahrhundert u.a. auch bei Hugo van der Goes' *Portinari-Altar* (Uffizien, Florenz) und bei der *Suppenmadonna* (unbekannter Standort) von Gerard David. Auch in der Malerei des 16. Jahrhunderts ist dieses Motiv zu finden, zum Beispiel bei der *Hochzeit zu Kana* (Kathedrale, Antwerpen) von Maerten de Vos und in Pieter Aertsens Gemälde *Jesus bei Martha und Maria* (Museum Boymans-van Beuningen, Rotterdam).

Der *Große Blumenstrauß* in all seiner barocken Fülle ist ein einziges Meer von Blumen in einer Holzschüssel. Jede einzelne Blume – Kaiserkrone, Königslilie, Pfingstrose, Schlüsselblume, Vergißmeinnicht, Buschwindröschen, Rose, Tulpe, Iris, Akelei, Feuerlilie, Narzisse – ist so angeordnet, daß keine die andere beeinträchtigt. Königslilie, Kaiserkrone und Pfingstrose beherrschen die Komposition, wobei die Kaiserkrone mit ihren roten, herabhängenden Blütenblättern und den aufgerichteten grünen Kelchblättern vor dunklem Hintergrund den Blickfang bildet. Die weiße Lilie fängt das von links einfallende Licht auf, ihr Gegenstück ist die rote Pfingstrose. Doch in all der bunten Blumenpracht ist eine klare Struktur zu erkennen. In der unteren Hälfte des Straußes befinden sich die kleineren Blumen, dicht an dicht, während die größeren die obere Hälfte einnehmen und weiter auseinanderstehen. Auf den ersten Blick scheint das selbstverständlich, doch in dem hier ebenfalls abgebildeten, für Kardinal Federigo Borromeo gemalten *Blumenstrauß in einer Vase* (Nr. 53) sind die Blumen in der unteren und oberen Hälfte des Straußes gleich groß. Im *Großen Blumenstrauß* ist auch eine gewisse Symmetrie zu erkennen, bei der die Kaiserkrone etwa die Achse des ganzen Straußes bildet. Auf dem Tisch sieht man ein paar herabgefallene Blumen und einige Insekten. Durch den neutralen dunklen Hintergrund wird die Aufmerksamkeit auf das Hauptmotiv gelenkt.

Die Blumen sind sehr naturgetreu im schönsten Stadium ihrer Blüte wiedergegeben. Allerdings sind in diesem Strauß Blumen zusammengefaßt, die zu den unterschiedlichsten Jahreszeiten blühen. Jan Brueghel hat hier also keinen tatsächlich vorhandenen Blumenstrauß abgemalt, sondern diesen aus seiner Phantasie geschöpft, nach eigenem Bekunden studierte er jede einzelne Blume. Es dauerte daher Monate, bis ein solches Bild fertiggestellt war. Dieser äußerst zeitaufwendige Arbeitsprozeß gibt auch die Erklärung für die zahlreichen Repliken und Variationen, die der Künstler nach eigenen Werken schuf. Daß seine Blumenstücke den Zeitgeschmack genau trafen, beweist nicht nur die große Wertschätzung, die sie bei angesehenen Kunstliebhabern seiner Zeit, wie Kardinal Borromeo, dem Erzherzogspaar Albrecht und Isabella, dem deutschen Kaiser Rudolf II. und dem polnischen König Sigismund genossen, sondern auch die Tatsache, daß es zahlreiche Kopien – u.a. von seinem Sohn Jan Brueghel d.J. – gibt, die allerdings häufig von erheblich geringerer Qualität sind. Jan Brueghel d.Ä. gibt jeder Blume ihr eigenes Volumen, ihre ganz spezifische Gestalt, indem er feinste Pinseltupfer und feine Striche zusammenfügt und ein Blütenblatt aus den verschiedensten Abstufungen ein- und derselben Farbe entstehen läßt. Seine Nachfolger dagegen arbeiteten vielfach mit breiten Strichen, was die Blumen hart und flach erscheinen läßt.

Nach Ansicht von Klaus Ertz ist dieses Bild identisch mit dem Blumenstück, das Jan Brueghel seinen eigenen Worten zufolge für das Erzherzogspaar Albrecht und Isabella malte und das bis 1659 zur Sammlung des Brüsseler Palastes gehörte. Im selben Jahr soll das Bild dann nach Wien in die Sammlung Leopold Wilhelms gelangt sein, die den Grundstock des Kunsthistorischen Museums bildet.

Hans Devisscher

Jan Brueghel d. Ä.

(1568 Brüssel - 1625 Antwerpen)

**Blumenstrauß in einer blauen Vase
(Tulpenstrauß)**

Eichenholz, 66 × 50,5 cm
1748 in der Galerie,
Inv.Nr. 558
53 (siehe S. 223)

In diesem *Blumenstrauß in blauer Vase* dominieren rosa, rote und gelbe Tulpen. Diese Blumen, seit etwa 1560 aus der Türkei eingeführt, zuerst in Wien und später in Leiden gezüchtet, eroberten von dort aus die Niederlande und waren vom Ende des 16. bis zum Anfang des 17. Jahrhunderts sehr begehrt. Sie entwickelten sich zu einem wahren Luxusgut und Statussymbol, wurden zu sehr hohen Preisen gehandelt und waren strengen Bestimmungen unterworfen.

Dieser *Wiener Tulpenstrauß,* der früher fälschlich Roelandt Savery zugeschrieben wurde, hat mit dem *Großen Blumenstrauß in einem Holzgefäß* (Nr. 52) vieles gemein. In beiden Fällen ist der Strauß aus Blumen zusammengestellt, die zu verschiedenen Zeiten des Jahres blühen, die Blumen haben ihr eigenes Volumen, ihre ganz spezifische Gestalt, die der Künstler durch das Nebeneinandersetzen feiner Pinselstriche und -tupfer sowie durch Farbabstufungen und das Ineinanderfließenlassen von Tönen bei ein und derselben Blume erreicht. Auch hier stützt sich der Maler auf seine Naturbeobachtung und das gründliche Studium jeder einzelnen Blume. Wie beim *Großen Blumenstrauß in einem Holzgefäß* steht der Strauß auch hier auf einem Holztisch, und auch auf diesem liegen Blumen und kriechen einige Insekten. Im Gegensatz zum *Großen Blumenstrauß in einem Holzgefäß* stehen die Blumen hier in einer blauen Steingutvase, die mit einem dunklen geometrischen Muster und einem kleinen Reh verziert ist — ein Motiv, das zu jener Zeit sehr beliebt war und von Malern, die in Jan Brueghels Stil arbeiteten, oft übernommen wurde. Auch ist der Strauß höher, schmäler, weniger buschig und aus wesentlich weniger Blumen zusammengestellt. Das Kernstück ist zwar immer noch recht kompakt, wird jedoch von kleineren, weit auseinanderstehenden Blüten eingerahmt. Einige dieser Blumen und ihre Blätter sind ziemlich dunkel wiedergegeben, was der Komposition Tiefe verleiht. Zur Illusion räumlicher Tiefe trägt auch die Betonung der Stengel bei, die

manchmal die Blüten sogar überschneiden, wodurch der Eindruck erweckt wird, als stünden die Blumen weiter auseinander. War im *Großen Blumenstrauß in einem Holzgefäß* Rot die dominierende Farbe, so zeichnet sich dieser Strauß durch größeren Farbenreichtum aus. Am stärksten trägt dazu die größere Zahl gelber und weißer Blumen bei, zugleich aber auch die geringere Zahl der grünen Blätter und die Abtönung des Grün durch Mischung mit Grau. Auf diese Weise erhalten die Blätter eine ähnliche Farbe wie der dunkle Hintergrund und bringen die Blüten stärker zur Geltung.

Die stilistischen Merkmale dieses *Tulpenstraußes* zeigen, daß er nach dem *Kaiserkronenstrauß* entstanden und diesem in vieler Hinsicht überlegen ist. Bei der Festlegung der Umrißlinien des Straußes vermag sich der Künstler hier deutlicher vom Korsett geometrischer Formen zu befreien und versteht es, diese Grundform durch das Hinzufügen kleinerer Blumen gleichsam zu kaschieren. Vor allem die Tiefenwirkung ist hier besser und der Strauß steht besser im Raum. Auch die stärkere Betonung der Farben und die zurücktretende Rolle der grünen Blätter verrät die Hand des reiferen Meisters. Der Sinn für die Schönheit der Natur und die Anmut, die aus solchen Werken sprechen, haben ihre Wurzel in Brueghels Freude an Glanz und Pracht. So wurden seine Blumenstücke hoch geschätzt, ja als Wunder technischer Vollkommenheit betrachtet. Der Künstler selbst sparte nicht mit Eigenlob. So schrieb er in einem Brief an Kardinal Federigo Borromeo, den Auftraggeber seines ersten Blumenstückes: »In diesem Werk habe ich wirklich alles gemalt, wozu ich imstande bin. Ich glaube, daß noch nie so viele seltene und so viele verschiedene Blumen mit so viel Eifer gemalt wurden. Im Winter wird das ein prächtiges Bild abgeben — einige Farben erreichen fast jene der Natur.«

Hans Devisscher

Jan Brueghel d. Ä.

(1568 Brüssel - 1625 Antwerpen)

Waldlandschaft

Eichenholz, 40 × 32 cm,
1781 in der Galerie,
Inv.Nr. 1072
54 (siehe S. 225)

Als sich die Landschaftsmalerei in der flämischen Kunst allmählich zu einer eigenständigen Gattung entwickelte, widmeten sich die ersten Landschaftsmaler wie Joachim Patinier und Herri met de Bles in erster Linie der Wiedergabe weiter Panoramen, in denen Berge und Felsen dominierten. Bei Joachim Patinier sind die Felsen für gewöhnlich von sehr bizarrer Form, und der dunkelblaue Himmel wirkt oft so bedrohlich, daß der Betrachter beim Anblick der Landschaft zuweilen einen leichten Schauder empfindet. Nach und nach schwächt sich dieses Gefühl der Unruhe und die Fremdartigkeit, die von der Landschaft ausgeht, ab. Um 1590 entsteht ein neuer Landschaftstyp, der sich jedoch schon seit Jahrzehnten in der Graphik angekündigt hatte: Der Panoramaaspekt verschwindet fast ganz, und die Aufmerksamkeit wird fast ausschließlich auf den Vordergrund gelenkt. Darüberhinaus treten an die Stelle der Berge und Felsen, welche die Panoramalandschaften beherrschten, jetzt Bäume. Um von einer echten Waldlandschaft sprechen zu können, muß die Darstellung eines Waldes oder einer Waldlichtung das einzige tragende Thema des Bildes sein. Daher wird der Blick in die Tiefe bei solchen Werken auch möglichst vermieden. Zur Entwicklung dieses neuen Landschaftstyps hat Jan Brueghel d. Ä. nicht unerheblich beigetragen, ja er darf sogar als einer seiner Wegbereiter bezeichnet werden.

Die hier abgebildete Landschaft, die früher fälschlicherweise Roelant Savery zugeschrieben wurde, paßt in diese Tradition, wenngleich sie kein hervorragendes Beispiel dafür ist. Zum einen ist das Bild erst um 1605/10 entstanden und kann daher Jan Brueghels Beitrag zur Entwicklung dieser Gattung nicht belegen. Hinzu kommt, daß der Blick hier viel deutlicher in die Tiefe gelenkt wird als in seinen gelungensten Waldlandschaften, wie z.B. der *Waldlandschaft mit Bach* (Pinacoteca Ambrosiana, Mailand). Die hier besprochene Wiener *Waldlandschaft* wird an beiden Seiten von Bäumen begrenzt, die zum größten Teil vom Bildrand abgeschnitten werden. Die Laubkronen der Baumgruppe rechts reichen fast bis an den linken Bildrand. Zusammen mit dem dunklen Boden des Vordergrunds bilden sie eine dunkle Umrahmung der dahinterliegenden Landschaft, in der einige Bäume auf einem kleinen Hügel besonders hervortreten. Zusammen mit den Bäumen, die das Bild rechts begrenzen, schließen sie einen Waldweg ein, der sich allerdings schon bald im dichten Wald verliert. Auf diesem Weg sind, schon recht weit im Hintergrund, einige Figuren dargestellt, die im Vergleich zu den Bäumen so klein sind, daß man sie erst nach einigem Suchen entdeckt. Links von der etwa die Mitte einnehmenden Baumgruppe öffnet sich der Blick auf ein von kaum wahrnehmbaren Bergen umgeschlossenes Tal. Dieser Blick in die Tiefe, dem ein (wenn auch nur geringer) Platz in der Komposition eingeräumt ist, beeinträchtigt den Charakter der Waldlandschaft in gewissem Maße, betont aber andererseits durch die verschwommene Malweise und den stark beleuchteten Akzent innerhalb der Komposition die Dichte des Waldes, der immerhin den größten Teil der Bildfläche einnimmt.

Hans Devisscher

Jan Brueghel d.Ä.

(1568 Brüssel - 1625 Antwerpen)

Die Kirchweih in Schelle

Eichenholz, 52 × 90,5 cm, rechts unten auf dem Boot signiert und datiert: BRVEGHEL.1614. Erworben 1950, Inv.Nr. 9102
55 (siehe S. 226)

Das *Dorf am Fluß* (Die Kirchweih in Schelle) wird von Klaus Ertz als eine der schönsten und ausgewogensten Kompositionen Jan Brueghels d.Ä. bezeichnet. Der Aufbau des Bildes ist relativ einfach und übersichtlich. Unweit des Flußes, der sich im Vordergrund zu einer Bucht weitet und in der ein Dutzend Schiffe ankern, liegt ein Dorf. Eine stattliche Kirche mit Querschiff und einem Turm mit achtkantiger Spitze beherrscht die Ortschaft. In der Nähe der Kirche und auf der Dorfstraße herrscht rund um verschiedene Markt- und Kirmesbuden reges Treiben. Auch am Flußufer sind viele Menschen zusammengeströmt. Paare tanzen vor einem Wirtshaus, während sich andere Dorfbewohner auf einer Bank unter einem Baum niedergelassen haben. Nicht weit von ihnen, links im Vordergrund, sieht man etliche vornehme Leute, die möglicherweise mit den dort stehenden Planwagen gekommen sind. Im Vordergrund versuchen Fischverkäufer, ihre Ware an den Mann zu bringen.

Dieses Landschaftsbild läßt sich als Synthese von zwei in Jan Brueghels Oeuvre häufig anzutreffenden Typen betrachten: den Dorfansichten oder Dorfstraßen und den Flußlandschaften mit Schiffen. Es zeugt von seiner perfekt beherrschten Kunst, stimmungsvolle, natürlich wirkende Landschaften wiederzugeben, in denen sich Wirklichkeit und Phantasie auf ideale Weise die Waage halten. Bei alldem bleibt der Künstler der alten Tradition der Dreifarbenkomposition deutlich treu: Auf dem Platz im Vordergrund dominieren Brauntöne, im Mittelgrund mit seinen vielen Bäumen rings um das Dorf und den Uferwiesen ist Grün die beherrschende Farbe, und zum Hintergrund hin nehmen die Blautöne zu. Insgesamt jedoch wird die Komposition, und hier besonders der Vordergrund, durch starke Farbakzente, etwa in der Kleidung der Figuren, belebt.

Die vornehme Gesellschaft links im Vordergrund läßt sich als Jan Brueghel mit seiner Familie identifizieren. Der Mann im dunklen Gewand, mit Schnurr- und Kinnbart, die Handschuhe in der Linken und mit selbstbewußtem Blick, ist der Künstler selbst. Mit der gleichen Haar- und Barttracht und dem gleichen freimütigen Blick ist er im Porträt der *Familie Jan Brueghels d.Ä.* von Rubens wiedergegeben, das zur Princes Gate Collection der Courtauld Institute Galleries in London gehört. Die sitzende Frau mit dem Kind an der Brust ist Brueghels

zweite Ehefrau Catherina van Marienburg. Hier wird die Sache allerdings problematisch, denn 1614, im Entstehungsjahr dieses Bildes, gab es in der Familie Brueghel keinen Säugling mehr. Das jüngste Kind, Maria, 1611 geboren, war da bereits drei Jahre alt. Auf einem 1619 datierten Bild, *Bewaldete Landschaft mit Reisenden,* in der Alten Pinakothek in München, ist genau dieselbe Figurengruppe ohne Jan Brueghel und den Knaben dargestellt. Wahrscheinlich hat Brueghel bei beiden Bildern, dem von 1614 und dem von 1619, ein und derselbe Entwurf als Vorlage gedient, der nicht erhalten ist, aber 1612 entstanden sein muß. Die anderen Figuren lassen sich ohne Schwierigkeiten identifizieren. Das Kind zu Füßen von Brueghels Frau ist Catherina (geb. 1610), der kleine Junge an der Hand des Kindermädchens ist Pieter (geb. 1608), und bei dem Knaben neben Brueghel selbst handelt es sich um seinen ältesten Sohn, den späteren Maler Jan Brueghel d.J. Auch auf anderen Bildern hat der Künstler sich selbst samt seiner Familie im Vordergrund dargestellt.

Jan Brueghel d.Ä., auch »Samt-« oder »Sammet-Brueghel« genannt, war der Sohn Pieter Bruegels d.Ä. Wie sein vier Jahre älterer Bruder Pieter d.J., auch »Höllen-Brueghel« genannt, wurde auch er Maler. Seine Kunst ist allerdings viel usprünglicher als die seines Bruders, der sich in erster Linie darauf beschränkte, die Kompositionen seines Vaters nachzumalen. Jan kann auf keinen Fall von seinem Vater ausgebildet worden sein, da dieser bereits 1569, ein Jahr nach seiner Geburt, starb. Der Überlieferung zufolge haben seine Großmutter mütterlicherseits, Maria Bessemers, und Pieter Goetkint ihn in die Malkunst eingeführt. Nach ersten Lehrjahren in Antwerpen unternahm er die damals übliche Italienreise, wobei er sich nachweislich zwischen 1590 und 1596 in Neapel, Rom und Mailand aufgehalten hat. 1596 wurde er Freimeister der Antwerpener Lukasgilde, und 1609 ernannten ihn der Erzherzog Albrecht und die Infantin Isabella zu ihrem Hofmaler. Jan Brueghel, der einer der größten Maler seiner Zeit war, unterhielt enge und freundschaftliche Kontakte zu Rubens, mit dem er mehrfach zusammenarbeitete. 1625 wurde er mit drei seiner Kindern Opfer einer Pestepidemie.

Hans Devisscher

Peter Paul Rubens

(1577 Siegen - 1640 Antwerpen)

Vincenzo II. Gonzaga

Leinwand, 67 × 51,5 cm,
Fragment, Ecke rechts oben ergänzt
Erworben 1908
Inv.Nr. 6084
56 (siehe S. 272)

Unter den zahlreichen Werken, die Peter Paul Rubens während seines Aufenthalts in Italien zwischen 1600 und 1608 schuf, befindet sich nur ein großer Auftrag, den er von seinem Dienstherrn, Herzog Vincenzo I. von Mantua erhielt, nämlich der dreiteilige Altar für die Jesuitenkirche Santissima Trinità in Mantua. Ein breitformatiges Mittelbild, auf dem die *Anbetung der Trinität* durch die Familie Gonzaga dargestellt ist, wurde von zwei großen Seitenstücken, links der *Verklärung Christi*, rechts der *Taufe Christi* flankiert. Bei der Einnahme Mantuas durch die Truppen Napoleons 1797 wurde die Kirche des seit längerem aufgehobenen Jesuitenordens in ein Magazin verwandelt und das malerische Ensemble des Altars zerstört: die Seitenbilder wurden entfernt, sie befinden sich heute im Musée des Beaux-Arts in Nancy, bzw. im Koninklijk Museum voor schone Kunsten in Antwerpen, das Mittelbild erlitt solche Schäden, daß es 1801 in mehrere Teile zerschnitten wurde, von denen die beiden größten mit der zentralen Partie der Komposition und zahlreiche, seitlich falsch angestückte Fragmente später zu einem neuen Bild zusammengefügt wurden, das heute im Palazzo Ducale in Mantua bewahrt wird. Erst im Lauf der letzten Jahrzehnte tauchten weitere Bruchstücke des Mittelbildes auf; Gustav Glück entdeckte das vorliegende Bild 1908 in einer Auktion des Dorotheums in Wien und konnte es für das Kunsthistorische Museum erwerben, das Bildnis der Tochter Herzog Vincenzos I., Margarita, befand sich in der Sammlung von Ludwig Burchard in London und erst vor wenigen Jahren erschien im Kunsthandel ein weiteres Bruchstück, das wahrscheinlich Ferdinando, den mittleren der drei Söhne Vincenzos darstellt.

Das ursprüngliche Aussehen der Komposition ist nur mehr durch die Rekonstruktion zu erschließen: auf einer breiten, bühnenförmigen Terrasse, nach dem Hintergrund zu durch eine Balustrade abgeschlossen, kniet die Stifterfamilie, links die männlichen Mitglieder, Herzog Vincenzo und sein Vater Guglielmo, dahinter seine drei Söhne Francesco, Ferdinando und Vincenzo, rechts die weiblichen, Eleonora de' Medici, Herzog Vincenzos Gemahlin, dessen Mutter Eleonore, Erzherzogin von Österreich und die zwei Töchter Margarita und Eleonore.

Über den beiden Stiftergruppen halten fünf Engel eine große Kirchenfahne ausgespannt, auf der die Dreifaltigkeitsgruppe als Bild im Bild dargestellt ist. Rubens hat durch dieses Kunstmittel das Nebeneinander der zwei Realitätsebenen von irdischen Stiftern und übernatürlicher Erscheinung auf sehr elegante Weise gelöst.

Das Wiener Fragment zeigt außer dem überlebensgroßen Porträtkopf links im Hintergrund den kleinen Teil einer gedrehten und mit Weinblättern umrankten Säule, die vorderste einer Flucht von »salomonischen« Säulen, deren besonderes Bedeutungsgehalt von der tradierten Vorstellung ihrer Herkunft aus dem Tempel von Jerusalem herrührt. Rechts hinter dem Kopf des Jünglings sind Oberkörper, Schulter und rechter Arm einer weiteren Figur zu erkennen; sie ist dunkel gekleidet und hat die Rechte erhoben, um in einem Buch zu lesen oder zu beten. Durch das große Malteserkreuz auf der Brust ist in ihr Ferdinando, der mittlere der drei Brüder zu erkennen. Über die Situierung des Wiener Fragments innerhalb des ehemaligen Altarkomplexes kann damit kein Zweifel bestehen: es handelt sich um den ganz links außen knienden und somit von seinem Vater am weitesten entfernten Sohn. Ist es der älteste, der 1586 geborene Francesco, oder der jüngste, der 1594 geborene Vincenzo?

Im Nationalmuseum Stockholm befinden sich zwei gleichartig ausgeführte Zeichnungen in schwarzer Kreide und Rötel, Porträtstudien zweier Söhne Vincenzo Gonzagas, die einzigen erhaltenen Vorarbeiten für das große Altargemälde. Sie tragen alte, aber nicht ursprüngliche Beschriftungen die sie als Porträts Francescos und Ferdinandos Gonzaga bezeichnen. Jene Zeichnung, die Ferdinando Gonzaga mit einem angedeuteten Malteserkreuz darstellt, gleicht weitgehend einem Fragment mit dem Bildnis des mittleren Bruders (heute in holländischem Privatbesitz), dessen Identifizierung damit ebenso sicher erscheint, wie dessen Zugehörigkeit zu der auf dem Wiener Bild im Hintergrund sichtbaren Figur. Die andere, mit Francesco beschriftete Zeichnung stellt einen Jüngling mit zurückgeneigtem Kopf dar, der über die Schulter auf den Betrachter blickt. Diese wenig vorteilhafte Porträthaltung stimmt genau mit einem früheren Stadium des Wiener Bildes überein, das als Untermalung nur in der Röntgenuntersuchung unter dem heutigen Zustand sichtbar wird. Die verläßlich anmutende Beschriftung der Stockholmer Zeichnung scheint darauf hinzudeuten, daß auf dem Wiener Bild der älteste Sohn des Herzogs, Francesco dargestellt sei. Zum vermutlichen Entstehungsdatum des Altarbildes, 1604-1605 (begonnen wurde es vielleicht schon früher, 1602), waren die beiden älteren Söhne Vincenzos I. siebzehn bzw. achtzehnjährig. Mit Recht wurde daraufhingewiesen, daß die auf den Stockholmer Zeichnungen dargestellten Knaben sehr viel jünger aussehen, die Vorstudien daher einem ganz frühen Planungsstadium angehören müssen. Im Lauf der Entstehung des Altars hatte der Maler ihrem veränderten Aussehen Rechnung zu tragen, auch mit Umgruppierungen der Figuren muß gerechnet werden. Eine eindeutige Benennung der Dargestellten läßt sich davon nicht ableiten. Wichtiger scheint ein anderes Argument: der Vergleich mit ähnlichen venezianischen Familienvotivbildern des 16. Jahrhunderts erweist es als unmöglich, den älteren Sohn und damit Thronfolger hinter dem Jüngeren kniend oder zu seinen Füßen kauernd darzustellen. Nur der jüngste Sohn darf außerdem aus dem Bild heraus, der Anbetung durch die ganze Familie gleichsam nur unaufmerksam folgend, auf den Betrachter blicken. Somit handelt es sich wohl um das Bildnis des zur Zeit der Entstehung des Votivbildes etwa elfjährigen Vincenzo II., das Bildnis eines Knaben, obwohl von monumentaler Größe des äußeren Formats und auch der inneren Haltung, wie es der Bedeutung des Auftrags als auch der Selbsteinschätzung des seiner Mittel bereits völlig sicheren jungen Malers entspricht.

Karl Schütz

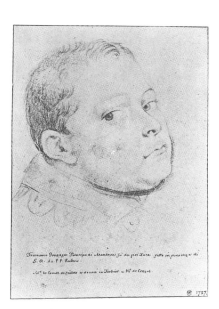

Peter Paul Rubens
Zeichnung
(Nationalmuseum, Stockholm)

134

Peter Paul Rubens

(1577 Siegen - 1640 Antwerpen)

Die Verkündigung an Maria

Leinwand, 224 × 200 cm
Erworben 1776, Inv.Nr. 685
57 (siehe S. 270)

Es ist Rubens nicht leicht gefallen, 1608 aus Italien nach Antwerpen zurückzugehen. Der Anlaß war die Nachricht von der schweren, zum Tod führenden Krankheit seiner Mutter, die ihn im Oktober in Rom inmitten der hektischen Arbeit an der Chordekoration der Chiesa Nuova erreichte. Als er in Eile – die Pferde waren schon gesattelt – nach Mantua schrieb, um seine Abreise anzukündigen, hoffte er noch, bald zurückkehren zu können – er sollte jedoch Italien nie mehr betreten. Rubens kam in eine wirtschaftlich darniederliegende Stadt zurück, die durch den schon Jahrzehnte andauernden Krieg Spaniens gegen den vom Mutterland abgefallenen, nördlichen, protestantischen Teil der Niederlande an ihrem Lebensnerv getroffen war: die Generalstaaten hatten die Mündung der Schelde durch eine Blockade gesperrt und damit die im 16. Jahrhundert bedeutendste Handelsstadt Westeuropas an den Rand des wirtschaftlichen Ruins gebracht. Rubens' Rückkehr fiel jedoch mit dem Abschluß eines auf zwölf Jahre terminierten Waffenstillstands zwischen den Kontrahenten zusammen, während dessen es den souveränen Regenten der südlichen Niederlande, dem Erzherzog Albrecht und der Infantin Isabella Clara Eugenia, trotz Rücksichtnahme auf die spanische Politik gelang, den ökonomischen Aufschwung des Landes in die Wege zu leiten.

Für den Entschluß Rubens', in Antwerpen zu bleiben, mag dies, zusammen mit der Ernennung zum Hofmaler des erzherzoglichen Paares und familiären Gründen – er heiratete 1609 Isabella Brant –, entscheidend gewesen sein. Rubens, durch dessen ganzes Leben sich wie ein roter Faden Äußerungen des Mißbehagens über das Leben bei Hof mit seinen Intrigen und Eitelkeiten ziehen, hatte sich jedoch ausbedungen, in Antwerpen bleiben zu dürfen und nicht in die Residenz nach Brüssel ziehen zu müssen.

Rubens hatte in Antwerpen sofort großen Erfolg, sozial wie professionell: Aufträge strömten ihm zu. Wahrscheinlich hat kaum je ein Künstler weniger um äußere Anerkennung kämpfen müssen als Rubens. Sicherlich war ihm sein älterer Bruder Philipp – bis zu dessen frühem Tod 1611 Stadtschreiber von Antwerpen – beim Herstellen der Kontakte behilflich. Ebenso nützlich wohl auch Rubens' freundschaftliche Beziehungen zu dem großen Verleger Balthasar Moretus, dem Besitzer der Plantin'schen Presse, der zur Verbreitung seiner Kunst durch die Druckgraphik entscheidend beitrug, zu Nicolaas Rockox, dem Antwerpener Bürgermeister, oder zu dem Textilmagnaten Cornelis van der Geest, aus deren Einflußbereich die ersten größeren Aufräge an Rubens nach seiner Rückkehr aus Italien kamen. Um den rasch steigenden Bedarf nach Bildern befriedigen zu können, scharte Rubens eine Reihe von Mitarbeitern und Schülern in einer ökonomisch organisierten, arbeitsteiligen Werkstatt um sich.

Hatte Rubens schon in Italien für die Jesuiten gearbeitet, so intensivierte sich seine Beziehung zu diesem durchschlagskräftigsten Orden der Gegenreformation im Laufe des zweiten Jahrzehnts, dies sicherlich gefördert von Rubens' Freundschaft mit dem Rektor des Antwerpener Kollegs, dem Humanisten und Physiker Franciscus Aguilonius, dessen optischen Traktat Rubens 1613 für die Plantin'sche Presse illustrierte.

So kommt auch Rubens' Wiener *Verkündigung* aus der »Großen lateinischen Sodalität«, der vom Antwerpener Jesuitenkolleg geleiteten, 1609 eingerichteten Gelehrtenkongregation. Als Altarbild schmückte sie deren unteren Saal. 1776 wurde das Bild um 2.000 Gulden für die kaiserliche Galerie in Wien angekauft.

Mit vehementem Schwung – sein Gewand weht gleichsam im Gegenwind über die Flügel – scheint der Engel Gabriel in das enge Gemach Mariä eingedrungen zu sein: die traditionelle Geste der Jungfrau, sonst biblisch interpretiert als bescheiden-ungläubige Abwehr der ihr zugedachten Aufgabe, ist als physisches Erschrecken vor dem elementaren Einbruch des Engels in die irdische Sphäre verständlich. Maria und Gabriel reagieren mit leidenschaftlicher physischer Bewegung auf das spirituelle Geschehen. Verstärkt wird die Vehemenz der Engelsbotschaft durch die die Taube des Hl. Geistes begleitende Lichtflut. Der verführerische Charme des Engels mit den golddurchwirkten Locken, die warme, kostbar changierende Farbigkeit seines Gewandes ist der Strenge, der Zurückhaltung, dem kanonisch einfachen Blau-Weiß der Madonna gegenübergestellt. Die besondere hierarchisch-hieratische Farbigkeit hat Forscher darüber spekulieren lassen, ob hier Theoreme aus Aguilonius' Farbenlehre in dessen von Rubens kurz danach illustriertem optischen Traktat präfiguriert wären.

Nicht nur auf Grund der 1609 erfolgten Gründung der jesuitischen Gelehrtenkongregation, auch mit stilistischen Vergleichen läßt sich die Wiener *Verkündigung* in die Zeit unmittelbar nach Rubens' Rückkehr aus Italien datieren. Enge Beziehungen verbinden das Bild sowohl mit den letzten italienischen Werken wie dem Hochaltarbild der Chiesa Nuova in Rom und dem zugehörigen Modello in der Wiener Akademie-Galerie als auch mit der *Disputation über die Eucharistie* in der Dominikanerkirche von Antwerpen von circa 1609. Die italienische, »venezianische« Farbigkeit, die matt schimmernden Inkarnate finden sich ebenso im Doppelporträt des Rubens mit seiner Frau Isabella Brant, der *Geißblattlaube*, in der Alten Pinakothek in München, die sicher ganz am Anfang von Rubens' Ehe (Oktober 1609) gemalt wurde. Nichts ist noch zu sehen von der brillanteren, kühlen Farbigkeit, den wie von Perlmutt überzogenen Inkarnaten der Werke um 1612/13.

Wolfgang Prohaska

Peter Paul Rubens

(1577 Siegen - 1640 Antwerpen)

Beweinung Christi

Eichenholz, 40,5 × 52,5 cm
Bez. links außen: P.P.RVBENS
F.I.6.I.4.
1659 in der Galerie
Inv.Nr. 515
58 (siehe S. 266)

Rubens' sogenannte *Kleine Beweinung* ist nicht leicht in eine bestimmte Werkkategorie einzuordnen. Sie ähnelt im Format, auch zum Teil in der lockeren Malweise, den Skizzen, den Modelli für größere Altarbilder: und wirklich gibt es ja auch mehrere großformatige Ausführungen dieser Komposition, die beste wohl in der Fürstlich Liechtenstein'schen Sammlung zu Vaduz. Ihr äußerer Anspruch geht jedoch, abzulesen etwa an der bei Rubens überhaupt so raren und bei seinen Skizzen ganz ungewöhnlichen Signatur (P.P.RVBENS F.I.6.I.4.), aber auch künstlerisch an der Konzentration, an der Ausgeführtheit im Detail, an der inneren Monumentalität, über den bei Skizzen üblichen Modus hinaus. Tatsächlich ist auch in den Inventaren des 17. Jahrhunderts keine Rede von der Kleinheit des Bildes. Ein Andachtsbild für den privaten Gebrauch, mag es vielleicht auch die Funktion eines kostbaren »Reisealtärchens« erfüllt haben.

Wie in einem Brennspiegel konzentriert sich die Leidensgeschichte des Herrn, seine Erlösungstat in der Beweinung. Der Leichnam liegt, gelöst und starr zugleich, auf gebündelten Getreidegarben — wohl erinnernd an die eucharistische Bedeutung von Christi Opfertod — und dem weißen Grabtuch. Sein Oberkörper wird gehalten von Maria, die dem Sohn die Augen schließt, sein noch vom Kreuzbalken gestreckter Arm liegt auf dem Schoß der jugendlich schönen Maria Magdalena, die in anrührender Schmerzesgeste ihr blondes Haar ringt. Rechts von Maria der Lieblingsjünger Johannes, der die Gottesmutter hilfreich stützt. Rechts außen die in differenziertem Ausdruck des Schmerzes, der Sorge gegebene

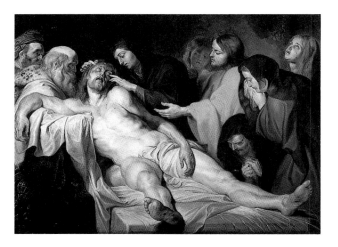

Peter Paul Rubens
Beweinung Christi
(Sammlung des regierenden Fürsten von Liechtenstein, Vaduz)

Gruppe der drei weiteren Frauen, in einem Inventar des 17. Jahrhunderts Maria Kleophas, Maria Joses und Maria Salome genannt. Im Hintergrund ist die Grabeshöhle sichtbar. Links unten am Bildrand liegen in einem goldglänzenden Messingbecken der Essigschwamm, der während der Kreuzigung den Durst des Herrn lindern half, rechts davor die Dornenkrone und die vier blutbefleckten Kreuzesnägel.

Rubens' stets waches Augenmerk auf die Darstellung und Differenzierung der Affekte, die den Betrachter nach gegenreformatorischer Forderung zum Nachvollzug des Heilsgeschehens ergreifen müssen, die brillante malerische Faktur, die kostbar erscheinen läßt, was dem über die Leidensgeschichte meditierenden Gläubigen der Verehrung würdig sein soll und damit als Ziel der Andacht geeignet ist, sind in diesem für die private Betrachtungsfrömmigkeit geschaffenen Bild exemplarisch vorgeführt. Sinnlich anziehend wird jede thematisch bedeutsame Einzelheit so herausgearbeitet, daß sie in der Art ignatianischer Kontemplationsübungen Ausgangspunkt für die nachvollziehende Betrachtung der Passion werden kann — dies aber, ohne die geschlossene, ruhige Komposition in ihrer Wirkung zu sprengen: nicht umsonst versicherte sich Rubens für deren Anlage der klassischen Vorbilder der Alten Niederländer, Dürers, aber auch Raffaels.

Die Bedeutung eines solchen Bildes liegt gerade in der bewunderungswürdigen Kongruenz des gedanklichen Programms, der exhortativen Funktion der religiösen Malerei in der Gegenreformation, mit dem künstlerischen Konzept einer Verbindung von Idealität und Illusion greifbarster Wirklichkeit. Ideal ist die klassische Form der Komposition, aber auch der die Wirklichkeit übersteigende Anspruch der Personen, einer Menschheit, deren Körper nach Rubens' eigenen Worten »nicht in Jahrhunderten greisenhafter Entkräftung durch Unglücksfälle und infolge aufgekommener Laster heruntergekommen sind«. Natürlich und wirklich sind seine Gestalten, weil sie mit warmem Leben erfüllt und greifbar, aber auch ergriffen sind von den Leidenschaften.

Rubens' Malerei zeichnet sich nicht nur durch die geglückte Verbindung von Idealität und Natürlichkeit aus, seiner Kunst eignet in höchstem Maß die Angemessenheit an die gestellte Aufgabe. So wie er die (in unseren Museen denaturierten, weil dem Betrachter zu nahe gerückten) Riesenbilder von Menschen bevölkert sein läßt, die sich mit ausfahrenden Gesten, aufgerissenen Augen, gesträubten Haaren »verständigen« müssen, die aber — wie der unnatürlich-natürliche Schauspieler auf der Bühne — vollkommen natürlich sind, sieht man sie aus gebührender Entfernung in der Kirche, in weiten Festräumen, so dämpft Rubens in der *Kleinen Beweinung* die innere und äußere Bewegung auf das für die nahe Betrachtung zuträgliche Maß.

Wolfgang Prohaska

Peter Paul Rubens

(1577 Siegen - 1640 Antwerpen)

Die Himmelfahrt Mariens

Eichenholz, 458 × 297 cm
Erworben 1776, Inv.Nr. 518
59 (siehe S. 267)

Peter Paul Rubens
Himmelfahrt Mariens
(Eremitage,Leningrad)

Peter Paul Rubens
Himmelfahrt Mariä
(Buckingham Palast,London)

Die Wiener Version der *Himmelfahrt Mariens* — ein von Rubens mindestens zwölf Mal verbildlichtes Sujet — ist das erste monumentale Altarbild der Reihe und hat eine komplizierte Entstehungsgeschichte. Die riesige Tafel war wohl ursprünglich nicht für den Ort gedacht, an dem sie — vor ihrer Ankunft in den Wiener kaiserlichen Sammlungen 1776 — seit etwa 1621 für rund 150 Jahre lang Platz gefunden hatte: in der Houtappel-Kapelle der Antwerpener Jesuitenkirche. Die Entstehung der Wiener *Assunta* hängt mit der langen Auftragsgeschichte für das »neue« Hochaltarbild der Antwerpener Kathedrale zusammen, das Rubens schließlich um 1625/26 malte.

Seit 1585 hatte den Hochaltar der Kathedrale eine *Anbetung der Hirten* von Frans Floris geschmückt, die jedoch der Gärtnerzunft gehörte, zuvor in deren Kapelle hing und nur an den Hochaltar transferiert wurde, weil die ursprünglich dort befindliche *Himmelfahrt Mariens*, ebenfalls von Floris, 1581 in Folge des calvinistischen Bildersturmes zerstört worden war. Im Frühjahr 1611 erschienen, zu unterschiedlichen Terminen, Rubens' Lehrer Otto van Veen und Rubens selbst vor dem Domkapitel und präsentierten Modelli für das nun offensichtlich projektierte neue Hochaltarbild: Van Veen zeigte eine *Marienkrönung*, Rubens zwei unterschiedlich konzipierte Varianten einer *Himmelfahrt Mariens*. Das Domkapitel konnte sich jedoch noch nicht entscheiden. Der Plan für ein neues Hochaltarbild der Kathedrale war aber keineswegs aufgegeben: denn im Frühjahr 1613 verlangte die Gärtnerzunft ihr altes Altarbild, die *Anbetung der Hirten* von Floris, zurück, eine Forderung, die nur Aussicht auf Erfolg haben konnte, wenn wirklich ein neues Hochaltarbild erwartet wurde. Die Gärtner verfolgten die Verhandlungen um das Altarbild auch späterhin voll Aufmerksamkeit: im Februar 1618 präsentierte Rubens wieder zwei Modelli für den Hochaltar; aber schon einen Monat zuvor hatte sich das Domkapitel erneut mit einer Petition der Gärtnerzunft beschäftigen müssen, die ihr Bild restituiert haben wollte. Der endgültige Auftrag an Rubens erging 1619, ausgeführt hat er die in situ befindliche *Assunta* jedoch erst Mitte des folgenden Jahrzehnts.

Der Grund, warum man die Wiener *Himmelfahrt* aus der Antwerpener Jesuitenkirche mit der geplanten *Assunta* in der Kathedrale zusammenbringen konnte, liegt einmal in der Existenz von zwei untereinander und mit der Wiener Version eng verwandten Modelli in der Leningrader Eremitage und in königlich britischem Besitz in London (Buckingham Palace), die stilistisch um 1611/12 datiert werden können und eine *Marienkrönung* bzw. eine *Marienhimmelfahrt* zeigen. Das Wiener Bild übernimmt aus der Leningrader Version die Gruppe der Jünger und Frauen vor dem Felsengrab Mariä, die in einem Engelsschwarm auffahrende Maria selbst stammt aus der Komposition im Londoner Buckingham Palace; letztere zeigt in der unteren Hälfte die späterhin bei Rubens übliche Anordnung der staunenden Jünger um einen Steinsarkophag. Man hat zumindest das Leningrader Bild, tentativ auch die englische Version, mit jenen Modelli identifiziert, die Rubens im April 1611 dem Kapitel der Antwerpener Kathedrale vorlegte.

Zum Anderen läßt sich auch die Wiener *Himmelfahrt Mariens* stilistisch mit gutem Recht um 1613 datieren. Rubens hoffte also um diese Zeit offensichtlich auf den Auftrag der Kathedrale und vollendete weitgehend die (später Wiener) *Himmelfahrt*. Aus Gründen, über die man nur spekulieren kann: es mag die schlechte finanzielle Situation des Kathedralkapitels ursächlich gewesen sein oder die Vorstellung, das zwischen 1612 und 1614 von Rubens vollendete riesige Triptychon mit der *Kreuzabnahme* für den Altar der Schützenkompanie in der Kathedrale hätte diesem Hochaltarbild Konkurrenz machen können —, wurde Rubens' *Assunta* nicht akzeptiert oder vielleicht auch von Rubens selbst zurückgezogen (wir kennen Rubens' negative Reaktion auf eigene Werke, wenn sie ihm am Aufstellungsort nicht gefielen, von der Zurücknahme des ersten Hochaltarbilds für die Chiesa Nuova in Rom). So scheint diese *Himmelfahrt Mariä* im Atelier des Malers geblieben zu sein, wahrscheinlich bis etwa 1620. Am 29. März diesen Jahres wurde der Kontrakt zwischen Rubens und dem Präfekten des Antwerpener Profeßhauses der Gesellschaft Jesu über den Auftrag für die 39 Deckenbilder in den Seitenschiffen und Emporen der Jesuitenkirche abgeschlossen: im dritten Artikel verpflichtete sich Rubens, für einen der vier Seitenaltäre der Kirche ein weiteres Bild auszuführen; es wird ihm jedoch freigestellt, statt dessen die Modelli für die Deckenbilder dem Präfekten abzuliefern. Ökonomisch wie Rubens immer war, entschied er sich sichtlich für ersteres und lieferte die wohl weitgehend fertige, aber schon einige Jahre alte *Himmelfahrt Mariä* für die an das rechte Seitenschiff anschließende Marienkapelle der Jesuitenkirche.

Aber auch in Wien kam das Bild vorerst nicht zur Ruhe. Als sich die napoleonischen Truppen 1809 Wien näherten, flüchtete man die meisten Bilder der kaiserlichen Gemäldegalerie. Eine Reihe von vor allem großformatigen Gemälden mußte jedoch im Oberen Belvedere zurückgelassen werden, wo sie Vivant Denon, der französische Kunstkommissär, beschlagnahmte. Rubens' *Himmelfahrt Mariä* wurde, in drei Teile zersägt, nach Paris abtransportiert. Erst nach 1815 ist sie wieder nach Wien zurückgekehrt. Habent sua fata...

Die Szene der *Himmelfahrt Mariä* ist — dem Bericht in der »Legenda Aurea« folgend — im Gräbertal Josaphat lokalisiert. Links sind drei Jünger damit beschäftigt, die Steinplatte wieder vor das Höhlengrab zu wälzen, auf der im Leningrader Modello zur Verdeutlichung der Name Mariens eingemeißelt ist. Die Aufmerksamkeit der anderen Beteiligten in der linken und rechten Gruppe ist geteilt: die einen betrachten staunend die Rosen und Lilien, die anstelle der Toten im leeren Grab gefunden worden waren, die anderen wenden sich himmelwärts, wo der Schwarm der Engelsputten die Jungfrau emporträgt.

Rubens hat erst in der endgültigen, heute sichtbaren Fassung die untere Zone in zwei Gruppen geteilt; im

Peter Paul Rubens
Himmelfahrt Mariens (Ausschnitt)

Modello in Leningrad und noch in einer ersten Phase der Ausführung (erkennbar in den Röntgenaufnahmen und an einem bei einer Reinigung zu Tage getretenen Fuß in der Mitte des Bildes) glich die untere Zone einer Figurenmauer. Dann wurde der aus dem Leningrader Modello übernommene Jünger in der Mitte übermalt. Wie häufig bei Rubens ist zu beobachten, daß der Maler in der endgültigen Ausformung im großen Format auf die eindeutige, klare »Lesbarkeit« des bildlichen Textes aus einer größeren Entfernung, in einer Kirche etwa, Wert legte und daher eine deutlich gegliederte Massenverteilung bevorzugte, auch wenn dabei im Detail (Blickkontakte der Frauen in der Mitte) Unstimmigkeiten auftraten. Es ist wahrscheinlich, daß Rubens Einzelheiten in der oberen Zone veränderte, als er das Bild für seinen neuen Aufstellungsort »herrichtete«; auch scheint er dann den oberen Abschluß rundbogig beschnitten zu haben. Wie bei einem Werk zu erwarten, das offenbar über mehrere Jahre hin in Arbeit war und verändert wurde, stehen stilistische Züge nebeneinander, die einerseits an Rubens' frühe 2. Antwerpener Zeit erinnern, wie die herkulischen Apostelfiguren links oder die Gewandfarbigkeit der beiden Frauen in der Mitte mit ihren changierenden Tönen, andererseits auf Werke um 1615 vorausweisen. Gerade auch an den Frauentypen läßt sich der Wandel deutlich sehen: die beiden Aufblickenden in der Mitte schließen in ihrer malerischen, »sentimentalischen« Attitüde noch an die Stilstufe um 1611/12 an, die junge Frau links davon zeigt schon den kühleren, glatteren Frauentypus der »klassizistischen« Werke um 1613/15.

Im Vergleich mit den gegen die Mitte des zweiten Jahrzehnts zu entstandenen *Himmelfahrten Mariens* des Rubens in Brüssel und Düsseldorf, die die hier angelegten Motive logisch und ökonomisch zugleich weiterentwickeln, wirkt das Wiener Bild noch statisch, additiv, detailreicher, den Gläubigen und Kunstfreund zu sukzessiver, schrittweiser Betrachtung anleitend, während ihn die drei oder vier Jahre späteren Fassungen in ihrer Dynamik, in der sich in der Diagonale entwickelnden Dramatik des Bildgeschehens mitreißen werden.

Wolfgang Prohaska

Peter Paul Rubens

(1577 Siegen - 1640 Antwerpen)

Capriccio

Eichenholz,
30,3 x 49,8 cm
1685 in der Galerie (?),
Inv. Nr. 3582
60 (siehe S. 272)

Das im Bestand der kaiserlichen Gemälde in Prag seit 1685 namenlos überlieferte Bild feiert hier seine Erstveröffentlichung und Auferstehung als ein Werk von Rubens. In dessen Nachlaß ist es nicht zu identifizieren, ist aber, wie anderes auch, vermutlich doch damals erworben worden und jedenfalls schon vor 1685 in die kaiserliche Burg in Prag gelangt. Erst mit den letzten Bildern kam es vor nicht ganz hundert Jahren von dort nach Wien, hieß hintereinander Vinckeboons, Mirou, Lucas bzw. Frederick van Valckenborch und wurde zuletzt mit der Bezeichnung »Niederländisch« als unbestimmbar aufgegeben. Seit drei Jahren erst hängt es, aus der Sekundär- in die Primärgalerie verbracht, mit seiner neuen Bezeichnung zwischen den beiden anderen Wiener Landschaften von Rubens.

Die Beschäftigung mit ihm begann vor ein paar Jahren mit der Frage nach einem unerklärlichen Detail, das in dem wenig beachteten Bild noch niemand aufgefallen war. Es hieß seit 1685 *Pauli Bekehrung*, und der inmitten gestürzter Pferde und Reiter am Boden liegende, mit erhobenen Armen halb vernichtet Aufschreckende kann auch nur Saulus/Paulus sein: die Beziehung zwischen ihm und der blendenden Himmelserscheinung, dem was oben und unten geschieht, ist so elementar ausgedrückt, daß kein Zweifel über das Thema möglich ist. Seltsamerweise aber zeigt sich im Licht des aufbrechenden Gewölks nicht die zu erwartende Gestalt Christi, sondern, als Knochenmann die erhobene Sense schwingend, in drohend ausholender Bewegung der Tod. Dieses nirgendwo eine Parallele habende Motiv machte das Bild hochinteressant. Dazu kam, als ganz unüblich, die nächtliche Situation, das wie in einer Blitzerscheinung mit hell aus dem Dunkel gerissenen Einzelheiten halb erleuchtete irdische Lokal mit wilder, wüster, schauerlicher, ja grausenvoller Szenerie, halb phantastisch, halb großartig packende Realität. Aus dem Bild sprach eine in schreiendem Widerspruch zu seiner Anonymität stehende Kraft und Genialität, ja dämonische Leidenschaftlichkeit, die ihresgleichen suchte. Als sich dann, zufällig, auf einer in Hamburg verwahrten Zeichnung, Kopie nach einem Studienblatt Rubens' nach stürzenden Pferden aus Jost Ammann, zwei der Pferde des Bildes wörtlich genau wiederfanden, bedurfte es nur noch einer aufregenden, angestrengten halben Stunde, bis die letzten Zweifel überwunden waren; und die Welt besaß einen neuen Rubens.

Es scheint freilich zunächst, als Landschaft, beinahe ein Rubens avant la lettre. Denn sowohl das phantastisch schroffe, deutlich Saverys bestaunte Tiroler Mitbringsel und Neuerungen »imitierende« Gebirge, das noch eine vorbarocke Standardvorstellung des Gegenstandes erfüllt, wie auch das »naturalistische«, eine italienische Erfindung Jan Brueghels sich »ausleihende« Motiv des unterholzbewachsenen Arco naturale, wären zu einem späteren Zeitpunkt bei Rubens nicht mehr möglich. Aber das dunkle Tor unter dem Arco findet sich als Motiv auf der frühen »Palatin«-Landschaft, und mit den Motiven des (einem herausströmenden Wildbach Konkurrenz

machenden) Weges, der sperrigen nackten Wurzeln und Äste wirkt der ganze rechte Teil, samt Gebirge und Arco, als anschaulicher Inbegriff unwegsamer Wildnis und Wüstenei so sehr als schöpferische Vision, daß hinter dem gewaltsamen Zusammenriß zu dramatischer Einheit das Kombinierte und Zusammengesetzte der Motive erst nachgewiesen werden muß. Dagegen ist das Strahlen aus sich schießende Himmelsloch, wo mit dikkem in Licht getauchtem Pinsel gerahmtes Gewölk zum Epiphaniefenster auseinandergeschoben ist, geradezu kongruent auf einem Paulussturz derselben Jahre in London anzutreffen: die gleiche Öffnung, die gleichen gelben und bleigrauen Farben, die gleiche Faktur und Hand. Und die Rubens eigene malerische Freiheit und Fülle, plastisch und koloristisch, setzt sich von einer zur andern Ecke als fließendes, strömendes, immer schöpferisch aus sich tätiges Kontinuum durch das ganze Bild fort. Nichts mehr von jener pimpeligen, kläubelnden Kabinett-Pinselei eines Savery und der auch nicht viel freieren eines Jan Brueghel sowie des ganzen älteren Zusammenhangs. Es ist der Atem einer neuen Großzügigkeit, eines kommenden flämischen Barockstils. Ein Kraftstück großer Malerei in kleinem Format.

Noch ist der die Hippe schwingende Tod nicht erklärt. Da er kein ikonographisches Motiv, sondern ein einmaliger Einfall ist, hilft hier nur die Überlegung, welche Rolle ihm in der dramatischen Bilderzählung zukommt, und da ist Antwort auch zu finden. Rubens' Vorstellungen nach der Rückkehr aus Italien rangen in Zeichnungen, Skizzen und Gemälden vorzugsweise um die Formulierung wildbewegter Massenszenen von Reitern und Pferden, weshalb Themen wie der Untergang Sanheribs und besonders immer wieder die Bekehrung Pauli Favorit waren. Es scheint, daß Rubens in jenen Jahren sein im italienischen Schönheits-Maß nicht aufgehendes Temperament ungehemmt zur Herausbildung ihm gemäßerer, persönlicherer, »flämischerer« Stil-Normen auf die Suche schickte. Anders ist der Kontrast von so unbekümmert »unschönen« Experimenten wie solchen Paulus-Stürzen (etwa im Städelschen Institut in Frankfurt, dort noch als »Elsheimer« verkannt, oder in der ehemals Graf Seilernschen Sammlung) und ähnlichen Themen mit dem, was er in Italien machte, nicht erklärlich. Hinzu kam ein weiteres — der hinter solcher Suche nach neuen Ausdrucksformen stehende neuartige Inbegriff, den Rubens von der »Natur«, wohl besonders seit den Seneca-Studien mit seinem Bruder bei Justus Lipsius, bekommen hatte und zu welch letzterer er sein künstlerisches Ingenium wohl als Analogon betrachten konnte. Leidenschaft als Naturkraft, sich mit elementarer Gewalt in menschlichen Aktionen auswirkend und betätigend, war das vorzügliche Thema seiner Studien, und dem kamen die Tumult-Szenen des Paulussturz-Themas als Aufgaben formaler Bewältigung heftigster Bewegung von Menschen und Tieren auch von künstlerischer Seite entgegen.

Aber noch hatte Rubens sich kaum je in der Landschaft versucht. (Auch später noch nahm diese als Gat-

Jan Bruegel d. Ä.
Kopie nach *Capriccio*

tung eine Sonderstellung bei ihm ein — er hat sie vorzugsweise für sich selber gemalt.) Die Idee aber, das Paulus-Thema als Auswirkung eines von einer himmlischen Erscheinung ausgehenden »tödlichen Schreckens« zu gestalten, womit auch das andere Thema zu verbinden war, das der Leidenschaft auch der Natur selbst, mit »Blitz«-Erscheinung, nächtlicher Vergilischer oder Lucanischer Szenerie mit starrendem Gebirge, Wüstenei und aller Großheit, die epischer Stil als genus grande et sublime imaginieren ließ: eine solche Idee steht hinter unserem Bild, das nur bedingt eine »Landschaft« ist und, mit dem Tod im Gewölk, auch kein Paulussturz, sondern ein *Capriccio*. Ein Nebenwerk Rubens' in seiner Suche nach dem neuen Stil, um 1610-13 entstanden, kurz vor seiner ersten großen, das Leidenschaftsthema in der Natur als »Weltuntergang« fassenden Landschaft des Wiener *Gewittersturms mit Philemon und Baucis*. Aber ein so genial das Ganze dieses »Nächtlichen Schreckens« enthaltendes Detail wie das auf taghell erleuchtetem Feld reiterlos vorbeisprengende schwarze Pferd mit dem Glanzblitzen um die Vorderhand — letzteres gleichsam Rubens' »Sphragis« und »Manuproprium« — erweist seine auch noch im Kleinsten tätige schöpferische Energie.

Klaus Demus

Peter Paul Rubens

(1577 Siegen - 1640 Antwerpen)

Die vier Weltteile

Leinwand, 209 × 283 cm,
allseitig beschnitten
1685 in der Galerie,
Inv.Nr. 526
61 (siehe S. 268)

Es wäre nicht verwunderlich, würden wir eines Tages aus Archivalien erfahren, dieses große Bild sei für den »großen Salon« eines reichen Antwerpner Handelsherrn gemalt worden, vielleicht sogar für den Ehrenplatz über dem Kamin, was nach den Maßen zu schließen, durchaus möglich wäre. Das dargestellte Thema, die vier (damals bekannten) Erdteile in Gestalt von vier Frauenfiguren, jede in Gesellschaft eines Flußgottes, schien wie geschaffen, das Haus eines weltweit Handel treibenden Kaufmannes zu schmücken, und solche Kaufleute gab es zu Rubens' Zeit in Antwerpen noch in großer Zahl.

Obgleich hier etliche der bei der Darstellung der vier Kontinente üblicherweise verwendeten Attribute fehlen, ist die Identität der Figuren doch unschwer zu erkennen. Links oben sehen wir Europa in Gesellschaft einer Männergestalt mit üppigem Haar und Bart, die sie verliebt zu betrachten scheint: die Personifizierung der Donau, des größten und längsten Stroms des Kontinents. Als einziger der Flußgötter hält er ein Ruder in der Hand und verweist damit auf die Schiffahrt als eine höhere Stufe der Zivilisation. Auch das Segel, das die Komposition wie ein Vorhang oben abschließt und die Taue links und rechts der beiden Figuren spielen auf die Schiffahrt an. Europa gegenüber, etwa auf gleicher Höhe, Asien, die – wie in der damaligen Ikonographie üblich – eine ebenso hellhäutige Frau ist wie die Europa. Sie schmiegt sich an die rechte Schulter eines älteren Flußgottes, des Ganges. Vorne links, unterhalb Europas und der Donau, sieht man den kräftig modellierten Rücken des Nil. Auf dem Haupt trägt er einen Kranz aus Ähren und Maiskolben, mit dem rechten Arm umfaßt er den Rücken Afrikas, in Gestalt einer schönen Negerin. Diesem Paar schräg gegenüber, durch Asien teilweise verdeckt, sieht man, mit exotischen Früchten bekränzt und in der Hand wohl eine Kokosnuß haltend, einen weiteren Flußgott, welcher der ikonographischen Tradition entsprechend den Rio de la Plata (oder den Amazonas?) verkörpert. Neben ihm die jüngste der vier weiblichen Allegorien, die träumerisch-erstaunt aufblickende Amerika.

Rubens' Darstellung der vier Erdteile weicht hier von der spezifischen Ikonographie ab, wie sie in der zweiten Hälfte des 16. Jahrhunderts schon recht feste Formen angenommen hatte: danach waren die Figuren Afrika und Amerika nackt, Europa und Asien aber reich gekleidet, die Figur Europas mit einer Kaiserkrone, die Asiens mit einem Turban. Hier werden alle vier Weltteile gleichermaßen nackt dargestellt. Sie sollten offenbar mehr die Natur als die unterschiedliche Kultur der Erdteile verkörpern. Auch ist anzumerken, daß Amerika im Gegensatz zur gebräuchlichen Ikonographie nicht als eine mit Axt oder Pfeil und Bogen bewaffnete »Wilde« mit Federn im Haar erscheint.

Man kann sich fragen, ob das Bild nicht eher »die vier großen Ströme der Erde« heißen sollte, da die weiblichen Personifikationen der Kontinente hier mehr die Rolle von Begleiterinnen oder Gefährtinnen der Flußgötter spielen. Auch muß auf die oft geäußerte Interpretation hingewiesen werden, die Komposition in ihrer Gesamt-

heit sei als Huldigung an das lebensspendende Element des Wassers zu verstehen. Nicht nur die Figuren, die an einem Ufer lagern, auch das Schilf und dahinter der Ausblick auf den Ozean, der bronzene Krug, gegen den sich Ganges lehnt und die umgestürzte monumentale römische Vase, beides unzweifelhaft Quellsymbole (auch aus dem Krug fließt Wasser) geben einer solchen These recht.

Für die Interpretation des Bildes sind auch die Tiere im Vordergrund von Bedeutung: links ein Krokodil, rechts eine Tigerin, die zwei Junge säugt. Das Krokodil wird allgemein mit Afrika in Verbindung gebracht, die Tigerin mit Asien, genauer gesagt mit Indien. Am Rand des Wassers, vorne rechts, finden sich noch einige angespülte Muscheln und eine Krabbe.

Es ist wenig wahrscheinlich, daß Rubens je ein lebendes Krokodil mit eigenen Augen gesehen hat. Seine Darstellung des Tieres stützt sich sowohl auf ihm bekannte antike Skulpturen, als auch auf ausgestopfte Exemplare, wie sie damals mancherorts in Naturalienkabinetten zu finden waren. Auch daß er je einen lebenden Tiger gesehen hat, ist kaum anzunehmen. Dennoch gibt er dieses Tier sehr naturgetreu wieder. Was dessen Form und Haltung anbelangt, ist das Vorbild offenbar eine kleine Renaissancebronze (aus Padua?), ihrerseits wiederum die Kopie einer antiken Skulptur und auch ein Tigerfell, das er vielleicht selbst besaß. Mit Sicherheit hat er dagegen einen oder mehrere Löwen gesehen und aus verschiedenen Blickwinkeln gezeichnet. Dies mag ihm zum Bild verholfen haben, wie wilde Tiere sich bewegen und in der Natur verhalten.

Jedenfalls bezeugen die Darstellungen der Tiere in diesem Bild Rubens' außerordentliche Vorstellungskraft, die ihn befähigte, unbelebtes Material in höchst vitale Wesen umzusetzen.

Das Gleiche macht er im Grunde auch, wenn er bestimmte Haltungen menschlicher Figuren antiken Skulpturen entlehnt. Die um das Krokodil herumtollenden Kinder sind von einem gleichartigen Motiv auf dem Sockel der antiken Statue des Flußgottes Nil inspiriert, die sich noch heute im Vatikanischen Museum befindet. Mit welch sprühender Lebendigkeit aber sind diese Kinder dargestellt! Der schelmisch hinter dem Krokodil hervorlugende Lockenkopf links ist wahrscheinlich Rubens' ältester Sohn Albert, »Albertulus meus«, wie er ihn später in einem Brief zärtlich nennt. Nahezu identisch begegnet uns das Kind wieder als Johannesknabe in der *Hl. Familie* (im Palazzo Pitti in Florenz; die Gesichtszüge der Maria erinnern an Isabella Brant), als Cherub links im Bild und auch als Jesusknabe in dem Gemälde *Der kleine Jesus mit Johannes und zwei Engeln* (auf diesem Bild scheint er allerdings etwas älter). Wenn hier wirklich Albert Rubens dargestellt sein sollte, der am 5. Juli 1614 getauft wurde, so können die *Vier Weltteile* frühestens um 1615-1616 entstanden sein, als das Kind ein bis zwei Jahre alt war.

Auch vom Stil her ist das Gemälde mit Sicherheit nicht viel später entstanden. Es weist in der Tat alle

Merkmale dessen auf, was man Rubens' »klassische Periode« genannt hat, die Jahre um 1612-1615/16, in denen die plastische Formgebung dominiert. Das Kolorit ist überwiegend heller, mitunter etwas emailartig-kühl (wie z.B. das Lapislazuli-Blau des Himmels), und die Art und Weise, wie jede Farbe für sich innerhalb präziser Konturen gehalten wird, trägt zur Akzentuierung der dreidimensionalen Wiedergabe von Menschen, Tieren und Gegenständen bei. Die skulpturale Formgebung hängt auch damit zusammen, daß Rubens — vielleicht mehr als früher — Figuren in seine Kompositionen auf-

nimmt, die er nach Statuen des klassischen Altertums in Italien gezeichnet hat, während er andere von vornherein im Geiste der antiken Skulptur konzipiert und ausarbeitet.

Frans Baudouin

Peter Paul Rubens

(1577 Siegen - 1640 Antwerpen)

Der Hl. Ambrosius und Kaiser Theodosius

Leinwand, 362 × 246 cm
1733 in der Galerie
Inv.Nr. 524
62 (siehe S. 267)

In der »Legenda Aurea« wird als Beispiel für die »Standhaftigkeit« des Kirchenvaters und Bischofs von Mailand, Ambrosius' (ca. 340-398), im Bestrafen von Sünde und Ungerechtigkeit erzählt, wie der Heilige dem Kaiser Theodosius (ca. 346-395, seit 379 Kaiser) den Eintritt in den Mailänder Dom verwehrte, weil Theodosius unter den Einwohnern der griechischen Stadt Thessaloniki als Vergeltung für den Mord an einem seiner Generäle ein furchtbares Blutbad hatte anrichten lassen, bei dem auch Unschuldige hingerichtet worden waren.

Das einzige Beispiel einer religiösen Historie in den Wiener Rubens-Beständen galt zwar seit seiner ersten Erwähnung und Abbildung im gemalten Inventar der Kunstsammlungen Kaiser Karls VI. immer als Werk dieses Meisters, wurde aber in einer besonders kritischen Phase der Rubens-Forschung in den zwanziger Jahren unseres Jahrhunderts und späterhin van Dyck zugeschrieben — und zwar wohl weniger, weil das Bild selbst je unrubenistisch ausgesehen hätte, sondern weil in der Londoner National Gallery eine große skizzenhaft ausgeführte Version dieser Komposition existiert, die eindeutig van Dycks Handschrift und psychische Exaltiertheit zeigt. Da man zwar kritisch, aber nichtsdestoweniger »süchtig« nach dem Originalgenie war (dem Originalgenie, das nie nach dem Vorbild eines anderen kopieren würde), blieb als einziger Ausweg die Annahme, das Londoner Bild wäre das Modello zur Wiener Version, die dann, obwohl zugegebenermaßen sehr rubenistisch, auch von van Dyck sein mußte. Van Dyck, das Wunderkind — seit etwa 1615 bis 1620 in Rubens' Werkstatt arbeitend —, hätte beide Werke gegen Ende des zweiten Jahrzehnts gemalt. Unerklärt und unerklärlich blieb die völlig unterschiedliche Handschrift der beiden Bilder, blieben die Unterschiede, die auch durch keine Zeitspanne zwischen Skizze und Ausführung erklärbar waren. Zum ersten Mal ist 1960 ein deutsch-holländischer Forscher, Horst Gerson, in einem die Wesensunterschiede der beiden Maler genau charakterisierenden Vergleich der beiden Bilder für Rubens als Autor des Wiener Bildes und für die Umkehrung des bisher angenommenen Verhältnisses der Gemälde untereinander eingetreten. »Van Dycks Skizze überträgt Rubens' breit und großzügig angelegte Komposition auf eine enge Raumbühne, dicht bepackt mit Figuren, welche durch ihr Bewußtsein voneinander und ihre Bewegungen zusammengehalten werden. Da ist (in van Dycks Bild in London) etwas fast neurotisch Empfindliches in den ausgreifenden Händen und in dem Licht, das über die Köpfe wischt«. Er weist auf die prinzipiell verschiedene Oberflächentextur bei van Dyck hin, auf die offene, flüssige »Pinselmalerei«, auf das dekorative Netz, das die Bildoberfläche überspannt, und Rubens' sorgfältig-logischem Bildaufbau mit der Steigerung auf die beiden Kontrahenten zu diametral entgegengesetzt ist. Auch bei der zuzugebenden Schwierigkeit, den spezifischen Charakter der Zusammenarbeit von Rubens und van Dyck gerade in dieser frühen Zeit präzise zu rekonstruieren, bei van Dycks Möglichkeit, sich der übermächtig prägenden Persönlichkeit des Rubens anzupassen, ist es schwer vorstellbar, daß die in der Struktur von Rubens verschiedene Art van Dycks, Figuren untereinander und im Raum agieren zu lassen, sich nicht auch — im Wiener Bild — in der Oberflächenfaktur ausgeprägt hätte. Im Wiener Bild ist Rubens' Fähigkeit deutlich spürbar, die menschliche Figur organisch zu durchdenken, körperhaft zu modellieren, für sich abgeschlossen wie eine Skulptur zu formen, während van Dyck »bewußt die Monumentalität von Rubens' Komposition dem Bewegungsreichtum und dem Gefühlsausdruck geopfert hat«.

Rubens' Version des Theodosius dürfte um 1616/17 entstanden sein, ungefähr gleichzeitig mit seinem Decius — Mus — Zyklus in der Fürstlich Liechtenstein'schen Galerie, van Dycks sehr individuell geprägte Kopie wohl erst gegen Ende des zweiten Jahrzehnts. Wer war der Auftraggeber dieses monumentalen Historienbildes? Wir wissen es nicht genau. Zuletzt ist mit guten Gründen ein Auftrag aus Genua angenommen worden, wo der Hl. Ambrosius, im Unterschied zu den Niederlanden und Frankreich, besondere Verehrung genoß. Rubens hat für die Genuesische Jesuitenkirche S. Ambrogio 1605 den Hochaltar mit der *Beschneidung Christi* und später das Altarbild mit den *Wundern des Hl. Ignatius* geliefert, das erst 1620 aufgestellt wurde, aber wohl schon einige Zeit früher, vielleicht schon Mitte des zweiten Jahrzehnts, entstanden ist. Auf dem Altar, der dem Titelheiligen der Kirche geweiht ist, befindet sich heute ein späteres Bild dieses selben Themas von dem Genuesischen Maler Giovan Andrea de'Ferrari (1598-1669). Warum das Wiener Bild allerdings, sollte es wirklich für Genua bestimmt gewesen sein, nicht dorthin gelangt ist, muß einstweilen offen bleiben.

Wolfgang Prohaska

Peter Paul Rubens

(1577 Siegen - 1640 Antwerpen)

Die Wunder des Hl. Ignatius von Loyola

Leinwand, 535 × 395 cm
Erworben 1776, Inv. Nr. 517
63 (siehe S. 266)

Trotz der zahlreichen 1977 zum 400. Geburtstag von Rubens in der ganze Welt veranstalteten Ausstellungen und der in den folgenden Jahren sprunghaft angestiegenen Zahl wissenschaftlicher und populärer Publikationen zu seinem Werk ruft der Name des bedeutendsten flämischen Malers bei jener »Institution«, die man das große Publikum zu nennen pflegt, eher negative Assoziationen hervor, Vorstellungen, die grob mit den Klischees von Riesenschinken, dicken Weibern, falschen oder übertriebenen religiösen Empfindungen, kraus gelehrten Inhalten umschrieben werden können. Auf der künstlerischen Seite sind diese Vorstellungen mit der in ihren Weiterungen oft nur halb verstandenen Tatsache verbunden, daß Rubens einer großen Werkstatt vorstand, die die eigentliche Arbeit gleichsam am Fließband erledigt hätte.

Natürlich wissen wir – die Quellen berichten darüber –, daß bei einem großen Auftrag, bei Bildern oder Bilderzyklen riesigen Ausmaßes Rubens' wohl organisierte Werkstatt weitgehend die Ausführung der Bilder übernahm. Abgesehen aber davon, daß in diesem Verband so bedeutende Künstler wie van Dyck, Jan Brueghel, Jacob Jordaens etc. arbeiteten und abgesehen davon, daß Rubens – wir wissen dies aus seiner ausgedehnten Korrespondenz – selbstverständlich bis zur Aufstellung eines Altarbildes in einer Kirche etwa den Arbeitsvorgang genau kontrolliert und regelmäßig die großen Bilder mit eigener Hand übergangen hat, so wird doch auch bei genauerem Studium deutlich, daß meist nur das ausgearbeitete Werk dem Plan des Meisters, seiner (einem komplizierten Werdens-Prozeß entwachsenen) Bildidee vollständig entspricht. Nur das oft von der Werkstatt ausgeführte ausgearbeitete Werk garantierte die unmißverständliche »Lesbarkeit« in einem bestimmten lokalen Ambiente und damit die beabsichtigte Wirkung auf den Betrachter oder Gläubigen.

Mögen wir – dem »Naturgenie« eher geneigt als dem überlegen disponierenden Verstand – auch die Skizzen und Modelli als die unmittelbar aus der Hand des Künstlers entlassene Schöpfung ästhetisch höher schätzen, mögen unsere an der Malerei des späten 19. Jahrhunderts gewöhnten Augen den offenen Pinselstrich, die Spontaneität der Bilderfindung, das unmittelbar anspringende Temperament des Künstlers in der vorläufigen Ausführung der Skizze stärker genießen als das manchmal geklügelte, inhaltlich stärker Belastete des Fertigen, so ist letzten Endes das vollendete Bild in dem ihm adäquaten Raum doch das »Richtigere«, das den geschichtlichen Prozeß Beeinflussende und damit das von Rubens schließlich Gewollte, dem wir – als Historiker und als Kunstfreunde – zumindest Gerechtigkeit widerfahren lassen müssen.

Auf der anderen Seite: – hat man Gelegenheit, an riesige Bilder wie die Jesuitenaltäre des Kunsthistorischen Museums so nahe heranzutreten, wie dies sicher nie getan hätte werden sollen, so kann man natürlich sehr wohl Rubens und seine Mitarbeiter auseinanderhalten und sehen, wie die malerische Qualität in der Einzel-

ausführung bei den Mitarbeitern nachläßt, auch wenn der Standard immer noch sehr hoch ist. Auf Rubens' Seite: das mühelose Erfassen und Wiedergeben des lebendigen, »warmen« Körpers, der von innen belebten Rundung eines Gesichts, äußerste Differenzierung der Oberfläche, Akzentuierung des Gefühlsausdrucks durch locker gesetzte Lichter für Tränen, feuchte oder blitzende Augen, also eine kaum übertreffbare malerische Anreicherung der Materie. Auf der anderen, der Mitarbeiterseite: eine gewisse Starre des dargestellten Objekts, etwa eines Kopfes, der nur Hohlform und ohne Gewicht ist, der Akzent auf der Ausarbeitung des Umrisses, nicht der Binnenform, was zu einer Ausdrucksminderung, oft zum Mangel an Ausdruck führt; kurz, statt Menschen aus Fleisch und Blut sehen wir oft in den Werkstattausführungen nur deren Hülle.

Rubens' Arbeiten für die malerische Ausstattung der Jesuitenkirche in Antwerpen begannen mit den Wundern des Hl. Ignatius von Loyola und jenen des Hl. Franz Xaver, die abwechselnd im Kirchenjahr am Hochaltar der Kirche gezeigt wurden. Sie waren mit den (1718 verbrannten) 39 Deckenbildern der Seitenschiffe und Emporen abgeschlossen, die wohl bei der Weihe der Kirche am 12. September 1621 in situ gewesen sein müssen. Wann Rubens mit der Planung der Hochaltarbilder anfing, ist nicht dokumentarisch nachzuweisen. Indirekt läßt sich aus verschiedenen Indizien schließen, daß zumindest der Auftrag vor April 1617 an Rubens ergangen sein muß, ja daß die riesigen Leinwandgemälde zu diesem Zeitpunkt schon in Arbeit waren. Ende 1618 scheinen sie vollendet gewesen zu sein, da Januar 1619 ihre graphische Umsetzung in den Stich geplant war. 1620, bei Vertragsabschluß für die Seitenschiff- und Emporendekoration, wurden sie ausdrücklich erwähnt.

Die beiden Hauptheiligen des Jesuitenordens: Ignatius von Loyola (1491-1556) und Franz Xaver (1506-1552) waren zur mutmaßlichen Entstehungszeit der beiden Bilder noch nicht heiliggesprochen. Ignatius war 1609, Franz Xaver 1619 seliggesprochen worden, beider Kanonisation erfolgte erst 1622. Ohne hier auf das komplexe Problem des zeitlichen Verhältnisses von Kanonisierungsprozeß und Bildpropaganda für die Heiligzusprechenden einzugehen, muß man sich doch fragen, ob die offensichtlich fertigen Bilder überhaupt an einem so prominenten Ort wie dem Hochaltar der Jesuitenkirche von Antwerpen vor der Heiligsprechung der beiden Gründerväter des Ordens gezeigt werden konnten. Trotzdem wäre es vorstellbar, daß Rubens, freundschaftlich verbunden mit dem seit 1613 amtierenden Rektor des Antwerpener Jesuitenkollegs, Franciscus Aguilonius, schon Mitte des zweiten Jahrzehnts Pläne zu einem Ignatius-Hochaltarbild für die ab 1615 im Bau befindliche Kirche ausgearbeitet hatte, bevor man sich dazu entschloß, den seit 1617 laufenden Kanonisierungsprozeß für Franz Xaver mit einem weiteren Altarbild zu begleiten.

Als 1773 der Jesuitenorden aufgehoben wurde und ein Verkauf der beiden großen Bilder an den Kunsthan-

150

Peter Paul Rubens
Die Wunder des hl. Ignatius von Loyola
Skizze (s. S. 268)

del doch als nicht schicklich angesehen wurde, entschloß sich Joseph II. 1776, sie, zusammen mit den zugehörigen Modellen und einer Reihe von anderen »jesuitischen« Bildern, für die kaiserlichen Sammlungen zu erwerben. Ihre schiere Größe war mit ein Grund für die Transferierung der kaiserlichen Galerie von ihrem angestammten Platz in der Stallburg in das von den Erben Prinz Eugens erworbene Schloß Belvedere vor den Toren Wiens. So wie von Anfang an in der Alten Pinakothek in München Rubens' riesige Altarbilder den Größenmaßstab der Säle bestimmten, konditionierten auch in der Gemäldegalerie des 1891 eröffneten Kunsthistorischen Museums diese Altäre Höhe und Proportion der Oberlichtgalerien.

Rubens verbildlicht auf beiden Jesuiten-Altarbildern Ereignisse aus dem Leben des Ignatius von Loyola und des Franz Xaver, die in Wirklichkeit zeitlich und örtlich getrennt stattgefunden haben: teils lassen sie sich auf bestimmte Begebenheiten der Biographie der Heiligen zurückführen, teils gehören sie so allgemein zum »Repertoire… jedes nach Heiligkeit Strebenden«, daß ein präziser Bezug forciert erscheinen mag. Als literarische Quelle benutzte Rubens frühe Lebensbeschreibungen der Heiligen, für das Ignatius-Bild die Biographie des Pedro de Ribadeneira, für Franz Xaver jene des Horatius Tursellinus, beide in mehreren Auflagen auch in Antwerpen erschienen.

Die »Szene« im Ignatius-Bild spielt in einem weiten, nach hinten fluchtenden Kircheninneren, das wohl intentional an die Querhausabschlüsse von St. Peter in Rom erinnert und damit auf den Anspruch des Jesuitenordens und dessen Unterordnung unter das Papsttum lokal anspielt. (Charakteristischer Weise ist diese Anspielung erst im ausgeführten Altarbild wirklich erfahrbar.) Ignatius ist erhöht als Zelebrant an der Spitze einer Phalanx von Jesuiten dargestellt; segnend hat er sich vom Altar abgewendet. Zu seinen Füßen mehrere Gruppen: links zwei Besessene mit Zuschauern, Helfern und Bittenden; rechts zwei Frauen mit Kindern und rechts außen ein Mann mit einem Strick um den Hals. Dieser Mann weist auf den Selbstmörder, der erst starb, nachdem Ignatius ihn vom Strick abgeschnitten und ihm dadurch Gelegenheit gegeben hatte, seine Sünden zu bereuen. Ribadeneira berichtet ausführlich von der besonderen Verehrung des Ignatius für das Meßopfer, von den ekstatischen Zuständen des Heiligen und von dem Strahlenschein, von dem er manchmal beim Messelesen umgeben war. Die Frauen rechts mit ihren Kindern mögen Ignatius' wohltätigen Einfluß in Kindsnöten verdeutlichen, der auch postum wirksam blieb. Die Fähigkeit, Teufel auszutreiben, teilt Ignatius mit anderen Heiligen. Möglicherweise spielt jedoch die Heilung der Epileptikerin links in der Mitte auf eine bestimmte Episode an, als Ignatius sich im Hospital von Azperita aufhielt.

Wie auf antiken Reliefs der Feldherr seine Soldaten vor der Schlacht zu Tapferkeit und Treue anspornt, ist Franz Xaver, begleitet von einem Akoluthen, rechts auf einer erhöhten Plattform segnend und der Menge unter ihm predigend gegeben; zu seinen Füßen Krüppel, Blin-

de, Besessene, Kranke und Auferweckte, Zuhörer in orientalischen Gewändern; ihm gegenüber ein heidnischer Tempel mit fallenden Götzenbildern. In der Himmelserscheinung die (erst im ausgeführten Bild deutlich identifizierbare und dem Beschauer klar vor Augen gestellte) Personifikation der Fides, des Glaubens, mit Kelch und von Engeln gehaltenem Kreuz. Franz Xaver ist als der Missionar Asiens vorgestellt. Der synchronisierend-synthetische Charakter in der Schilderung der Ereignisse ist besonders deutlich. Das tote, grünlich verfärbte Kind auf den Armen der Mutter links außen bezieht sich auf die wohl bekannteste Totenerweckung des künftigen Heiligen, das sogenannte Wunder von Komburê: Franz Xaver rief ein in einem Brunnen ertrunkenes Kind wieder ins Leben zurück. (Erst im ausgeführten Bild ist die Vorgeschichte des Wunders deutlich nachvollziehbar: während im Modello das Kind »normal« in den Armen der Mutter liegt, wird es im Altarbild von ihr bäuchlings den Kopf voran gehalten, so daß es möglich ist zu zeigen, wie Wasser aus dem Mund des Säuglings rinnt.) Die Zuhörenden sind Heiden, die Franz Xaver zum christlichen Glauben bekehrte. Den Gerüsteten in der Mitte hatte Franz Xaver vom sündigen Lebenswandel abgebracht; die Götzenstatuen wurden auf Aufforderung Franz Xavers zerstört; hier vielleicht eine Anspielung auf den großen Vorgänger des Heiligen in Indien, den Apostel Thomas. Die Krankenheilungen und Totenerweckungen gehören einfach zum Repertoire eines Heiligen.

Wie üblich bereitete Rubens diese großen Bilder sorgfältig mit Ölskizzen und Zeichnungen vor. In einem für Rubens charakteristischen Vorgang folgt auf die gezeichneten Kompositionsskizzen (erhalten ist eine der Franz Xaver-Komposition ähnliche Zeichnung für eine Lazaruserweckung, aus der die ikonographisch neue Darstellung hervorwuchs) die Ölskizze — für den Künstler selbst, seine Werkstatt und den Auftraggeber Referenzpunkt für Verbesserung, Nachahmung und Kritik. Erst dann wurden die Details in großen Zeichnungen nach dem Leben, nach Vorbildern der Antike oder des 16. Jahrhunderts ausgearbeitet. Für die Verwendung einer antiken Skulptur vergleiche man in den Ignatius-Wundern den Aufblickenden links in der Mitte, der auf die sogenannte »Seneca-Büste« aus Rubens' eigenem Besitz zurückgeht. Der Blinde rechts unten auf den Wundern des Franz Xaver ist von der Figur eines Blinden in einem von Raffaels Teppichen inspiriert.

Der Weg vom gemalten Modello über die Detailzeichnungen zum endgültigen Altarbild ist einer der Klärung, der Steigerung der Mimik, der Individualisierung, die in Rubens' Sinn häufig den spezifischen Typus ans Licht bringt, und der inhaltlichen Präzisierung: Figurenballungen werden entflochten, Überschneidungen vermieden; dadurch wird der lehrhaft-propagandistische Charakter der Bilder, ihre Botschaft deutlicher — dies alles, um die Altargemälde für den Gläubigen, der sie im weiten Kirchenraum aus der Ferne betrachten muß, einsehbarer zu machen.

Die Wunder des Hl. Franz Xaver (Skizze)

Eichenholz, 104,5 × 72,5 cm
Erworben 1776, Inv.Nr. 528
64 (siehe S. 268)

Sind auch die ausgearbeiteten Altarbilder stilistisch einheitlich, so lassen sich zwischen den beiden Modelli Stilunterschiede feststellen — in der Ignatius-Skizze liegt die Betonung stärker auf der Durchformung der Einzelfiguren, die abrupter gegeneinander gesetzt sind; die Farbigkeit ist kühler und kontrastreicher, während die Franz Xaver-Skizze durch fließende, ineinander übergehende Kompositionslinien, Verschleifungen, Verbindungen von Vorder- und Hintergrund in der Bildebene, durch eine wärmere, die Einheiten optisch leichter verknüpfende Farbigkeit gekennzeichnet ist. Das Modello für den Franz Xaver steht Rubens' Werken um 1620 näher als die gegen die erste Hälfte des zweiten Jahrzehnts orientierte Ignatius-Skizze.

Die Forderung nach bestmöglicher Lesbarkeit aus der Fernsicht, die bei den ausgearbeiteten Altarbildern zu stilistisch sehr ähnlichen Ergebnissen führte, mußte also (durch die Stilverschiedenheit der Modelli untereinander) verschieden tief eingreifende Änderungen bei der Umsetzung der Modelli in die Altarbilder mit sich bringen: sie sind deshalb einschneidender beim Modello für die Wunder des Franz Xaver.

Ist auch nicht bekannt, ob 1616/17 etwa das inhaltliche Gesamtprogramm der Jesuitenkirche im Detail schon ausgearbeitet war, sicher ist, daß es 1621 deutlich sein mußte: in den Seitenschiffen und Emporen sollte der in der Geschichte des Alten und Neuen Testaments typologisch verfolgbare Heilsplan vor Augen gestellt werden, der seine Garanten in den am Hochaltar ins Bild gebrachten modernen Heroen der nach der Reformation wiedererstarkten Kirche gefunden hatte.

Wolfgang Prohaska

Peter Paul Rubens

(1577 Siegen - 1640 Antwerpen)

Kaiser Maximilian I.

Eichenholz, 140,5 × 101,5 cm
1772 in der Galerie,
Inv.Nr. 700
65 (siehe S. 271)

Maximilian I., Erzherzog von Österreich aus dem Hause Habsburg, wurde 1459 als Sohn Friedrichs III. und der Eleonore von Portugal in Wiener Neustadt geboren. Nach dem plötzlichen Tod Karls des Kühnen, der am 5. Januar 1477 vor Nancy fiel, bat dessen Tochter, Maria von Burgund, Maximilian, mit dem sie sich kurz zuvor offiziell verlobt hatte, sie gegen den französischen König Ludwig XI. zu verteidigen, der mit allen Mitteln versuchte, ihre burgundischen Erblande zu erobern. Am 19. August 1477 fand die Vermählung Maximilians mit Maria statt. Sie liebten einander sehr, und es war für Maximilian ein schwerer Schlag, als Maria bereits fünf Jahre später auf der Jagd durch einen Sturz vom Pferd ums Leben kam. In ihrem Testament hatte sie ihn zum Vormund ihrer Kinder und zum Regenten der burgundischen Lande bestimmt. Viele Jahre hindurch mußte Maximilian dieses Erbe für seinen Sohn(den späteren Philipp I. den Schönen, König von Spanien) gegen die Ansprüche des französischen Königs und die aufständischen flandrischen Städte verteidigen. 1488 wurde er sogar mehrere Monate lang in Brügge gefangengehalten. 1493 wurde er in Nachfolge seines Vaters Römischer Kaiser. Nach dem frühen Tode Philipps des Schönen wurde Maximilian abermals Regent der Niederlande (1506-1515), bestellte 1507 jedoch seine Tochter Margarete von Österreich zur Statthalterin. 1519 starb er in Wels. Auf den Kaiserthron folgte ihm sein Enkel, Karl V.

Das Bild zeigt Maximilian I. in einem blanken, weiß glänzenden Harnisch. Seiner unter Mitwirkung eines Sekretärs 1505-1516 entstandenen, etwas romantisierenden Biographie mit dem Titel »Der Weißkunig« ist zu entnehmen, daß er sich selbst nach dem weißen Harnisch, den er im Turnier und in der Schlacht trug, der »weiße« König nannte.

In der Mitte des Harnischs, auf der Brust Maximilians, prangen die in das Metall eingearbeiteten goldenen Insignien des Ordens vom Goldenen Vließ, der Feuerstein und das Andreaskreuz. Darüber hängt an einer Kette mit dem Feuersteinmotiv ein weiteres Zeichen des Ordens, das Widderfell. Auf der auffallend großen Sturmhaube mit Nackenschirm (einer Schaller) liegt eine Binde in den Farben Burgunds, auf der die Herzogskrone ruht. Golden sind auch die Ränder und Ornamente der verschiedenen Teile des Harnischs. Den Harnischrock zieren österreichische und burgundische Wappen: links (rechte Seite der Figur) Neuburgund (Lilien mit rot-silberner Bordüre), Brabant (ein goldener Löwe auf schwarzem Grund), Altburgund (Gold und Blau auf einem dreifach geschrägten Schild mit roter Bordüre), rechts Österreich (Rot und Silber im Bindenschild), Limburg (ein roter Löwe auf silbernem Grund), Hennegau (ein roter Löwe auf goldenem Grund) und schließlich abermals das Wappen Neu-Burgunds.

Die Wappen der burgundischen Erblande (neben dem Österreichs) lassen darauf schließen, daß Maximilian, auch »der letzte Ritter des Mittelalters« genannt, hier nicht als Kaiser, sondern eher als Herzog von Burgund (1477-1482) oder als Regent der Niederlande (1482-1493) dargestellt ist. Rubens' Tafel lehnt sich sehr wahrscheinlich auch an ein in dieser Zeit entstandenes Porträt (oder eine Kopie davon) an. Welches Kunstwerk ihm als Vorlage diente, wissen wir bis heute nicht. Möglicherweise war es ein Bild aus den Herrscherreihen, die im Mittelalter entstanden und noch zu Rubens' Zeit mancherorts zu finden waren. Im Antwerpner Rathaus befanden sich – selbst bereits Ersatz für eine ältere, verlorengegangene Serie – 25 Porträts von Ahnen des spanischen Königs, die Anthonio de Succa (ca. 1567-1620) kurz vor 1599 gemalt hatte. Leider sind auch sie seit 1799 verschollen, so daß heute nicht mehr festzustellen ist, ob Rubens eines dieser Porträts als Vorlage für sein *Bildnis Maximilians I.* verwendet hat. Jedenfalls pflegte er vertrauten Umgang mit de Succa, der, auf das Malen derartiger Porträts spezialisiert, das ganze Land bereiste, um seine Vorlagen zu kopieren. In jüngster Zeit ist nachgewiesen worden, daß Succa Rubens Einblick in seine Skizzenbücher – seine sogenannten »Memoriaux« – gewährt hat. Von diesen Büchern ist allerdings nur ein Teil erhalten geblieben, in dem sich leider keine Abbildung Maximilians findet, und auch von Rubens selbst ist kein Blatt bekannt, das Maximilian in ähnlicher Weise wiedergibt wie das Gemälde.

So kennen wir zwar nicht die Vorlage, die Rubens inspiriert hat, doch ist deutlich, daß er sich ganz gewiß nicht sklavisch an sie gehalten, sondern sie vielmehr in seinen eigenen Stil transponiert hat. Da ist zunächst der zügige, sichere Pinselduktus mit dem transparente weiße Akzente gesetzt werden, die Harnisch und Helm ihren hellen Glanz verleihen. Bezeichnend für Rubens' Malweise sind auch der rote Widerschein des Samtvorhangs auf Maximilians Antlitz, auf der Innenseite des blanken Helms und auf dem Harnisch, sowie das mit Weiß vermischte Lapislazuli-Blau des Hintergrundes. Sowohl die Disposition des Kolorits als auch die Lichtreflexe tragen dazu bei, die plastischen Formen der Figur stark hervortreten zu lassen.

Diese Formgebung und dieses Kolorit sind charakteristisch für Rubens' Stil der Jahre um 1615-1620. Aller Wahrscheinlichkeit nach ist die Tafel vor 1618 entstanden. Diese Annahme ergibt sich aus Hinweisen darauf, daß ein anderes Werk des Künstlers, das *Bildnis des burgundischen Herzogs Karls des Kühnen* (Inv.Nr. 704), 1618 vollendet war. Da zweifellos beide Herrscherbildnisse ungefähr zur gleichen Zeit entstanden sind, gilt diese Datierung auch für das Porträt Maximilians. Obwohl die beiden Tafeln in den Maßen nicht ganz übereinstimmen, stellt sich doch die Frage, ob sie nicht ursprünglich Teil einer von Rubens gemalten Herrscherreihe sein sollten, die offenbar nie vollendet wurde.

Das damals vorhandene Interesse für die großen Gestalten der eigenen Geschichte wurde in den südlichen Niederlanden noch verstärkt durch die bald allgemein vertretene Auffassung, der regierende König Spaniens sei der »natürliche Fürst« der Niederlande: in ihm huldigte man dem legitimen Nachkommen der burgundischen Herzöge und damit dem gesetzlichen Herrscher.

Frans Baudouin

Peter Paul Rubens

(1577 Siegen - 1640 Antwerpen)

Gewitterlandschaft mit Philemon und Baucis

Eichenholz, 146 × 208,5 cm
1659 in der Galerie,
Inv.Nr. 690
66 (siehe S. 270)

Jupiter und Merkur werden vom Olymp gesandt, um die Gastfreundschaft der Erdenbewohner auf die Probe zu stellen. Doch wo sie auch anklopfen und um Nahrung und Obdach bitten — nirgends werden sie eingelassen. Nur in einer ärmlichen Hütte am Rand eines Dorfes werden sie von einem alten Paar, Philemon und Baucis, freundlich aufgenommen. Nachdem sie sich an einem von den beiden liebevoll bereiteten, einfachen Mahl gütlich getan haben, geben sich die Götter zu erkennen und verhehlen nicht ihren Unwillen über die mangelnde Gastfreundschaft der anderen Menschen. Sie bitten Philemon und Baucis, sie auf einen nahegelegenen Berg zu begleiten. Noch nicht ganz auf der Höhe angekommen, wenden die beiden sich um und sehen, daß die ganze Gegend zur Strafe für die Hartherzigkeit der Menschen in einer Wasserflut versinkt. Während die beiden Alten bittere Tränen des Mitleids über das Los der Menschheit vergießen, verwandelt Jupiter ihre bescheidene Hütte in einen prächtigen Tempel und macht sie auf ihren Wunsch zu dessen Hütern. Auch ihren zweiten Wunsch erfüllt er ihnen und verwandelt sie Jahre später, als die Kräfte sie verlassen haben, in Bäume, so daß sie ihr Leben gemeinsam beschließen können.

Von dieser schönen Sage aus Ovids »Metamorphosen« ist in der weiten, üppig bewachsenen Landschaft der Augenblick festgehalten, da Jupiter die Naturgewalten entfesselt, die das Dorf verschlingen sollen. Auf einer durch Felsblöcke, entwurzelte Tannen und Sträucher von der Umgebung weitgehend abgeschlossenen Terrasse befinden sich die beiden Alten mit ihren göttlichen Gästen. Ganz rechts ist Jupiter zu sehen, in der einen Hand einen Blitz haltend, mit der anderen in die Ferne weisend. Neben ihm steht Merkur, den Arm um Philemons Schultern gelegt. Die beiden Alten sind, auf ihre Stöcke gestützt, niedergekniet. Philemon hält den Kopf demütig gesenkt, während Baucis zum Göttervater aufblickt. Diesem mythologischen Detail wird in der Gesamtdarstellung nur wenig Raum zugestanden. Wesentlich ist vielmehr die Wiedergabe des Gewitters, des strömenden Regens und der von Blitzen durchzuckten Luft. Die schäumenden Fluten drohen die ganze Gegend samt der höher am Berghang gelegenen befestigten Stadt mit den Häusern, in denen die Götter vergeblich um Obdach gebeten hatten, zu verschlingen. Die Wasserstrudel haben bereits eine Frau und ihr Kind mitgerissen und diese — unten links — auf die Felsen geschleudert. Auch ein Rind ist dem Wüten der Naturgewalten zum Opfer gefallen; sein Kadaver ist zwischen zwei Baumstämmen eingeklemmt. Menschen versuchen, der Flut zu entkommen, indem sie auf Bäume klettern oder sich an den Felsen festklammern.

Die Holztafel, auf welcher diese Szene gemalt ist, setzt sich aus sechs Quer- und zwei Längsbrettern zusammen. Nicht nur die ungewöhnliche Struktur des Bildträgers, sondern auch die Wiedergabe des Wolkenhimmels lassen darauf schließen, daß die Bildfläche ursprünglich auf das heutige Mittelstück der vier Querbretter beschränkt war: bei der Ausarbeitung der obersten Himmelszone hat der Künstler die bereits vorhandene Wolkendecke zum Teil übermalt. Durch die dünn aufgetragene Farbschicht hindurch ist die darunterliegende Malerei noch zu sehen. Die unterste Anstückung nehmen die herabstürzenden Fluten, die tot hingestreckte Frau und der von Strauchwerk überwucherte Felsen ein. Auf dem rechts angesetzten Teil sind die Götter dargestellt. Daraus wird ersichtlich, daß es Rubens' ursprüngliche Absicht war, eine Gewitterlandschaft darzustellen, und daß das mythologische Detail darin nicht nur einen untergeordneten Platz einnimmt, sondern auch eine untergeordnete Rolle spielt. Vor allem ist aber die Szenenwahl, die Rettung Philemons und Baucis', höchst ungewöhnlich. In der Regel wird das Mahl der Götter gezeigt, wenn nicht die Metamorphose selbst, die Verwandlung der Tempelhüter Philemon und Baucis in Bäume. Auch ist in der Sage weder von einem heftigen Wolkenbruch noch von einem furchtbaren Gewitter die Rede. Es heißt dort nur, daß die beiden Alten sich noch vor Erreichen der Bergeshöhe umwandten und sahen, wie die ganze Gegend in den Fluten versank. Der niederprasselnde Regen und die ansteigenden Wasser lassen viel eher an die Sintflut denken. In einem Stich Scheltes à Bolswert nach diesem Bild findet sich auch eine Anspielung auf die »Deukalionische Flut«, eine weitere Sage aus Ovids »Metamorphosen«, die aber mit Philemon und Baucis in keinem Zusammenhang steht.

Die Wahl einer untergeordneten Passage aus der Sage, die unverkennbaren Bezüge zum Thema der Sintflut und die untergeordnete Rolle der mythologischen Figuren machen deutlich, daß der eigentliche Gegenstand der Komposition die Natur und der Aufruhr der Elemente ist. Im Gegensatz zu vielen anderen Landschaften von Peter Paul Rubens, so etwa dem *Schloßpark* (Nr. 70), bildet hier nicht die Natur den Rahmen für menschliches Handeln oder menschliche Präsenz, sondern sie spielt selbst die Hauptrolle.

Der erhöhte Standpunkt, der hochgelegene Horizont und die Anklänge an die südniederländische Landschaftstradition des Spätmanierismus verdeutlichen, daß dieses Werk nicht der umfangreichen Gruppe der nach 1630 entstandenen Landschaften zuzurechnen ist. Am überzeugendsten erscheint eine Datierung zwischen 1625 und 1628. Das Bild war vermutlich Teil von Rubens' persönlicher Sammlung, da es mit größter Wahrscheinlichkeit mit dem in seinem Nachlaßinventar aufgeführten »Grand déluge avec l'histoire de Philemon et Baucis« identisch ist. Später gelangte die Tafel in die Sammlung Leopold Wilhelms und von dort ins Kunsthistorisches Museum.

Hans Devisscher

Peter Paul Rubens

(1577 Siegen - 1640 Antwerpen)

Ildefonso-Altar

Eichenholz,
Mittelteil 352 × 236 cm,
Flügel je 352 × 109 cm,
Erworben 1777,
Inv.Nr. 678, 698
67 (siehe S. 269)

Auf dem Mittelbild diese Triptychons ist ein wunderbares Ereignis aus der Vita des hl. Ildefonso dargestellt, eines spanischen Benediktinermönches und späteren Erzbischofs von Toledo, der vor allem dadurch bekannt wurde, daß er sich in mehreren Schriften als erklärter Verfechter der Lehre von der Unbefleckten Empfängnis Mariens bekannte. Es wird erzählt, wie er nach dreitägigem Fasten vor dem Fest Mariä Himmelfahrt am frühen Morgen, als es noch dunkel war, beim Betreten seiner Kathedrale von einem strahlenden Licht überrascht wurde, das den Raum erfüllte. Von diesem Licht geblendet, ergriffen seine leuchtertragenden Begleiter die Flucht. Der Geistliche aber näherte sich betend seinem Bischofsthron und sah dort Maria sitzen, die in Begleitung psalmensingender weiblicher Heiliger vom Himmel herabgestiegen war. Sie schenkte ihm ein von ihr selbst hergestelltes Meßgewand.

Auf dem Bild sehen wir, wie Ildefonso knieend das Meßgewand empfängt und es ehrfurchtsvoll küßt. Vier weibliche Heilige, zwei zu jeder Seite der Thronnische, sehen dem wunderbaren Geschehen still und wie in inniger Versunkenheit zu. Aus der Luft schießen helle Lichtstrahlen herab, auf denen, einander an den Händen haltend, drei verspielte Putten ausgelassen tanzend über Maria und den Heiligen schweben.

Auf dem linken Flügel ist, ein Gebetbuch in Händen und an einem mit rotem Samt bedeckten Betpult knieend, Erzherzog Albrecht VII. von Österreich (1553-1621) im Profil dargestellt, neben ihm sein Schutzpatron, der hl. Albert von Löwen, Bischof von Lüttich, der ihn gleichsam am himmlischen Hofe einführt. Auf dem Hermelinumhang, den Albrecht über seinem weiten, bestickten Mantel trägt, sieht man an einer schweren Goldkette den Orden vom Goldenen Vließ.

Auf dem rechten Flügel kniet gleichfalls an einem Betpult die Infantin Isabella (1566-1633), Lieblingstochter des spanischen Königs Philipp II., mit einem Rosenkranz in den Händen. Über dem kostbaren Gewand trägt auch sie eine Kette, ganz ähnlich der ihres Gemahls, und daran einen goldenen Anhänger mit einem großen, dunkelvioletten Stein. In ihrer Begleitung befindet sich ihre Schutzpatronin, die hl. Elisabeth von Ungarn (auch Elisabeth von Thüringen genannt, 1207-1271), die nach dem Tode ihres Gemahls dem Dritten Orden des hl. Franziskus beitrat und deshalb im Franziskanerinnenhabit dargestellt ist. Als Attribute hält sie mit beiden Händen ein Buch, auf dem eine Krone liegt, darauf ein Kranz aus roten Rosen und ein kleinerer aus Lorbeerblättern.

Die Vision des hl. Ildefonso von Toledo ist in der Kunst der Niederlande nur sehr selten dargestellt worden. Daß Rubens sie malte, ist vor allem der besonderen Verehrung dieses Heiligen durch Erzherzog Albrecht von Österreich zu verdanken. Diese Verehrung rührt daher, daß Albrecht, von Philipp II. für die geistliche Laufbahn bestimmt, bereits 1577 (ohne dazu jedoch die Weihen empfangen zu haben) Erzbischof von Toledo und damit Nachfolger dieses in Spanien so beliebten Heili-

gen wurde. Nachdem sein Lebenslauf vier Jahre später durch die Ernennung zum Vizekönig von Portugal eine andere Wendung genommen hatte, gründete er 1588 in Lissabon die »hermandad« des hl. Ildefonso, eine geistliche Bruderschaft, in die nur Personen aufgenommen wurden, die ein Amt bei Hofe innehatten. Ziel der Bruderschaft war es, sowohl die Verehrung des Heiligen, nach dem sie benannt war, wie auch die Bindung an das Haus Habsburg zu fördern. Als Albrecht später, nach einer Zeit als Generalstatthalter, durch seine Vermählung mit der Infantin Isabella im Jahre 1598 mit ihr gemeinsam zum souveränen Regenten der Niederlande erhoben wurde, verlegte er 1603 den Sitz der Bruderschaft nach Brüssel. Für ihre religiösen Feiern und andere fromme Zusammenkünfte wurden der Bruderschaft die Marienkapelle der Klosterkirche St. Jacob op de Coudenberg, zugleich Pfarrkirche des angrenzenden erzherzoglichen Palais, zur Verfügung gestellt.

Und doch war es nicht Erzherzog Albrecht selbst, der den Auftrag zu einem geeigneten Altar für die Kapelle erteilte. Zwar hatte er wohl daran gedacht, doch bis zu seinem Tode 1621, soweit bekannt, noch nichts in dieser Richtung unternommen. Das sollte seiner Witwe überlassen bleiben, die 1599 selbst der Bruderschaft beigetreten war. Der *Ildefonso-Altar* entstand kurz vor dem Tode Isabellas im Dezember 1633 und war das letzte Gemälde, das Rubens für sie schuf, eines der bedeutendsten, mit dem ihn das erzherzogliche Paar beauftragte. Bemerkenswert ist, daß sie alle in die letzten Lebensjahre der Infantin fallen, in die Zeit also, da Rubens sich aufgrund seiner diplomatischen Tätigkeit häufiger als früher am Brüsseler Hof aufhielt. 1625-1626 entwarf er für die Infantin eine Folge von zwanzig imposanten Wandteppichen mit dem *Triumph der Eucharistie,* die in Brüsseler Werkstätten gewebt wurden. Im Juli 1628 wurden diese Teppiche nach Madrid geschickt, als Geschenk der Infantin an das Kloster der Descalzas Reales, in dem sie glückliche Jugendjahre zugebracht hatte. Als Rubens etwas später in diplomatischer Mission selbst in die spanische Hauptstadt reiste, gab sie ihm den Auftrag für Porträts des Königs und aller Mitglieder des Königshauses mit. Rubens' Reise dauerte sehr viel länger als vorgesehen und ihr folgte eine weitere diplomatische Mission, die ihn – ebenfalls für viele Monate — an den Londoner Hof führte. Erst Anfang April 1630 kehrte er nach Antwerpen zurück.

Wenig später muß er mit der Arbeit am *Ildefonso-Altar* begonnen haben. Nach Archivdokumenten wurde der Marmoraltar, auf dem das Gemälde prangen sollte, im August 1630 fast fertiggestellt, 1631 vollendet und 1632 geweiht. Nach denselben Quellen hat die Infantin das Retabel, den gemalten Altaraufsatz, selbst gestiftet. Danach ist das *Ildefonso-Triptychon* um 1630-1632 zu datieren.

Es ist erstaunlich, im Spätwerk Rubens' noch ein Altarwerk in Triptychonform zu finden. In der Tat hatte er das letzte 1618 gemalt. Die Entwicklung des monumentalen Renaissancealtars in den südlichen Niederlanden,

Peter Paul Rubens
Ildefonso-Altar
(Ausschnitt aus der mittleren Tafel)

zu der Rubens im übrigen selbst viel beigetragen hat, führte zur malerischen Darstellung eines Themas in einer einzigen Komposition. Daß der *Ildefonso-Altar* eine Ausnahme bildet, muß einen bestimmten Grund gehabt haben. Die bis jetzt bekannten Archivalien geben darüber jedoch keinen Aufschluß. Möglicherweise aber läßt sich aus einer Bestimmung der Dritten Synode der Kirchenprovinz Mecheln im Jahre 1607 eine Erklärung ableiten, wonach es verboten war, in die Mittelteile von Altäres Porträts lebender Personen aufzunehmen. Dies bedeutete offensichtlich, daß es auf den Seitenflügeln sehr wohl erlaubt war. Am 13. August 1608 hatten die Erzherzöge den Beschlüssen der Synode zugestimmt und die Genehmigung zu ihrer Veröffentlichung erteilt. Wollte man sich also, wie inzwischen üblich, auf eine einzige große Tafel oder Leinwand beschränken und die neue Bestimmungen strikt einhalten, so durften keine identifizierbaren Personen mehr darauf zu sehen sein. Bekanntlich haben sich jedoch nicht alle Auftraggeber so streng an diese Vorschrift gehalten; vielmehr nahmen sie den Wegfall der Seitenflügel zum Vorwand, sich selbst und Mitglieder ihrer Familie eben doch auf der einen Tafel abbilden zu lassen. Von der frommen Infantin konnte man allerdings nicht erwarten, daß sie dem zustimmte, zumal wenn es um ein für die Pfarrkirche ihres Palais bestimmtes Kunstwerk ging. Um nun zu ermöglichen, was vielleicht sie selbst, ganz sicher aber die Ildefonso-Bruderschaft sich wünschte, nämlich die Darstellung des verstorbenen Gründers Erzherzog Albrecht und seiner Witwe, der jetzigen Statthalterin, auf dem Altar, blieb nur eine praktikable Lösung: die Rückkehr zum »altmodischen« Triptychon, auf dessen Flügeln man unbedenklich lebende Personen abbilden konnte.

In diesem Zusammenhang sei angemerkt, daß in der Ölskizze der Leningrader Eremitage, einem von Rubens angefertigten Entwurf des *Ildefonso-Altars,* die gesamte Komposition — die Erzherzöge eingeschlossen — auf einer einzigen Tafel im Querformat zusammengefaßt ist, ohne daß dabei eine Dreiteilung angegeben wäre. Das erlaubt allerdings nicht den Schluß, es sei ursprünglich nur an eine einzige, breit angelegte Tafel oder Leinwand gedacht gewesen — wie sie im übrigen in den Niederlanden auch ganz unüblich gewesen wäre. Die Form der Skizze legt aber die Vermutung nahe, von Anfang an sei eine starke kompositorische (und zugleich geistige) Verbindung zwischen Seitenflügeln und Mittelteil angestrebt worden.

Um diese Verbindung auch mit Hilfe des Kolorits herzustellen, greift Rubens hier auf eine von den altnieder-ländischen Meistern übernommene Technik zurück, derer er sich Jahrzehnte zuvor, als er noch Triptychen malte, systematisch bedient hatte, zum Beispiel in der *Kreuzabnahme* (1611-1614) in der Antwerpener Liebfrauenkathedrale: die harmonische Verteilung einiger deutlich unterschieden Farbpartien über die drei Tafeln, in der Weise, daß sie auf jeder der Tafeln (wenn auch da und dort mit kleinen Abweichungen des Farbtons) als Dominanten wiederkehren und die Gesamtkomposition auch koloristisch im Gleichgewicht halten. So wird auch im *Ildefonso-Altar* beispielsweise das Rot des Marienkleides, das im Zentrum des Mittelteils sogleich die Aufmerksamkeit auf sich lenkt, auf beiden Flügeln wieder aufgenommen, und zwar sowohl im unteren Bildteil in dem über die Betpulte gebreiteten Samt, wie auch oben in den wallenden Baldachindraperien. Eine weitere dominierende Farbpartie ist ein harmonisches Ensemble aus weißen und ockerfarbenen Tönen in den Gewändern, den Mühlsteinkrägen und den bestickten, hermelinbesetzten Mänteln der Erzherzöge, auf der Mitteltafel u.a. in dem hellen Kleid der im Profil dargestellten Heiligen (links von Maria) und in dem Meßgewand, das der hl. Ildefonso empfängt. Auf den Seitenflügeln werden die hellen Partien durch den starken Kontrast der dunklen Gewänder der Schutzpatrone noch hervorgehoben. Das Blau des über Marias Schoß und ihren rechten Arm gebreiteten Mantels kehrt — etwas abgeschwächt — auf den Flügeln im Blau des Himmels wieder, das zwischen den Säulen sichtbar wird.

Stellt man somit fest, daß Rubens hier auf Formelemente zurückgreift, die er bereits in den ersten Jahren nach seiner Rückkehr aus Italien in Antwerpen verwendet hat, so ist anzumerken, daß er sie nun sehr viel freier und in einem mittlerweile wesentlich weiter entwickelten, vorwiegend malerischen Stil einsetzt. Die dominierenden Farbpartien sind harmonisch in den drei Tafeln verteilt, aber nicht mehr wie in früheren Jahren innerhalb klarer Konturen, die den Figuren Form und Gestalt geben. Die Umrisse wirken im Gegenteil partiell aufgelöst und es erscheint jetzt eine lebendige Vielfalt von Farbtönen und -abstufungen, eine Überfülle von Zwischentönen und Übergängen, von hell aufscheinenden und in samtigen Schatten sanft verschwimmenden Formen. Jacob Burckhardt sprach von einer »visionären goldenen Dämmerung, wie sie sich selbst bei keinem der großen früheren Venezianer gerade in dieser Weise findet«.

Frans Baudouin

Peter Paul Rubens

(1577 Siegen - 1640 Antwerpen)

Die heilige Familie unter dem Apfelbaum

Eichenholz, 353 × 233 cm
Erworben 1777, Inv.Nr. 698
68 (siehe S. 271)

Ein einziger Rahmen umschließt hier zwei Tafeln, die zusammen eine einzige Szene darstellen: *Die hl. Familie unter dem Apfelbaum.* In der Mitte erkennt man eine schmale vertikale Fuge, die aber durchaus nicht stört. Ursprünglich bildeten die beiden Tafeln die Flügelaußenseiten des *Ildefonso-Altars,* die Innenseiten zeigen Erzherzog Albrecht und die Infantin Isabella (siehe Nr. 67). Man konnte die Komposition also nur dann betrachten, wenn das Triptychon geschlossen war. Später wurden die Außenseiten der Flügel abgenommen und zu einem einzigen Gemälde zusammengefügt.

Bis heute ist kein Dokument aufgetaucht, aus dem hervorginge, in welchem Jahr die Seitenteile zersägt wurden. Immerhin berichtet der Brüsseler Maler G.M. Mensaert 1763, es sei »vor gut vierzig Jahren« geschehen, also um 1720. Übrigens wurde — wohl dem Beispiel des *Ildefonso-Altars* folgend — 1753 der Vorschlag gemacht, mit den Tafeln der *Kreuzabnahme* in der Antwerpner Kathedrale ebenso zu verfahren, ein Projekt, das jedoch nie realisiert wurde.

Im Gegensatz etwa zu den Flügelaußenseiten der Kreuzabnahme, auf denen jeweils nur ein Thema dargestellt ist (die Legende vom hl. Christophorus und dem Eremiten), wird hier, wenn das Triptychon geschlossen ist, die Komposition nicht in der Mitte durch die beiden einander berührenden vertikalen Rahmenleisten der Seitenflügel unterbrochen. Es wird also von vornherein über beide Tafeln hinweg eine einzige durchgehende Komposition ausgeführt, ein in Rubens' Schaffen ganz und gar ungewöhnliches Verfahren, für das aber in der älteren niederländischen Malerei durchaus Beispiele zu finden sind (u.a. Werke von Jan Gossaert und Hieronymus Bosch), die ihn möglicherweise inspiriert haben.

Obwohl nun die kleine Fuge in der Mitte die Komposition in keiner Weise beeinträchtigt, fällt doch auf, daß Rubens die Figuren so gruppiert hat, daß sie vollständig innerhalb der schmalen, rechteckigen Flächen der linken und der rechten Tafel verbleiben. So sind links drei übereinander gestaffelte Figuren zu einer kompositorischen Einheit verarbeitet: der stehende Zacharias, der sich mit der linken Hand an einem Ast des Baumes festhält und mit der Rechten dem Kind einen Zweig mit zwei Äpfeln darbietet, unterhalb von ihm kniend seine Gemahlin Elisabeth und schließlich, von ihr gestützt, der Johannesknabe, der die gefalteten Hände zu dem in der anderen Hälfte der Szene dargestellten Jesuskind erhebt. Hier sind Maria mit dem Kind und Josef zu einer gleichsam plastisch modellierten Gruppe vereint, deren Volumen durch die harmonischen Wölbungen von Marias Gewand stark hervortritt. Da die Gruppe in der rechten Bildhälfte etwas höher plaziert ist als links, werden zum Ausgleich links oben zwei durch das Geäst turnende Putti eingeführt. Der eine dieser Knaben, auf einem Ast nahezu liegend, findet unten rechts auf der anderen Tafel in den zwei Kaninchen und dem Blätterwerk gewissermaßen sein Gegengewicht. Der Stamm gibt, wenn auch nicht ganz genau, die Mittelachse der Komposition und damit die Nahtstelle zwischen den Tafeln an. Rechts

zieht sich durch die mit schweren Früchten behangenen Zweige ein breites, dunkelrotes Tuch, das einer Fahne gleicht und bis in die linke Hälfte der Komposition hineinreicht, wie ein Band, das die Flügelaußenseiten mit den Innenseiten verbindet, Fortsetzung der Baldachindraperien über den knienden Erzherzögen und ihren Schutzpatronen.

Übrigens ist die allgemeine Farbtonalität der Außenseiten nicht die gleiche wie innen. Während im geöffneten Triptychon die Komposition gegen den überwiegend dunklen Hintergrund wie in einem leicht gedämpften goldenen Glanz sanft erleuchtet ist — das Wunder widerfährt dem hl. Ildefonso ja in den frühen Morgenstunden, als der Kirchenraum noch im Dunkel liegt —, hebt sie sich auf der Außenseite gegen den hellblauen, mit Weiß vermischten Himmel ab. Auch das Rot und Blau von Marias Kleid und Mantel sind heller als auf dem Mittelbild. Im Grunde sehen wir hier das Gegenteil dessen, was sonst beim Triptychon meist der Fall ist, daß nämlich die Außenseiten — sofern es sich nicht überhaupt um Grisaillen handelt — in dunkleren Tönen gehalten sind, um beim Öffnen die Pracht der Innenseite umso stärker hervortreten zu lassen. Auch hier wird ein Kontrast angestrebt, wenn auch im umgekehrten Sinne. Unterschiedlich sind auch die dadurch hervorgerufenen Stimmungen: idyllisch-friedlich auf der Außenseite, beschaulich und zugleich festlich innen. Auch darin bildet der *Ildefonso-Altar* eine Ausnahme und zeugt vom großen Erfindungsreichtum, den Rubens noch in seinen letzten Lebensjahren bewies.

Auch in der Ausführung, der Malweise, unterscheidet sich die Außen- von der Innenseite. Sie ist kräftiger, breiter, da und dort sogar etwas gröber und auf jeden Fall weniger detailliert in der Wiedergabe von Menschen und Gegenständen. Stellenweise sieht es so aus, als habe der Künstler dickere Pinsel verwendet. Und doch erweckt er mit ebenso treffsicherer wie verblüffender Virtuosität die Formen zum Leben. Den Anstoß zur Anwendung dieser kräftigen *fa presto*-Technik empfing Rubens zweifellos durch seine neuerliche Begegnung mit der Kunst Tizians während seines zweiten Aufenthalts am Hofe Philipps IV. in Madrid (von September 1628 bis Ende April 1629), wo sich eine sehr umfangreiche Sammlung von Werken des großen Italieners befand. Man weiß, daß Rubens damals die meisten dieser Bilder kopiert hat. Eines von ihnen war *Adam und Eva,* ein Gemälde, das sich heute im Madrider Prado befindet. Auch hier gliedert sich die Darstellung in zwei durch einen Baum (den Baum der Erkenntnis) voneinander getrennte Hälften. Verwandt sind auch die großen Äpfel und die Formen des Laubwerks, und im Hintergrund dehnt sich eine ähnlich idyllische Landschaft. Selbst der Putto, der ganz oben hinter dem Baumstamm hervorlugt, scheint ein Zwillingsbruder der kleinen Figur zu sein, die in Tizians Gemälde den gleichen Platz einnimmt. Diese Reminiszenzen an den großen italienischen Meister sind nicht weiter verwunderlich, da Rubens den *Ildefonso-Altar* bereits kurz nach seiner Rückkehr aus Madrid und London

Peter Paul Rubens
*Die heilige Familie unter dem
Apfelbaum*
(Ausschnitt)

gemalt hat, als er Tizians Werke noch in frischer Erinnerung hatte.

Warum wurde auf der Außenseite des *Ildefonso-Altars* die *Heilige Familie unter dem Apfelbaum* dargestellt? Warum gerade dieses Thema? Wahrscheinlich deshalb, weil die Kapelle in der 1603 der Bruderschaft zugewiesenen Kirche St. Jacob op de Coudenberg ursprünglich der Madonna geweiht war. Damit war ein Marienthema für die Flügelaußenseiten vorgegeben. Daß die hl. Familie nicht auf Jesus, Maria und Josef beschränkt blieb, sondern um Marias Base Elisabeth und deren Familie erweitert wurde, hat seinen Grund möglicherweise nicht nur in der Forderung nach einer ausgewogenen Komposition, sondern auch darin, daß Elisabeth — ebenso wie Elisabeth von Ungarn — eine Schutzpatronin der Infantin Isabella war.

Warum aber wird die Familienszene so nachdrücklich unter einem Apfelbaum dargestellt? Spielt hier möglicherweise eine lokale Tradition eine Rolle? Hatte ein früheres Gemälde in der Kapelle Maria unter dem Apfelbaum gezeigt? Bis heute sind keine Dokumente bekannt, die darüber Aufschluß geben könnten. Der Apfelbaum gemahnt vielleicht auch an die biblische Geschichte vom Baum der Erkenntnis inmitten des Paradieses und spielt damit auf die Auffassung von Maria als der zweiten Eva an, die als Miterlöserin gemeinsam mit ihrem Sohn die Sünden der Menschheit überwindet: durch die Erlösung kann der Baum wieder Früchte tragen. Der Baumstamm kann auch das Kreuz bedeuten, an dem Jesus gestorben ist. Ein Hinweis darauf wären die Haltung des Jesusknaben in dem Gemälde (nicht unähnlich der Haltung Jesu bei der *Kreuzabnahme*) und seine Position paralell zum Baumstamm. Und verweist das Bächlein, das vorn aus dem felsigen Grund dringt und den Baumstamm widerspiegelt, nicht auf die Gnade, die in Jesus entsprungen ist, das »Wasser, das in das ewige Leben quillt« (Johannes 4,14)?

Ob diese Annahmen begründet sind, müssen weitere Forschungen erweisen. Was wir aber über die Spiritualität des 17. Jahrhunderts und über die Symbolik, die darin eine große Rolle spielt, wissen, läßt sie als nicht allzu fernliegend erscheinen.

Frans Baudouin

Peter Paul Rubens

(1577 Siegen - 1640 Antwerpen)

**Die Begegnung König Ferdinands
von Ungarn mit dem
Kardinal-Infanten Ferdinand vor der
Schlacht bei Nördlingen 1634**

Leinwand, 328 × 388 cm
1730 in der Galerie
Inv.Nr. 525
69 (siehe S. 268)

* [Aedo y Gallart, El memorable y glorioso
Viaje del Infante Cardenal D. Fernando de
Austria, Antwerpen 1635; deutsche
Übersetzung zitiert nach H.G. Evers, Peter
Paul Rubens, 1942].

Mit dem Tod der Infantin Isabella Clara Eugenia am 1.Dezember 1633 wurde die Regentschaft der Niederlande vakant. Doch König Philipp IV. hatte rechtzeitig vorgesorgt und noch zu Lebzeiten der Infantin, 1631, seinen jüngeren Bruder, den Kardinalinfant Ferdinand, zum Nachfolger designiert. Als jüngerer Sohn König Philipps III. war Ferdinand zur geistlichen Laufbahn bestimmt worden; er wurde bereits mit zehn Jahren zum Erzbischof von Toledo und Kardinal ernannt. Doch seine eigentliche Begabung lag, wie die nächsten Jahre zeigen sollte, auf militärischem Gebiet. Im April 1633 brach der Kardinalinfant mit einer Flotte von Barcelona nach Genua auf und begann in Oberitalien Truppen auszuheben für die Armee, die ihn über die Alpen in die Niederlande begleiten sollte. Obwohl die Nachricht vom Tod der Infantin Isabella einen raschen Aufbruch nahelegte, zog der Kardinalinfant erst im Sommer des darauffolgenden Jahres über die Alpen und vereinigte seine Truppen mit der Reichsarmee, die unter dem Oberbefehl des späteren Kaisers Ferdinand III., damals mit dem Titel eines Königs von Ungarn, stand. »Eine halbe Meile vom Lager entfernt, kam der König selbst Seiner Hoheit zum Empfang entgegen, begleitet von seinen Fürsten und Herren, unter ihnen der Prinz von Florenz, Bruder des Großherzogs, der Großmeister des Deutschritterordens, Piccolomini usw. Als diese beiden großen Ferdinande sich in einer Entfernung von etwa hundert Schritt erkannt hatten, stiegen sie beide von ihren Pferden und näherten sich einander und umarmten sich mit der Herzlichkeit und der Freude, wie sie zwischen so nahen Verwandten natürlich ist, und doch auch mit den Höflichkeiten, die zwei so hochgestellten Fürsten gebühren.«* Rubens hatte offenbar Gelegenheit, für seine Komposition, die Teil der Festdekorationen für den feierlichen Einzug des Kardinalinfanten in Antwerpen war, das Manuskript des noch ungedruckten Buches (für das er ein Titelblatt entwarf) zu benützen. Er stellt, dem Text folgend, die Begegnung des Königs mit dem Kardinalinfanten im Mittelgrund des Bildes dar; die Feldherrn eilen aufeinander zu und reichen sich die Hände; beide sind von Gefolge umgeben, das sich links, auf der Seite des Königs, weit in die Tiefe staffelt, während der Kardinalinfant rechts, von seiner Begleitung getrennt, nach vorne zu eilend, als die eigentliche Hauptfigur erscheint. Über den beiden Vettern erscheinen Adler mit Donnerkeilen und Lorbeerkränzen, vorne lagert der bärtige Flußgott der Donau, dessen Urne mit Blut vermischtes Wasser entströmt, rechts auf einen Schild mit dem Reichsadler gestützt, die trauernde Germania.

Das erste Zusammentreffen der beiden Ferdinande fand am 2.September 1634, vier Tage vor der entscheidenden Schlacht von Nördlingen, bei der die Schweden und die mit ihnen verbündeten deutschen Evangelischen vernichtend geschlagen wurden, statt. Rubens stellt den Kampf im Hintergrund bereits in vollem Gang dar, die Begrüßung ist eine Allusion auf die Begegnung der siegreichen Feldherrn nach der Schlacht. »Victrices sociant dextras duo fulmina belli« ist die Radierung Thuldens nach dem Bild überschrieben.

Der Empfang des Kardinalinfanten in den Niederlanden gestaltete sich zum Triumphzug eines siegreichen Feldherrn. Am 4.November 1634 zog er in seiner Residenz Brüssel ein, wenige Tage später wurde er von Vertretern der Stadt Antwerpen eingeladen, auch hier den feierlichen Einzug (Joyeuse entrée) zu halten.

Die Planung für den Einzug lag in den Händen von Nicolaes Rockox, der den Gesamtentwurf ausarbeitete, von Jan Caspar Gevaerts, dem gelehrten Stadtschreiber, der schließlich 1641 die Publikation in Buchform besorgte und Peter Paul Rubens, der vom Magistrat mit dem Entwurf der Ehrenpforten und Schaubühnen, sowie der Überwachung der Ausführung der Malerei beauftragt worden war. Im Hinblick auf die Verarmung der Stadt bestimmte der Rat, die Kosten des Einzugs so niedrig wie möglich zu halten und beschloß, nur zwei Ehrenpforten, eine zu Ehren des Königs, die andere zu Ehren des Kardinalinfanten selbst sowie vier Schaugerüste zu errichten, deren Bildprogramm dem Statthalter den durch die holländische Scheldesperre hervorgerufenen schlechten wirtschaftlichen Zustand Antwerpens anschaulich machen und ihn veranlassen sollten, Abhilfe zu schaffen. Die notwendigen Vorbereitungen wurden mit größter Schnelligkeit getroffen, Rubens fertigte für jede der beiden Seiten der Ehrenpforten, sowie für die Schauwände eine Ölskizze in einheitlichem Format, die detailgetreu den architektonischen Aufbau, die Zierstücke, sowie die Komposition der einzufügenden Bilder zeigte und damit als Grundlage für die Vergabe der Zimmermannsarbeiten, aber auch als Modello für die ausführenden Maler dienen konnte. Die Arbeiten schritten wegen des strengen Winters nur langsam voran und der ursprünglich für die Tage nach Epiphanie geplante Einzug mußte auf den 17.April verschoben werden.

Am Nachmittag des Festtages endlich wurde der Kardinalinfant außerhalb der Stadt begrüßt, dann setzte sich der mehr als zwei Stunden dauernde Zug in Bewegung und führte an insgesamt zwölf Stationen vorbei. Als erster der architektonischen Aufbauten war neben St.Georg die »Willkommenswand« errichtet, unter einem von Doppelpilastern getragenen schweren Bogen als architektonischem Mittelmotiv war ein Velum mit einer Darstellung der Begrüßung des Infanten durch die Personifikation der Niederlande, von Cornelis Schut gemalt (heute verloren), ausgespannt. Die in stumpfem Winkel seitlich angesetzten Wände trugen je ein Bild mit der Wiedergabe eines besonders wichtigen Ereignisses auf der Reise Ferdinands von Spanien in die Niederlande, links die Überfahrt von Barcelona nach Genua mit dem die stürmischen Wogen besänftigenden Neptun (Quos ego, heute in der Gemäldegalerie Dresden), rechts unsere Darstellung mit der Begegnung vor der Schlacht bei Nördlingen. Diese beiden Bilder führte Rubens weitgehend allein aus, eine mögliche Beteiligung von Mitarbeitern ist nur an den Begleitfiguren des Kardinalinfanten und der Quellnymphe zwischen den Personifikationen von Donau und Deutschland spürbar.

Karl Schütz

Peter Paul Rubens

(1577 Siegen - 1640 Antwerpen)

Der Schloßpark

Eichenholz, 52,7 × 97 cm
1781 in der Galerie,
Inv.Nr. 696
70 (siehe S. 271)

Inmitten einer flachen Landschaft mit einer parkartigen Anlage liegt ein wuchtiges, spätmittelalterliches brabantisches Schloß. Eine Bogenbrücke überspannt den Graben. Eine etwas höher stehende Baumgruppe, durch die sich ein Waldpfad schlängelt, der sich bald verliert, schließt das Bild links ab. Rechts im Hintergrund säumen zwei Reihen Bäume eine Allee, die stark verkürzt wiedergegeben ist. Andere Bäume verstellen den Blick in die Tiefe. Auf beiden Seiten des Schlosses sieht man im Hintergrund bewaldete Hügel. Im Vordergrund befindet sich eine heitere, jugendliche Gesellschaft. Ein reich herausgeputzter junger Mann mit einem breitrandigen Hut auf dem Kopf, der seinen Mantel auf den Boden geworfen hat, versucht Grasbüschel unter die Röcke einer jungen Dame zu stecken, die einige Schritte zurückweicht. Neben ihr hilft ein anderer junger Mann seiner Partnerin auf. Das Liederbuch und die Mandoline, die auf dem Boden liegen, zeigen, daß beide soeben noch musiziert haben, vermutlich gemeinsam mit der Frau, die dem Betrachter den Rücken zuwendet und ebenfalls ein Saiteninstrument bei sich hat. Ein weiteres Paar kniet auf dem Boden. Auch hier versucht der Jüngling, Gras unter die Röcke seiner Dame zu stecken, was als erotisches Symbol gedeutet werden kann. Ein anderer junger Mann verfolgt drei junge Frauen, die erschreckt die Flucht ergreifen. Links beobachtet ein bedächtigeres Paar die Szene. Der schon etwas ältere Mann stützt sich auf einen Stock und zeigt mit dem linken Arm auf die ausgelassene Gesellschaft. Die deutlich jüngere Frau ist in prächtige Gewänder gekleidet, trägt einen breiten Hut und hält einen Fächer locker in der Hand. Mit Recht werden diese beiden Figuren als Rubens und seine zweite Gemahlin, Helene Fourment, identifiziert.

Der Gegenstand dieser Darstellung kann am besten als »Conversation à la mode« bezeichnet werden. Darunter versteht man die Abbildung einer vornehmen, gut gekleideten Gesellschaft im Freien. »Conversation« bedeutet in diesem Zusammenhang ein Beisammensein oder eine Begegnung, während »à la mode« sich hier nicht auf die Kleidung beschränkt, sondern auf die verfeinerte Lebensweise und das »savoir vivre«. Es hat seinen Ursprung in der Freizeitkultur des höheren Bürgertums, der Klasse, der auch Rubens angehörte. Damit wird auch gleich die Beziehung zu Musik und Gesang, besonders zu Liebesmusik, Liebeslyrik und Minnespiel erklärt. Ikonographisch sind derartige Szenen mit zeitgenössischen Genrebildern und amourösen Stichen verwandt, die bei der höheren Bürgerschicht zu Beginn des 17. Jahrhunderts sehr beliebt waren. Der gleiche Gedanke findet sich auch in der Literatur der Zeit, besonders in französischen Traktaten. »Le Manuel d'Amour« aus dem Jahre 1614 zum Beispiel nennt »Konversationen« den Mittelpunkt des sozialen Lebens und behauptet, die Gesellschaft müsse zunächst über Liebe, den Ursprung der Harmonie, sprechen, dann werde Glück und Freude sie verbinden. Die Szene darf nicht unabhängig von dem Interesse betrachtet werden, das sich in den südlichen Niederlanden im zweiten Viertel des 17. Jahrhunderts für das ländliche und Bauernleben zeigt. So erklärt sich auch Rubens' Neigung zur Natur und dem Landleben, das vor allem nach 1630 zum Ausdruck kommt und von dem zahlreiche Landschaftsbilder zeugen.

Verschiedene Figuren in diesem *Schloßpark* sind in gleichartigen Haltungen im *Liebesgarten* (Prado, Madrid) wiederzufinden, auch auf einem Stich mit demselben Gegenstand, der, nach einer Zeichnung von Rubens, von Christoffel Jegher hergestellt wurde. Daher ist es fast sicher, daß hier eine Reihe von Figurenstudien, die Rubens für letztere Komposition gezeichnet hat und von der einzelne erhalten geblieben sind, wiederverwendet wurden. Das ist besonders deutlich bei dem jungen Mann, der Gras unter die Röcke einer zurückweichenden Dame steckt, dem sich aufrichtenden Paar und dem knienden Mädchen, das zu der Gruppe der drei Flüchtenden ganz rechts gehört. Das Bild im Prado ist zwischen 1632 und 1633 zu datieren; der Wiener *Schloßpark* ist etwas später, vermutlich 1633-1635 entstanden. Charakteristisch daran ist eine dünne, häufig transparente Malweise. Obwohl das Bild einen skizzenhaften Charakter trägt, bedeutet das durchaus nicht, daß es sich um eine unfertige Tafel oder Ölskizze handelt. Manche Kunsthistoriker nehmen an, Rubens habe das kleine Bild für seine eigene Sammlung gemalt. Konkrete Beweise für diese Hypothese gibt es allerdings nicht.

Hans Devisscher

Peter Paul Rubens

(1577 Siegen - 1640 Antwerpen)

Das Venusfest

Leinwand, 217 × 350 cm
1685 in der Galerie,
Inv.Nr. 684
71 (siehe S. 270)

Wir haben hier ein überaus komplexes, zugleich aber außerordentlich harmonisch aufgebautes und übersichtliches Gemälde vor uns, ungeachtet der Vielfalt der Motive, symbolischen Hinweise und unterschiedlichsten, versteckten Bedeutungen, ungeachtet auch der Tatsache, daß die Bildfläche, der Erweiterung des ursprünglichen Themas entsprechend, mehrmals vergrößert wurde.

Der Ausgangspunkt der Darstellung liegt in der Bildmitte. Hier begann Rubens die Arbeit an dieser Kompositionsvariante eines meist *Huldigung an Venus* betitelten Werkes, das Tizian 1519 für Alfonso I. d'Este, Herzog von Ferrara, geschaffen hatte. Der große Venezianer versuchte hier eine Rekonstruktion eines der 65 (nicht mehr existierenden) von Philostrat d.J. (Anfang des 3. Jh.n.Chr.) in seinen »Eikones« in griechisch beschriebenen antiken Gemälde, die vermutlich aus dem 2. Jh.n.Chr. stammten und sich in einer Pinakothek in Neapel befanden. In der betreffenden Passage der »Eikones« (I,6) geht es um Eroten (oder kleine Amoretten, meist geflügelte Kinder), die äpfelpflückend, tanzend und einander umschlingend durch einen Obstgarten tollen. Die Szene spielt nahe einer Felsgrotte, aus der Wasser zu den Bäumen hin fließt. Am Felsen haben Nymphen ein Standbild der Venus errichtet und ihr Weihegaben dargebracht. Auf diese Darstellung der Beschreibung Philostrats beschränkt sich das Gemälde Tizians, das sich heute im Prado in Madrid befindet. Als Rubens 1600-1608 in Italien weilte, war es im Besitz des Kardinals Pietro Aldobrandini, in dessen Palast in Rom Rubens es gesehen und später auch kopiert hat (Nationalmuseum Stockholm). Im ursprünglichen Entwurf des hier besprochenen Bildes begnügte Rubens sich mit der gleichen Darstellung wie Tizian, wenn auch in sehr freier Interpretation. Von der Vorlage abweichend, rückt er das Standbild fast in die Mitte und zeigt es frontal statt im Profil. Auch nimmt die Figur (bei ihm eine andere Haltung ein), die an die Knidische Aphrodite des Praxiteles erinnert, diese veränderte Position der Statue bestimmte auch den weiteren Aufbau des Bildes. Eine wesentliche Abweichung von Tizians Gemälde liegt in der verspielten Art, in der Rubens die meisten der Eroten zu zwei Gruppen zusammenfügt, die sich, reigentanzend, an den Händen halten.

Die Leinwand mit der bisher beschriebenen Komposition wurde dann, wie an den Nähten deutlich zu erkennen ist, erweitert, links um etwa 54 cm, rechts um 23 cm, oben um einen schmalen horizontalen Streifen von etwa 29 cm und später noch einmal um 29 cm.

Rubens hat die Leinwand links bewußt ganz beträchtlich erweitert um hier im Vordergrund drei Paare tanzender Satyrn und Nymphen, Personifikation der sinnlichen Liebe, darstellen zu können, vor allem aber deshalb, um eine architektonische Konstruktion zu plazieren, die in der Mitte eine große Nische mit einer Urne aufweist, eine Verdeutlichung der Quelle, aus der das Wasser fließt. Bevor es ungehindert seinen Lauf nehmen und in den Boden eindringen kann, fällt es in eine große, pokalartige Brunnenschale nieder, auf deren Rand vornübergebeugt ein Amor kniet und sichtlich gierig seinen Durst löscht. Weiter im Hintergrund ist ein Rundtempel mit korinthischen Säulen zu sehen. Zur Darstellung des imposanten architektonischen Ensembles auf der linken Anstückung wurde Rubens offenbar durch einen Stich inspiriert, den ihm Ende 1635 sein Freund, der französische Humanist Peiresc übersandt hatte. Er gibt ein Fresko wieder, das beim Bau des Palazzo Barberini am Quirinal in Rom entdeckt worden war. Aus Rubens' Dankesbrief, in dem er sich über die Darstellung äußert, geht hervor, daß sie einen »zweistöckigen« »Arco naturale« mit mehreren Gebäuden enthielt. Den ganzen Komplex identifizierte er selbst als ein Nymphaeum, ein den Nymphen geweihtes Heiligtum, schon in der Antike meist ein monumentales Bauwerk mit einem für rituelle Waschungen bestimmten Brunnen.

Die Anstückung am oberen Bildrand einer schwere Girlande aus Früchten und Ähren, ermöglicht ein kompositorisches Gegengewicht zu den ausgelassenen Reigentänzen der Eroten im Vordergrund, die sich, von geschmeidigen Putti anmutig umflattert, durch das Geäst der Bäume schlingt. Ein Putto läßt eine Blumenkrone auf das Venusstandbild herab.

Auf dem angestückten schmalen Streifen rechts eilen zwei im Stil der Rubens-Zeit gekleidete junge Frauen auf das Standbild zu, Puppen in den Händen tragend, die ihnen gleichen. Es sind heiratsfähige junge Frauen, die der Göttin der Liebe die Puppen ihrer Kinderzeit zum Opfer darbringen. Auch dieses Motiv fehlt bei Philostrat und auch bei Tizian.

So wurde das Bildidee Philostrats, Grundkonzept der Komposition, durch verschiedene Hinzufügungen, die hier nicht alle beschrieben und interpretiert werden können, durch zusätzliche Bedeutungen erweitert und auf diese Weise die Rekonstruktion des antiken Gemäldes der *Liebesgötter*, wie Philostrat sie nennt, zur Darstellung eines »Festes der Venus Verticordia«, der Göttin der reinen Liebe, der »Abwenderin ungeordneter Begierden«. Die Schilderung eines solchen Festes findet sich in Ovids »Fasti« (IV, 133-192, sowie III, 863-876), die Rubens unverkennbar inspiriert haben. Am 1. April, so schreibt Ovid, wurden Latiums Mütter, Bräute, aber auch die jungen Mädchen aufgefordert, das Kultbild der Venus zu reinigen, mit Blumen zu schmücken und auch sich selbst zu waschen und zu kämmen, um so die keusche Göttin zu verehren. Der »Fortuna Virilis«, die den Umgang mit Männern begünstigt, mußten sie Weihrauch verbrennen. Dies geschieht hier in einem Dreifuß, ganz ähnlich dem, der 1629 in einem Tempel südlich von Aix-en-Provence entdeckt wurde, ein Fund, von dem Peiresc Rubens berichtete. Dies erlaubte die Annahme, das Gemälde sei nach diesem Datum konzipiert worden. Andere Umstände lassen jedoch auf einen weit späteren Entstehungszeitpunkt schließen. Da ist zunächst das bereits erwähnte antike Fresko mit der Darstellung des *Nymphaeums*, das Rubens 1635 kennengelernt hat. Hinzu kommt, daß der Putto ganz rechts im

Peter Paul Rubens
Triumph der Venus
(Nationalmuseum Stockholm)

Reigen die Gesichtszüge des im Juli 1633 geborenem Frans Rubens, ein Sohn des Malers, trägt. Er ist hier ebenso naturgetreu abgebildet wie in dem Gemälde *Helene Fourment mit ihren Kindern* im Louvre, das entsprechend dem Alter der Kinder 1636-1637 datiert wird. Demnach ist das *Venusfest* vermutlich 1637 oder etwas später entstanden.

Eine solche Datierung bestätigen im übrigen auch die Stilmerkmale dieser festlichen allegorischen Szene, die sämtlich auf die letzten Jahre in Rubens' fruchtbarem Schaffen hindeuten, als seine Kunst ein erstaunliches Crescendo erreicht. Fast alle Formen, Haltungen und Bewegungen sind wie beseelt von einer mitreißenden vitalen Dynamik, gleichsam Teil eines rhythmischen Perpetuum Mobile. Die elegante Komposition mit den anmutigen Bewegungen der reigentanzenden Eroten, der gleichfalls tanzenden Paare unten links und der rechts auf die Venusstatue zueilenden Figuren trägt dazu eben-

so bei wie die Putti, die verspielt die Früchte- und Blumengirlande umflattern. Selbst das kleinste Blatt an den Bäumen scheint in Bewegung, und helle Lichtreflexe suggerieren das ruhige, stetige Fließen des Wassers. Auch das Kolorit mit seinem Reichtum feiner Zwischentöne und einer Fülle aufeinander abgestimmter Licht- und Schattenkontraste tut das Seine, eine arkadische Natur entstehen zu lassen, die von warmem, pulsierendem Leben erfüllt ist. Fast transparent erscheinen die perlmutt-glänzenden Leiber der Putti. Das Inkarnat der Frauenfiguren läßt bisweilen an Elfenbein denken. Das Ganze ist überstrahlt durch ein herzliches, differenziertes Licht, das alle Teile der Darstellung zu einer festlichen Komposition miteinander verbindet.

Frans Baudouin

Peter Paul Rubens

(1577 Siegen - 1640 Antwerpen)

Das Pelzchen

Eichenholz, 176 × 83 cm
1730 in der Galerie,
Inv.Nr. 688
72 (siehe S. 270)

Ein atemberaubend schönes Gemälde und gleichzeitig eines der rätselhaftesten aus dieser Sammlung ist dieses ganzfigurige Porträt der Helene Fourment, Rubens' zweiter Frau — ein Werk, das unter dem Namen *Het Pelsken (das Pelzchen)* bekannt ist. Diesen Namen gab ihm Rubens selbst in seinem Testament, wo er die Bestimmung aufnehmen ließ, es solle nach seinem Tode seiner Frau gehören, »ohne etwas dafür zu geben oder einzubringen«. Es wurde ihr deshalb als ein postumes Geschenk vor der Verteilung der Erbmasse übergeben und damit dem Kunsthandel und der Neugier Unbefugter entzogen. Es blieb Eigentum von Helene Fourment, und auch nach ihrem Tode im Jahre 1674 offenbar noch lange im Besitz ihrer Erben. Erst 1730 erscheint es zum ersten Mal im Inventar der Wiener Sammlung, zu der es seitdem gehört.

Am 6. Dezember 1630, einige Monate nach seiner Rückkehr aus London, hatte Rubens mit Helene Fourment (1614-1674) die Ehe geschlossen. Er war damals seit vier Jahren verwitwet. Seine erste Frau, Isabella Brant, war 1626 gestorben. Rubens war 53 Jahre alt, Helene Fourment in ihrem sechzehnten Lebensjahr. Aus dieser Ehe sollten fünf Kinder hervorgehen, von denen das letzte erst nach Rubens' Tod im Jahre 1640 zur Welt kam. Helene überlebte ihn noch lange.

An ihrem Hochzeitstage im Jahre 1630 trug Gaspar Gevartius, Stadtschreiber und bekannter Humanist, ein Gelegenheitsgedicht vor. Darin verglich er Rubens mit Zeuxis, einem berühmten Maler des griechischen Altertums und Helene Fourment mit der »griechischen Helena«, deren Schönheit der Anlaß zum Trojanischen Krieg war, dem Homer sein Epos widmete. Um diese Helena zu malen, hatte Zeuxis fünf junge Mädchen als Modell gewählt, wobei er von jeder die schönsten Züge malte und damit in einer einzigen die Gaben vereinte, welche die Natur jeder von ihnen beschert hatte. »Aber« — so fuhr Gevartius fort — »Zeuxis wurde von Rubens übertroffen (…) und siehe da, jetzt besitzt er das lebende Bild von Helena, der Flämin, welche die griechische weit übertrifft. Ihre schneeweiße Brust schließt alle Gaben ein, welche die Frauen Griechenlands und Latiums besaßen. So wurde Venus aus den Wellen des Meeres geboren, mit aufgelöstem Haar. So wurde Thetis mit Peleus vermählt, als das Land Thessalien die großen Götter aufnahm…«

Derartige Lobeshymnen gehörten zu Rubens' Zeit zur normalen Sprache der Gelehrten, deren Geist durch das Studium der »bonae litterae« gebildet war. Sie betrachteten die Antike als Norm für die Gegenwart, und umgekehrt weckte alles, was sich in der Gegenwart als wahr, gut und schön darbot, sogleich Gedankenassoziationen zu Figuren und Umständen aus der glorreichen Vergangenheit von Hellas und Rom. Das Hochzeitsgedicht von Gevartius ist denn auch für eine historisch fundierte Deutung des *Pelzchens* nicht ohne Bedeutung. Die meisten Kunsthistoriker, die im vorigen Jahrhundert, aber auch noch bis vor kurzem, über das Bild geschrieben haben, sahen in der Darstellung von Helene Fourment nur

das Bild ihrer zufälligen Begegnung mit Rubens, als sie sich ins Bad begab, oder — denn die Meinungen darüber sind unterschiedlich — als sie aus dem Bad kam, und Rubens betroffen von ihrer Schönheit war. Vereinzelt wurde auch die Vermutung ausgesprochen, das Bild bewahre die Erinnerung an einen unerwarteten Augenblick, als sie, während einer Pause beim Modellstehen im Atelier ihres Mannes, ihren Mantel um den Körper schlang, um sich zu wärmen. Wie dem auch sei, das Gemälde wird allgemein als ein intimes Porträt betrachtet (das es dem Testament zufolge für Rubens sicherlich gewesen ist), das ein zufälliges Erlebnis wiedergibt, gleichsam einen glücklichen Augenblick.

Ohne leugnen zu wollen, das Entzücken bei der Betrachtung der nackten Schönheit seiner Frau könne für Rubens der Anlaß gewesen sein, das Bildnis zu malen, muß doch darauf hingewiesen werden, daß der Inhalt des Werkes etwas komplexer ist. Bewußt wollte er Helene Fourment als Venus darstellen, und als humanistisch geschulter Künstler ließ er sich dabei von klassischen Beispielen leiten, nicht nur von der antiken Skulptur, sondern auch von seinen Kenntnissen der lateinischen Schriftsteller. Genau wie die Künstler der Renaissance regten ihn leider nicht erhalten gebliebene Beschreibungen von Kunstwerken der großen griechischen und römischen Maler und Bildhauer an, um die Gegenstände so zu malen, wie sie in den Texten behandelt wurden, in der Hoffnung, auf diese Weise den unerreichbaren Vorbildern aus dem Altertum nahezukommen, ja, sie bis zu einem gewissen Grade sogar zu erreichen. Berühmt sind vor allem die Beschreibungen derartiger gemalter Szenen von Apelles, Zeuxis u.a., wie sie in der »Historia naturalis« von Plinius dem Älteren (1. Jh.n.Chr.) zu finden sind. Dieser Autor beschrieb auch eine berühmte Marmorstatue von Praxiteles, die Aphrodite von Knidos, nach der Insel benannt, wo sie in einem Tempel verehrt wurde. Davon ist auch in anderen klassischen Schriften die Rede. Obwohl es selbstverständlich nicht möglich war, aufgrund der Beschreibungen bis in alle Einzelheiten festzustellen, wie das Standbild tatsächlich ausgesehen hatte, konnte Rubens doch daraus ableiten, daß es eine stehende Figur aus Marmor war, die sich zum Bad entkleidet hatte und mit einer Hand ihre Scham bedeckte. Diese unvollständige Vorstellung aus seiner Lektüre konnte er durch die Erinnerungen an Statuen, die er in Rom gesehen und nachgezeichnet hatte, ergänzen. Eine besondere Rolle spielte dabei die Kapitolinische Venus, von der angenommen wurde, daß sie von der berühmten Aphrodite von Knidos abgeleitet war.

Als Rubens das *Venusfest* malte (Nr. 71), stellte er in die Mitte der Komposition ein Standbild der Liebesgöttin, deren Haltung an diese römische Skulptur erinnert. Im ganzfigürlichen Porträt der Helene Fourment ließ er sie in der gleichen Haltung posieren. Ihr Körper ist jedoch nicht frontal abgebildet, wie im Venusfest, sondern eher nach links gewandt, während sie ihr Gesicht dem Betrachter zukehrt. Rechts von der Figur wird im Hintergrund eine Fontäne angedeutet, mit einem Löwenkopf

Tizian
Porträt einer jungen Frau im Pelzmantel
(Kunsthistorisches Museum, Wien)

174

der Wasser speit, ein Hinweis auf das Bad, wofür sie sich entkleidet hat. So wurde Helene Fourment selbst zur Venus. Sie in einer Haltung zu malen, die Assoziationen zu dem Standbild der Knidischen Aphrodite erweckt, ist das schönste Kompliment, das sich Rubens für seine Frau ausdenken konnte.

Der Zusammenhang mit Skulpturen aus der Antike drängt sich jedoch nicht unmittelbar auf, wenn man das Bild zum ersten Mal betrachtet. Wir werden vielmehr mit dem blühenden, von intensivem Leben pulsierenden Körper einer jungen Frau konfrontiert. Er zeigt etwas von der Transparenz des Perlmutt und wird hie und da von rosigen Farbtönen und Schimmern belebt. Unbeschreiblich ist der helle Glanz in den großen Augen wie in der Perle, die sie am linken Ohr trägt. Lebhaft leuchtet das Weiß in den Haarbändern und dem um ihren linken Unterarm geschlungenen Hemd mit dem dunklen Mantel und dem neutralen Hintergrund kontrastierend. Die Figur ist so lebensvoll dargestellt, daß vielleicht die Behauptung gestattet ist, nicht Helene Fourment sei zauberhaft in die Venus umgewandelt, sondern Venus sei hier zu Helene Fourment geworden. In ihr erhielt das Idealbild der Göttin der Liebe eine konkrete Form.

Beim antiken Modell, das zum Vorbild diente, fehlt jedoch der Mantel, den Helene Fourment locker um ihren Körper geschlagen hat. Zu diesem Motiv wurde Rubens von dem großen venezianischen Maler Tizian inspiriert. Dieser hatte verschiedentlich die Schönheit des weiblichen Aktes durch den Kontrast zu der gröberen Gewebestruktur von Pelzen oder einem mit Pelz verbrämten und gefütterten dunklen Mantel hervortreten lassen. Ein schönes Beispiel hierfür ist Tizians *Porträt einer jungen Frau im Pelzmantel,* das sich ebenfalls im Kunsthistorischen Museum in Wien befindet (Inv.Nr. 89). Schon während seines Aufenthaltes in Mantua hatte Rubens dieses Gemälde auf Holz kopiert (in englischem Privatbesitz). Später sah er es in den Privatgemächern von Karl I., König von England, wieder, der ihn zwischen 1629 und 1630 wiederholt in Audienz empfing. Es ist daher keineswegs verwunderlich, daß er später daran dachte, als er das *Pelzchen* malte.

Wann dieses Bild entstanden ist, läßt sich nicht genau feststellen. Die Datierung um 1636-1638, die unlängst vorgeschlagen wurde, erscheint glaubwürdig.

Frans Baudouin

Peter Paul Rubens

(1577 Siegen - 1640 Antwerpen)

Selbstbildnis

Leinwand, 109,5 × 85 cm, später
links auf der Säule hinzugefügt:
P.P.RVBINS.
1720 in der Galerie,
Inv.Nr. 527
73 (siehe S. 267)

Im Gegensatz zu Rembrandt, der nicht weniger als 60 Selbstbildnisse gemalt haben soll, hat Rubens sich selbst nur selten auf Leinwand oder Holz abgebildet. Es sind nur fünf Porträts bekannt, die ihn allein darstellen und Eigenhändigkeit beanspruchen können. Hat Rubens das Bedürfnis der Konfrontation mit sich selbst weniger empfunden, oder ließen ihm die vielen Aufträge keine Zeit dazu, Selbstbildnisse zu malen?

Das letzte von ihm geschaffene Selbstporträt ist zweifellos das, welches sich heute in Wien befindet.

Es sieht hier so aus, als hätte Rubens sich zur Teilnahme an einer Feierlichkeit vorbereitet. Er scheint eher zufällig, wie im Vorübergehen, die Augen auf den Betrachter zu richten, etwas zerstreut, zurückhaltend und vielleicht auch mit einigem Mißtrauen. Über der linken Schulter liegt ein breiter, dunkler Mantel, aus dem in der Höhe der Hüften seine schwere linke Hand zum Vorschein kommt, die auf dem Griff seines Degens ruht. Die rechte Hand steckt in einem großen, dunkelbraunen Lederhandschuh. Im Kontrast zum schwarzen Gewand und Mantel und dem dunklen, neutralen Hintergrund, wird das Antlitz des Porträtierten vom Widerschein des Lichtes auf dem flachen, plissierten Kragen erhellt. Der elegante, an Brust und Schultern geschmiegte Kragen wird kontrapunktisch im breitgeränderten, sich nach oben wölbenden Filzhut wieder aufgegriffen, dessen matter, schwarzer Filz kontrastierend einen zarten Glanz hervortreten läßt. Die Säule links, auf einem viereckigen Sockel, gibt der Komposition, deren Formen meist aus Rundungen und sanften, auf und ab schwingenden Linien besteht,eine gewisse Festigkeit.

Als »grand seigneur« hat Rubens sich hier abgebildet, etwas zurückhaltend, seiner Würde bewußt, die Hand auf dem Degen ruhend, den zu tragen bis zur französischen Revolution das ausschließliche Vorrecht des Adels war. Dieses Attribut deutet diskret an, daß er dazu gehörte. Dennoch erscheint Rubens nicht geziert. Er war sich seiner Bedeutung bewußt, er, der eben aus Italien nach Antwerpen zurückgekehrt, Ende 1608 der »Apelles seines Jahrhunderts« genannt und bald nachher zum Hofmaler der Erzherzöge berufen wurde. Seither hatte er so viele Meisterwerke gemalt, daß sein Ruhm sich weiter vergrößert hatte, erst im eigenen Land, aber bald auch an den ausländischen Fürstenhöfen. Außerdem hatte er, der Sohn eines früh verstorbenen Emigranten, dessen sozialer Aufstieg durch die Religionsunruhen seiner Zeit gehemmt worden war, allmählich die höchsten Stufen der gesellschaftlichen Leiter erreicht. Er war Berater der Infantin Isabella und Spinolas, ihres wichtigsten Mitarbeiters und Feldherrn, geworden, danach Berater von König Philipp IV. und dessen erstem Minister Olivares, und er erfreute sich auch der Achtung König Karls I. von England, der eigentlich sein »Gegner« war, als er in London als Diplomat in spanischen Diensten mit ihm verhandelte. Während seiner Abschiedsaudienz wurde Rubens von ihm zum Ritter geschlagen. Der König von Spanien, der dem Künstler zwar schon früher Ehrentitel verliehen hatte, konnte nicht zurückstehen: am 16. Juli

1631 erhob auch er Rubens in den Ritterstand. Es ist interessant, daß der Hohe Rat von Flandern in Madrid, der dazu erst ein Gutachten abzugeben hatte, den Präzedenzfall Tizians erwähnte, der von Karl V. zum Ritter des militärischen Ordens von St. Jacob ernannt worden war und deshalb die Kandidatur von Rubens unterstützte. Wie es sich für einen Ritter geziemte, kaufte der Künstler dann 1635 ein Schloß in Elewijt, wo er mit seiner Familie die Sommermonate verbrachte.

Selbstverständlich bringt dieses Bildnis etwas von dem Ansehen, das er sich erworben hatte, zum Ausdruck. Außerdem aber zeigt es, in aller Aufrichtigkeit, die Zeichen von Rubens' Krankheit und Alter. Das wird uns vor allem klar, wenn wir es mit einem anderen berühmten Selbstporträt vergleichen, das sich in Windsor Castle befindet, und von dem wir mit Sicherheit wissen, daß es zwischen 1623 und 1624 gemalt wurde, also kaum zehn bis fünfzehn Jahre früher. Auf jener Tafel zeigt er sich noch in der Blüte seines mittleren Alters, mit heiteren Gesichtszügen, die ruhiges Selbstvertrauen ausstrahlen. Offenbar war er seitdem sehr gealtert. Die Augenlider sind jetzt geschwollen und schwer. Sowohl das Kopfhaar als auch der Schnurr- und Spitzbart sind sichtlich schütterer. In den Gesichtszügen zeichnet sich eine gewisse Müdigkeit ab. Es scheint, als hätte es Rubens Mühe gekostet, um — etwas unsicher auf seinen Degen gestützt — der edlen Vornehmheit Ausdruck zu geben, mit der er sich vom Betrachter sehen lassen wollte.

Die erste Erwähnung vom Ausbruch einer Krankheit, die damals »flercijn« genannt wurde (Gicht), ist in Rubens' Briefwechsel erwähnt, datiert aus dem Jahre 1627. Dieses Leiden sollte ihn dann, mit Zwischenpausen, wiederholt überfallen. Anfangs hinderte ihn dies keineswegs, als Diplomat ermüdende Auslandsreisen zu unternehmen und sich mit Helene Fourment zu vermählen, die ihm nicht weniger als fünf Kinder schenken sollte. Eigenhändig malte er auch noch Dutzende von Bildern auf Holz und Leinwand, die zu den schönsten gehören, die er je geschaffen hat. Am 8. April 1638 aber meldete sein Freund Balthazar Moretus, der bekannte Leiter der Druckerei Plantin, einem Angehörigen, Rubens habe in seiner Hand so starke Schmerzen, daß er außerstande sei, eine kleine Entwurfszeichnung für die Kupferstecher zu machen und deren Platten zu retuschieren; offenbar ging der Anfall wieder vorüber, denn im gleichen Jahr sollte er noch Vieles in der Malerei leisten. Heilung aber fand er nicht mehr. Am 6. April 1639 war er nicht einmal mehr in der Lage, seine Unterschrift unter eine notarielle Akte zu setzen. Nochmal trat eine Besserung ein. Am 4. Mai 1640 schrieb er noch einen munteren Brief an Lucas Feydherbe, den jungen Bildhauer aus Mecheln, um ihm zu seiner Hochzeit zu gratulieren. Aber am 27. Mai diktierte er sein Testament. Drei Tage später, am 30. Mai 1640, gegen die Mittagsstunde, starb er in seiner Wohnung an der Wapper in Antwerpen im Alter von 64 Jahren.

Frans Baudouin

Anton van Dyck

(1599 Antwerpen - 1641 London)

Studie zum Kopf einer emporblickenden Frau

Papier auf Eichenholz,
49,2 × 45,9 cm
1659 in der Galerie,
Inv.Nr. 514
74 (siehe S. 234)

Dieses brilliant gemalte Bild einer emporblickenden Frau steht in vielen Punkten dem des hl. Philippus (Nr. 75) nahe. Es stammt ebenfalls aus der ersten Antwerpner Periode Anton van Dycks und kann um 1618-1620 datiert werden. Kennzeichnend für den jungen van Dyck ist die sehr freie und kühne Malweise, die zu einer porösen Farbmasse mit deutlichem Pinselstrich führt. Bekannt sind noch einige andere Frauenköpfe van Dycks, die gleichzeitig entstanden : sie zeigen deutlich das gleiche Modell und sind ebenfalls in dieser wenig gebräuchlichen Technik auf Papier ausgeführt.

Genau wie die Darstellungen der Apostel hat auch dieses Bild eine mehrfache Funktion. Diese junge Frau mit üppigem, gelöstem Haar, die Augen ausdrucksvoll zum Himmel gerichtet, ist zweifellos als hl. Magdalena gedacht, und zwar als eine reumütige Magdalena. Obwohl kein Attribut vorhanden ist, um dies zu bestätigen, kann man es aufgrund der langen Haare schließen — Magdalena hatte ja im Hause Simon des Pharisäers Christi Füße gesalbt und mit ihren Haaren getrocknet — wie auch aus dem flehenden Blick, der Reue ausdrücken soll. Dieses Gemälde gibt eines der exemplarischen Themen der Gegenreformation wieder, nämlich die hl. Magdalena als Personifizierung des reumütigen und bußfertigen Sünders. Es ist bemerkenswert, daß Magdalenendarstellungen mehrfach in van Dycks frühester Periode zu finden sind. Vermutlich hatte der junge Künstler damals großes Interesse an der Darstellung einer leidenschaftlichen, gefühlvollen jungen Frau, im Gegensatz zu den zarten, sittsamen heiligen Jungfrauen, die für sein späteres Oeuvre so kennzeichnend sind.

Gleichzeitig ist dieser Frauenkopf eine Studie nach dem Leben, die der Künstler in verschiedenen Darstellungen seiner ersten Antwerpner Zeit benützte. Einen sehr ähnlichen Kopf findet man als Magdalena in dem Bild *Madonna mit Heiligen* in Raleigh wieder. Genau übernommen ist der Frauenkopf außerdem in einem ganz anderen Zusammenhang, nämlich in der *Ehernen Schlange* im Prado in Madrid. Dieses Gemälde stellt eine Szene aus dem Alten Testament dar: um das jüdische Volk während seines Zuges durch die Wüste für sein Murren zu strafen, sandte Gott feurige Schlangen, die viele Todesopfer forderten; nachdem das Volk zu Gott gebetet hatte, sprach dieser zu Moses, er könne sein Volk retten, wenn er eine eherne Schlange auf einen Stab stellte. Die emporblickende junge Frau mit dem langen Haar ist im Madrider Bild eine sterbende Frau, die herbeigeführt und gestützt wird, um die heilbringende Schlange zu betrachten und so von den tödlichen Bissen zu genesen.

Ob diese Skizze auf Papier speziell als Studie nach dem Leben für das alttestamentliche Gemälde entstanden ist? Oder ging es dem jungen Maler hauptsächlich um eine Darstellung der hl. Magdalena, die er dann später in einem anderen Zusammenhang verwendete? Für das 17. Jahrhundert stellte sich diese Frage nicht. Magdalena und die sterbende Jüdin haben ja inhaltlich mehr als eine Übereinstimmung. So wie man die Eherne Schlange als Vorausdeutung der Kreuzigung Christi ansah, so wurde die Frau wohl von van Dyck bewußt mit der reumütigen Magdalena in Zusammenhang gebracht, die beim Tod Christi anwesend war und am Fuße des Kreuzes die Augen zum Erlöser erhob.

Nora De Poorter

Anton van Dyck

(1599 Antwerpen - 1641 London)

Der Apostel Philippus

Eichenholz, 64,5 × 50,5 cm
1976, Legat Dr.O.Strakosch,
Inv.Nr. 9703
75 (siehe S. 235)

Anton van Dyck
Hl. Simon
(The J. Paul Getty Museum, Malibu)

Dieser hl. Philippus gehört zu einer Serie von 13 Tafeln mit Darstellungen Christi und der 12 Apostel, die, abgesehen von jener Christi, im Jahre 1914 noch alle im Besitz des Kunsthändlers Böhler in München waren. Jetzt ist die Serie in viele Sammlungen zerstreut. Das Christusbild befindet sich in Genf. Ein zweiter Apostel, der hl. Judas Thaddäus, gleichfalls im Kunsthistorischen Museum (s. S. 234) in Wien, die übrigen Tafeln in Rotterdam, Hannover, Essen, Budapest, Malibu, Sarasota oder an unbekannten Orten.

Diese Serie kann um 1618-1620 datiert werden, das heißt in van Dycks erste Antwerpner Periode, vor seine Abreise nach Italien. Es sind nicht die einzigen Apostel, die der junge van Dyck gemalt hat. Wir kennen noch Dutzende anderer Bilder mit Aposteln, die aber sehr unterschiedlich in ihrer Qualität sind und in den meisten Fällen schwerlich in Serien zusammengefaßt werden können. Die sogenannte »Böhler-Reihe«, zu welcher der hier besprochene hl. Philippus gehört, ist jedenfalls die vollständigste und muß auch zu den besten gezählt werden.

Daß dieser nach oben blickende Mann mit der pathetischen Gebärde den Apostel Philippus darstellt, ist aus seinem Attribut, dem Kreuz, abzuleiten, das auf seine Kreuzigung hinweist.

Der unmittelbare Anlaß für das Entstehen der Apostelserie van Dycks ist vermutlich im Beispiel von Rubens zu suchen. Es ist verständlich, daß der jugendliche Maler stark unter dem Einfluß des großen Meisters stand, mit dem er in jenen Jahren zusammenarbeitete. Rubens hatte ungefähr zehn Jahre früher, um 1610-12, eine Reihe *Christus und die Apostel* gemalt, den sogenannte *Apostolado Lerma,* jetzt im Prado in Madrid. Eine zweite Fassung, möglicherweise Kopien, befand sich um 1618 in Rubens' Atelier, und van Dyck hat sie dort sicherlich gesehen. Bei einigen Aposteln — u.a. dem hl. Jakobus dem Älteren — finden wir unverkennbare Reminiszenzen an die Serie von Rubens.

Dennoch sind van Dycks Apostel deutlich von denen Rubens' zu unterscheiden. Rubens zeigt monumentale, skulptural geformte Figuren, die Kraft ausstrahlen. Van Dycks Apostel sind schlanker, von höherem Wuchs und zeigen eine große innere Bewegung. Außerdem erkennen wir charakteristische stilistische Elemente aus van Dycks erster Antwerpner Periode: eine freiere und nervösere Pinselführung die von Rubens' Malweise abweicht und van Dycks Bewunderung für italienische Meister verrät.

Rubens war sicherlich nicht der erste, der Apostelserien malte. Derartige Serien waren eine Tradition, die man schon im 16.Jahrhundert in den Niederlanden findet, und das Interesse für dieses Thema ist erklärbar. Es sind nämlich nicht nur Darstellungen der Jünger Christi mit ihren jeweiligen Attributen, sondern gleichzeitig auch Studien männlicher Physiognomien und Darstellungen ihrer seelischen Regungen. Es geht um Charakterstudien, mit denen der Künstler sein Talent beweisen konnte, um eine »Sammlung« von Typen, die dem enzyklopädisch eingestellten Interesse der Kunstsammler entsprach.

In van Dycks Apostelköpfen ist dieses physiognomische Interesse unverkennbar. Abgesehen von den Attributen unterscheiden sich diese etwas skizzenhaft ausgeführten Männerköpfe kaum von den vielen Studienköpfen, die wir von Rubens, van Dyck und Jordaens kennen. Für van Dyck war die Funktion dieser Apostel jedenfalls die gleiche, wie die der Kopfstudien: einen bestimmten Typus nach dem Leben auf Papier oder Holz festzuhalten, um ihn später in Historienmalereien verwenden zu können. In vielen religiösen Darstellungen aus seiner ersten Antwerpner Periode sind diese Apostel, in der Rolle anderer Figuren, beinahe in genau gleicher Form übernommen worden. Aus Archivalien wissen wir, daß van Dyck seine Apostel nach lebenden Modellen malte. Haltung und Ausdruck entnahm er dabei der vorhandenen Apostelikonographie und älterem Bildmaterial. Den alten Mann, den er als Modell für Philippus wählte, stellte er in der traditionellen pathetischen Formel dar, mit der Hand auf dem Herzen und die Augen gegen den Himmel gerichtet. Durch die virtuose Mischung von realistischen und idealisierenden Elementen — eine Begabung, die van Dyck später in seinen Porträts mit so viel Erfolg nutzen sollte — schuf er das bewegende Bild eines tief gläubigen Apostels und Märtyrers.

Nora De Poorter

Anton van Dyck

(1599 Antwerpen - 1641 London)

Bildnis eines jungen Feldherrn in goldverzierter Rüstung

Leinwand, 115,5 × 104 cm
1720 in der Galerie,
Inv.Nr. 490
76 (siehe S. 232)

Das Bild stammt aus van Dycks italienischer Periode (1621-1627). Es zeigt einen jungen Edelmann mit seinen militärischen Attributen: er trägt eine kostbare Rüstung, sein Helm liegt hinter ihm auf dem Tisch, in der rechten Hand hält er den Feldherrnstab. Die Wiedergabe der prächtigen Rüstung ist ein großartiges Beispiel für van Dycks sichere Pinselführung und für seine Virtuosität in der Darstellung von Materialien.

Es ist nicht mit Sicherheit festzustellen, wer hier porträtiert wurde. Vielleicht ist es Ferdinando Gonzaga, der Herzog von Mantua (1587-1626), Sohn des Vincenzo, der ungefähr 20 Jahre früher Rubens' Mäzen war. Ein anonymer van Dyck-Biograph aus dem 18. Jahrhundert berichtet, daß van Dyck den Herzog in Mantua malte. In seiner Begeisterung über das Bild schenkte ihm dieser eine goldene Kette mit einem Medaillon, das sein Bildnis trug. Diese Geschichte ist jedoch mit keinem einzigen Dokument belegt. Man kann aber annehmen, daß van Dyck kurze Zeit in Mantua war, und zwar im November 1622, als er die Gräfin von Arundel von Venedig nach Turin begleitete. Ob er damals tatsächlich den 35jährigen Ferdinando Gonzaga porträtierte, und ob es sich dabei um das hier besprochene Gemälde handelt, kann nicht mit Sicherheit nachgewiesen werden, da es nur sehr wenig brauchbares ikonographisches Vergleichsmaterial gibt.

In seiner *Anbetung der heiligen Dreifaltigkeit durch die Familie Gonzaga* malte Rubens Ferdinando und auch die anderen herzoglichen Kinder. Für dieses Bild fertigte er auch eine Zeichnung als Studie an. Ferdinando wird aber als junger Knabe mit niedergeschlagenen Augen abgebildet, und es ist schwer, einen Vergleich mit van Dycks Feldherrn anzustellen. Für die Identifikation spricht, daß der Feldherr van Dycks in den Gesichtszügen unbestreitbare Ähnlichkeit mit einem Porträt von Ferdinando Gonzaga zeigt, das sich in der Pinacoteca Nazionale in Bologna befindet und Frans Pourbus d.J. zugeschrieben wird.

Das Bild zeigt van Dycks vollentfaltete Meisterschaft der Porträtkunst und sein unübertroffenes Talent, wenn es darum geht, ein harmonisches Ganzes zu schaffen. Diese Harmonie offenbart sich nicht nur im wohlüberlegten Gebrauch der Farbe — hier ein gelungenes Zusammenspiel von warmem Rot, Braun und Gold — sondern auch im Aufbau der Komposition und in der Bewegung des Porträtierten im Raum. Die Haltung des Feldherrn, mit der linken Hand auf der Hüfte, wird oft für Porträts verwendet. Auffallend und ungewohnt aber ist hier die Richtung des Kopfes. Der Körper des Edelmannes ist ein wenig nach rechts gewendet, während der Kopf nach links gedreht und der Blick über die Schulter gerichtet ist. Dieses ausgesprochene Sich-Wegwenden vom Betrachter ist selten, und man findet es nur in einigen wenigen Porträts van Dycks. Wahrscheinlich entschloß er sich dazu, um die allzu erstarrte Haltung eines Mannes im Harnisch zu durchbrechen. Dieses formale Element erhöht den Eindruck von Lebendigkeit und natürlicher Bewegung und wirkt darüber hinaus so, als ob nicht wirklich Modell gestanden, sondern ein flüchtiger und zufälliger Augenblick eingefangen worden sei. Diesen wesentlichen Aspekt findet man nicht nur bei van Dyck, sondern ganz allgemein im Barock.

Van Dycks Erfolg als Porträtmaler, auch in Italien, ist verständlich. Auf meisterhafte und untrügliche Weise trifft er das Idealbild seiner fürstlichen Auftraggeber. Aus dem Gemälde sprechen Macht, Reichtum und eine heroische Lebenshaltung genauso wie edle Schönheit und bedachtsame Intelligenz.

Nora De Poorter

Anton van Dyck

(1599 Antwerpen - 1641 London)

Die Gefangennahme Samsons

Leinwand, 146 × 254 cm
1659 in der Galerie
Inv.Nr. 512
77 (siehe S. 233)

Die Geschichte ist dem alttestamentlichen Buch der Richter entnommen (Richter 16,4-21):

Es herrschten die Philister seit vielen Jahren über das Volk Israel, als der Held Samson erschien und es ihm gelang, den Unterdrückern mit seinen übermenschlichen Kräften eine schandbare Niederlage nach der anderen beizubringen. Alle Versuche, ihn auf Dauer gefangenzunehmen, schlugen fehl. Nun verliebte sich Samson, der nach der biblischen Erzählung dem weiblichen Geschlecht offensichtlich sehr zugetan war, in eine Frau namens Delilah. Die Fürsten der Philister überredeten Delilah mit Geld, Samson nach der Ursache für seine gewaltigen Kräfte auszuforschen. Samson rennt nun, im Vertrauen auf seine Kräfte und seine Liebe zu Delilah, sehenden Auges gleichsam ins Verderben. Zwar antwortet er Delilah dreimal mit falschen Erklärungen: jedesmal kann er die ihm angelegten Fesseln sprengen (— er mußte also wissen, daß Delilah ihn zu verraten drohte). Beim vierten Mal — Delilah bezweifelt hinterlistig seine Liebe, sollte er ihr nicht endlich das Geheimnis verraten — erzählt er, es seien seine niemals geschorenen langen Haare, die ihn allen Menschen überlegen machten. Verlöre er sie, wäre er stark oder schwach wie alle anderen. Dem in ihrem Schoß Eingeschlafenen läßt sie nun die Haare schneiden, die Philister ergreifen, fesseln ihn, stechen ihm die Augen aus und bringen ihn nach Gaza, wo er im Gefängnis den Mühlstein drehen muß.

Beide Bilder van Dycks, die sich mit dem Samson-Thema beschäftigen, nehmen ihren Ausgang von Formulierungen des Rubens. Die Version in der Bildergalerie von Dulwich (London) von etwa 1620 geht auf Rubens' seit 1980 in der Londoner National Gallery hängende Fassung von 1610/11 zurück und schildert, wie ihr Vorbild, den Moment… lauen die Philister. Van Dycks zweite Version in Wien von ca. 1628/30 schildert die *Gefangennahme Samsons* und nimmt eine Komposition auf, die in zwei voneinander etwas abweichenden Ölskizzen des Rubens in Chicago und Lugano von ca. 1610 bzw. einem ausgeführten Gemälde der Rubens-Werkstatt von etwa 1618/20 in München vorliegt. Zusätzlich dürfte ein Holzschnitt nach einer Tizian'schen *Gefangennahme Samsons* vor allem für die Stellung Samsons selbst und den Schergen über ihm vorbildlich gewesen sein.

Gefaßt ist der Moment, in dem Samson, aus dem Schlaf gerissen durch Delilahs Ausruf: »Die Philister über dir, Samson« und schon von den Häschern umringt, sich bewußt wird, daß er doch nicht wieder davon kommen würde. In Rubens' dramatischer, nächtlich beleuchteter Skizze in Chicago steht die herkulische Ge-

stalt Samsons eindeutig im Zentrum des Bildgeschehens: von hinten bedrängt und an beiden Armen gehalten, versucht er, sich den Angreifern zu entwinden, sich aus seiner knieenden Position über einen Tritt auf eine tiefer gelegene Stufe aufzurichten. Links die nackte Delilah, die mit ausgestreckt abwehrendem Arm sich vor der gewalttätigen Aktion zu schützen sucht. Samson, den Oberkörper noch Delilah zu-, den Kopf abgewendet, kämpft einen heroischen Kampf gegen die Übermacht der Philister. Es scheint, als ob gerade in diesem Moment der Kampf noch unentschieden wäre.

Ganz anders bei van Dyck. Nicht der Kampf ist das Entscheidende, sondern der entdeckte Betrug, der wehmütige Abschied des Verratenen von der geliebten Verräterin, auf deren Oberschenkel er sich noch, wie in physischer Erinnerung, abstützt (— ein Motiv, das bei Tizians Holzschnitt vorgebildet war). Der Kampf ist längst entschieden, da Samson sich in seinem wehmütigen Rückblick gar nicht zu wehren scheint. Im sentimentalen Ausdruck hat van Dycks Samson mehr von seinem Vorbild, dem Laokoon, bewahrt als der Rubens'sche Heros. Auch der (wohl von Rubens angeregte) ausgestreckte Arm der Delilah hat seine abwehrende Funktion verloren und ist, zusammen mit dem Ausdruck des zurückgelehnten Kopfes, wohl als Zeichen einer zwiespältigen Zuneigung, ja des Verlangens nach dem verräterisch überwundenen Liebhaber zu deuten.

So wie im Verhältnis der Protagonisten rührendes Sentiment bei van Dyck Rubens' agressiven Abwehrkampf ersetzt, so »gebärden« sich auch die Philister-Häscher bei van Dyck in theatralischen Gesten, während sie in Rubens' Skizze gleichsam gesichtslos und zur Masse geballt den Helden überwältigen.

Der auf den Mittelpunkt Samson konzentrierten, zentripetalen und lichtgesteuerten Dramatik des Rubens setzt van Dyck seine sich reigenartig im Vordergrund, bildparallel entwickelnde Choreographie entgegen, in der Arme, Glieder, Beine, Geräte kompliziert und sperrig ineinander verschränkt werden. Dieses ungleichmäßige, eckige, gitterartige, asymmetrische Überspannen der Bildfläche mit Darstellungsgegenständen findet sich in van Dycks narrativem Spätwerk sehr häufig, scheint eine seiner Möglichkeiten zu sein, dramatische Unruhe zu stiften.

Das Bild erscheint 1659 zum ersten Mal in der Sammlung des Erzherzogs Leopold Wilhelm, dem es laut Bellori von Van Vonsel geschenkt wurde.

Wolfgang Prohaska

Anton van Dyck

(1599 Antwerpen - 1641 London)

Jacomo de Cachiopin

Leinwand, 111 × 84,5 cm
1720 in der Galerie, Inv.Nr. 503
78 (siehe S. 233)

Dieses Porträt kann durch die Übereinstimmung mit einem Stich aus van Dycks bekannter »Ikonographie«, einer umfangreichen Serie von gestochenen Porträts bekannter Zeitgenossen, als Jacomo de Cachiopin (1578-1642) identifiziert werden. Cachiopin, ein in Antwerpen wohnhafter adeliger Spanier, war mit Anton van Dyck befreundet und als Kunstsammler sehr bekannt. Unter dem Stich in der »Ikonographie« wird er ausdrücklich als Antwerpner Liebhaber der Malerei bezeichnet (»Amator Artis Pictoriae Antwerpiae«). Es ist bekannt, daß er ein Landhaus besaß, in dem ein Zimmer für Bilder von van Dyck bestimmt war.

Möglicherweise ist dieses Porträt das »Konterfei von Junker Jacomo de Cachiopin, auch von van Dyck«, das sich 1662 im Nachlaß von Jan Baptist de Cachiopin in Antwerpen befand. Damals war dort auch noch ein Pendant, das Porträt der Gemahlin von Cachiopin, vorhanden.

Es ist ein schlichtes Bildnis, bei dem die ganze Aufmerksamkeit den wesentlichen Elementen gilt: dem Antlitz und den Händen, die sehr empfindsam wiedergegeben sind. Alles Nebensächliche, wie Staffage oder Attribute, ist weggelassen. Der Hintergrund ist einfarbig, abgesehen von einigen vagen Andeutungen von Architektur. Auch die Kleidung ist auf ihre einfachste Form reduziert: ein »zeitloser«, schwarzer Mantel, der in subtilem Faltenwurf über die Schulter drapiert ist und das Gewand aus dem 17. Jahrhundert, abgesehen von dem weißen Hemdkragen, ganz verdeckt.

Durch diese außerordentliche Einfachheit wird der aristokratische und kultivierte Charakter dieses Edelmannes betont. Er ist mit zurückhaltender Eleganz abgebildet. Auffallend ist der melancholische Gesichtsausdruck, ein Gemütszustand, der mit intellektueller und künstlerischer Verfeinerung assoziiert wurde.

In dem Stich aus der »Ikonographie« wird Jacomo de Cachiopin anders abgebildet, formeller, mit steif gefälteltem Kragen und einem Schwert an der Seite. Van Dycks Zeichnung für diesen Stich ist erhalten und befindet sich im Kupferstichkabinett im Louvre; sie trägt die Jahreszahl 1634. Das hier besprochene Bild dürfte um das gleiche Jahr entstanden sein.

Kennzeichnend für van Dycks Porträtkunst ist der Bruch mit dem starren, »bürgerlichen« Schema, das in den ersten Jahrzehnten des Jahrhunderts nördlich der Alpen noch weiterlebte. Van Dyck gibt seinen Personen eine ungezwungene Haltung und schafft ein idealisiertes Bild eines Aristokraten, der sich mit Grazie und Natürlichkeit bewegt, ein Bild, das von den Porträtmalern eifrig nachgeahmt werden sollte, nicht nur im 17., sondern auch noch während des ganzen 18. Jahrhunderts.

Nora De Poorter

Anton van Dyck

(1599 Antwerpen - 1641 London)

Madonna mit Kind und den Hll. Rosalia, Petrus und Paulus

Leinwand, 275 × 210 cm
Erworben 1776, Inv.Nr. 482
79 (siehe S. 231)

Van Dyck war von seiner sechsjährigen Italienreise, die ihn zu allen Kunstzentren der Halbinsel, ja bis nach Palermo geführt hatte, 1627 nach Antwerpen zurückgekehrt.

Diese zweite Antwerpener Zeit (bis zur endgültigen Übersiedlung nach London 1632) sollte eine der fruchtbarsten Perioden seiner kurzen und brillianten Karriere werden: damals entstand, neben den zahlreichen Porträts, der Hauptteil seines erzählenden religiösen wie mythologischen Werks. Er wird Hofmaler der souveränen Regentin der Niederlande, der Infantin Isabella Clara Eugenia, unterhält enge Beziehungen zu Holland und England, Aufträge strömen von allen Seiten — und dies nicht nur wegen Rubens' fast zweijähriger Abwesenheit in diplomatischen Missionen: van Dycks Ruhm war fest etabliert.

Van Dyck war, wie die meisten seiner engeren Familienmitglieder, zeit seines Lebens von starker Religiosität geprägt; bald nach seiner Rückkehr aus Italien trat er der Konfraternität der Unverheirateten Männer bei, einer Laienbruderschaft, die in Antwerpen unter der geistlichen Führung der Jesuiten in deren Profeßhaus eingerichtet worden war. Die Bruderschaft erwarb 1629 Reliquien der hl. Rosalia von Palermo und beauftragte van Dyck mit einem großen Altarbild für die Kapelle der Bruderschaft, auf dem die Madonna, begleitet von den Apostelfürsten Petrus und Paulus, bzw. das Christuskind der hl. Rosalia einen Kranz von Rosen überreicht. Van Dyck sollte ein Honorar von 300 Gulden bekommen. Nun konnte man sicher keinen Maler finden, der besser und enger mit dieser »neuen« Heiligen vertraut war als er, ja es war eigentlich van Dyck, der ihre Ikonographie erst erfunden hatte.

Im Frühling des Jahres 1624 war van Dyck auf Einladung des Vizekönigs Emanuel Philibert von Savoyen von Genua nach Palermo gereist. Mitte Mai brach dort die Pest aus, tausende, u.a. der Vizekönig selbst, starben. Erst als im Juli die sterblichen Überreste der hl. Rosalia in einer Grotte vor der Stadt gefunden wurden, fing die Bevölkerung wieder an, auf Rettung zu hoffen. Van Dyck war während seines Palermitaner Aufenthalts bis September hauptsächlich mit Bildern der hl. Rosalia beschäftigt; auf dem bedeutendsten, einer fast vier Meter hohen *Rosenkranzmadonna* für das Oratorium der Rosenkranzbruderschaft, steht sie rechts im Vordergrund als prominenteste der Heiligen. (Van Dyck floh allerdings im September vor der Pest und vollendete das Altarbild erst kurz vor seiner Rückkehr nach Antwerpen 1627).

Die hl. Rosalia, Tochter eines sizilianischen Grafen am Hof König Rogers um 1160, durchlief die klassische Biographie von Heiligen ihrer Gesellschaftsklasse: Verweigerung der Ehe und eines luxuriösen Hoflebens, Rückzug in die Einsiedelei einer Berghöhle, Hingebung an Gebet und Meditation in der Einsamkeit nach biblischen Vorbildern. Obwohl ihr schon im 13. Jahrhundert Kirchen geweiht worden waren, belebte sich ihr Kult erst wieder mit der Auffindung ihrer Gebeine während der Pestepidemie und wurde vor allem von den Jesuiten ge-

fördert. So wird ihre Hilfe in Zeiten von Epidemien besonders angerufen: in Antwerpen hatte die Pest erst 1626 gewütet, weite Teile Europas sollten in den folgenden Jahren von der Seuche heimgesucht werden.

Van Dyck entwickelte zwei Typen von Darstellungen der Heiligen: den der Büßenden in der Einsamkeit nach dem Vorbild der hl. Maria Magdalena und des hl. Franziskus und den ihrer Aufnahme in den Himmel in Anlehnung an die Himmelfahrt Mariens. Im Wiener Bild ist sie durch ihr reiches Gewand als Angehörige der höheren Stände, in Physiognomie und Attitude als Nachfolgerin der Maria Magdalena gekennzeichnet. Auch der auf den Stufen liegende Totenschädel erinnert an die Büßerin des Neuen Testaments, abgesehen davon, daß er auf die in der Höhle gefundene Reliquie und auf den Pesttod hinweist, Lilien gehören als Attribut der Reinheit ebenso zu dieser jungfräulichen Heiligen (und zu einer Bruderschaft der Ungetrauten) wie die Rosen, die auf ihren Namen anspielen. Daß in einer jesuitischen Institution die »römischen« Apostelfürsten Petrus und Paulus so prominent plaziert sind (besonders die päpstlichen Schlüssel des Petrus), wird niemanden verwundern. Romtreue, Akzeptieren der Vermittlerfunktion der Heiligen, Marienverehrung: kaum je sind die Forderungen an ein Altarbild der Gegenreformation treuer verwirklicht worden.

Und doch fehlt alles Pedantische, alle Trockenheit des Lehrhaften. Das liegt neben der ungewöhlichen Fähigkeit van Dycks, einer Versammlung von Heiligen, einer »Sacra Conversazione«, durch das Knüpfen seelischer Beziehungen zwischen den Versammelten dichtes Leben einzuhauchen, auch an der spezifischen Wahl der Vorbilder. Giovan Pietro Bellori, der »klassizistische« Kunstschriftsteller, schreibt 1672, van Dyck hätte sich nach der Ankunft in Venedig völlig der Farbigkeit Tizians und Veroneses ergeben. Dies gilt nicht nur für die italienische Periode selbst, während der er intensiv diese beiden Meister studiert hat — sein italienisches Skizzenbuch ist voll gezeichneter Kopien nach ihren Kompositionen —, sondern auch für die Wiener *Madonna mit Heiligen* aus der Antwerpner Zeit. Es sind vor allem Veroneses *Verlobung der hl. Katharina* von ca. 1575 in der venezianischen Accademia, damals am Hochaltar von S. Catarina in Venedig, und die *Pesaro-Madonna* Tizians in der Frari vom Anfang der zwanziger Jahre des 16. Jahrhunderts, die van Dyck kompositionell und in der Farbigkeit vorbildlich wurden. Die Verschiedenheit der Apostelfürsten mag ihren Grund in einem von van Dyck — im Gegensatz zu seinem Lehrer Rubens — nur selten gesuchten Vorbild haben: zeigt der Petruskopf in seiner expressiven Zerrauftheit, im ekstatischen Aufblicken ganz van Dycks Wesen und Handschrift, scheint der Maler sich für den ungewöhnlich statuarischen, finster-mächtig auf die Heilige blickenden Paulus an der Paulus-Figur aus Raphaels *Caecilien-Sacra Conversazione*, heute in der Pinacoteca in Bologna, inspiriert zu haben.

Aus vielen Quellen gespeist, ist ein großes Kunstwerk entstanden.

Wolfgang Prohaska

Anton van Dyck

(1599 Antwerpen - 1641 London)

Die mystische Verlobung des Seligen Hermann Joseph

Leinwand, 160 × 128 cm
Erworben 1776, Inv.Nr. 488
80 (siehe S. 231)

Das zweite, kleinere Altarbild van Dycks für die jesuitische Bruderschaft der Ungetrauten in Antwerpen, der er selbst seit 1628 angehörte, läßt uns an einer Vision teilhaben, einem Ereignis, dessen bildliche Vergegenwärtigung van Dycks Temperament und spezifischen Talenten der Menschendarstellung besonders entgegenkommen mußte. Die Legende berichtet, daß der um 1200 im Prämonstratenserkloster Steinfeld bei Köln lebende Pater Hermann wegen seiner inständigen Verehrung der Mutter Gottes in Anspielung an den Nährvater von seinen Mitbrüdern Joseph genannt wurde. In einer Vision erscheint ihm Maria in Begleitung zweier Engel.

Das Bild entstand 1629/30; als Honorar erhielt van Dyck 150 Gulden.

Im Zentrum der leicht hochformatigen Komposition steht der physische Kontakt zwischen dem auf die Knie gesunkenen Mönch und der Madonna. Hilfreich hebt der mild lächelnde Engel die scheu ausgestreckte Hand des Seligen Hermann Maria entgegen, die mit ihren schmalen Fingern die geöffnete Handfläche zart zu berühren scheint.

Die atmosphärische malerische Gestaltung und die Farbigkeit aus ineinander verschmelzenden Akkorden von Blau, Rot, Gold und Grau-Weißtönen heben jedoch das physische Geschehen ins Visionäre, weisen den Vorgang als psychisches Geschehen aus. Van Dycks Fähigkeit, seelische Beziehungen zwischen Menschen, zwischen Mensch und Gottheit zu erspüren, kann ans Sentimentale oder, im anderen Extrem, ans Ekstatische rühren. An beiden hat die *Vision des Seligen Hermann Joseph* Anteil. Seine Kunst, die sich häufig den Zuständen des durch psychische Randsituationen Außer-Sich-Geratens zuwendet, ist hier imstande, einen seit der Gegenreformation nicht gehörten Ton von Zartheit, von Charme und seelischer Gelöstheit anzuschlagen.

Die kompositionellen und farblichen Mittel, mit deren Hilfe van Dyck dieser seltene Ausgleich gelingt, sind raffiniert genug: die an sich Unruhe stiftende, das Bild von links oben nach rechts unten durchquerende Diagonale wird von der zum Bildmittelpunkt, zentripetal gerichteten Aktion neutralisiert. Der machtvoll von links eintretenden Maria antwortet die ragende Säule rechts. Der farblich intensiveren, in den Binnenformen unruhigen linken, »göttlichen« Bildhälfte stehen rechts die weitgehend ruhigen Konturen der Mönchsgestalt und der Säule gegenüber. Der lächelnde Engel in der Mitte hat auch hier im Wortsinn Vermittlerfunktion. Die spezifische Eigenart der van Dyck'schen Visionsauffassung macht ein vergleichender Blick auf eines der wahrscheinlichen Vorbilder klarer, auf Rubens' *Vision der Hl. Teresa von Avila* von 1614 aus der Kirche der Barfüßigen Karmelitinnen in Brüssel, aus der van Dyck, seitenverkehrt, wesentliche Kompositionselemente übernimmt. Bei Rubens stehen trotz der ekstatischen Blicke die Monumentalität und der starke plastische Effekt der Figuren im Vordergrund, die er durch direkten Rückgriff auf die Antike, in diesem Fall bei der Christus-Gestalt auf den Polykleitischen *Doryphoros*, erreicht. Die Figuren sind im wesentlichen auf sich selbst bezogen, in sich selbst konzentriert, von einander getrennt, auch wenn sie sich einander zuwenden. Van Dycks Kunst drückt hingegen psychische Widmung, Hingegebenheit physisch eklatant aus – in für moderne, nüchterne Augen vielleicht »schamloser« Weise streben die Menschen zueinander, agieren füreinander, sind in der Bildkomposition so ineinander geschoben, daß ein Herauslösen kaum mehr denkbar ist. Folgerichtig rücken bei van Dyck die künstlerisch entscheidenden Ausdrucksmittel an die »Oberfläche«, an die physische Peripherie, in die Hände, die Augen, die Haare, in die zeichnerische Kontur des Gewandes.

Wie die *Madonna mit Heiligen* (Nr. 79) war auch die *Vision des Seligen Hermann Joseph* im 18. Jahrhundert in der Antwerpner Jesuitenkongregation aufbewahrt. Nach der Auflösung des Jesuitenordens sind sie 1776, für 3.500 bzw. 8.000 Gulden, von Kaiserin Maria Theresia für die kaiserlichen Sammlungen angekauft worden. Beide Bilder werden im ersten gedruckten Katalog der kaiserlichen Gemäldegalerie von 1783 erwähnt.

Wolfgang Prohaska

Anton van Dyck

(1599 Antwerpen - 1641 London)

Venus in der Schmiede des Vulkan

Leinwand, 116,5 × 156 cm
1659 in der Galerie,
Inv.Nr. 498
81 (siehe S. 232)

Dieses Gemälde, eine der wenigen mythologischen Szenen van Dycks, datiert aus der zweiten Antwerpner Periode des Malers (1628-1632). In den profanen Historienmalereien dieser Jahre ist der malerische Stil deutlich Tizian verpflichtet. Van Dyck schafft jedoch eine eigenständige poetische Atmosphäre. Bezeichnend ist die etwas weiche Empfindsamkeit und elegante Sentimentalität, die das Heroische oder Erzählende beherrschen.

Die Szene spielt in der Schmiede von Vulkan, einer Werkstatt in einer Grotte, wo der Gott des Feuers und der Schmiedekunst mit Hilfe der Zyklopen kunstvolle Metallgegenstände für die übrigen Götter schmiedete. Der lahme Gott sitzt beim Amboß, mit der Hand auf einen schweren Hammer gestützt. Im Vordergrund liegen verschiedene fertige Teile einer Rüstung. Die richtige Deutung der Szene, die sich in der Schmiede abspielt, wurde noch nicht gefunden. Wer ist die schöne blonde Göttin, die einen Küraß anprobiert, während Amoretten ein Schwert, einen Schild und einen Helm wegtragen? Zwei Erzählungen aus der klassischen Mythologie sind einander sehr ähnlich. In der Ilias erzählt Homer, daß Hephaistos, auf die Bitte der Meeresgöttin Thetis, eine neue Waffenrüstung für ihren Sohn Achilles herstellte, nachdem dessen Rüstung beim Tode des Patroklos verlorengegangen war. In der Aeneis von Virgil lesen wir, daß Vulkan für Aeneas, den Sohn der Venus, eine Rüstung schmiedete. Venus hatte dem liebestrunkenen Vulkan dieses Versprechen im Ehebett abgeschmeichelt.

Welche von den beiden Göttinnen kommt hier nun in die Schmiede, um die fertige Waffenrüstung für ihren Sohn in Empfang zu nehmen?

Vor kurzem wurde die Thetis-Variante als Deutung verteidigt, um den traditionellen Titel *Venus in der Schmiede von Vulkan* zu ersetzen. Aber einige Elemente scheinen doch eher auf Venus hinzuweisen, die Göttin der Schönheit und Liebe. Im Mittelpunkt der Komposition, gleich neben der Göttin, steht Amor mit dem Pfeilbündel, der Liebesgott und wichtigstes Attribut der Venus. Das Schwert weist jedoch — wenn man die klassischen Quellen wörtlich nimmt — eher auf die Waffenrüstung des Aeneas hin, als auf die von Achilles, die ja nur aus einem Schild, einem Küraß, einem Helm und Schienbeinschützern bestand. Das Schild, das von einem der Putten weggetragen wird und kaum zu sehen ist,

kann auch schwerlich das außergewöhnliche und ausführlich von Homer beschriebene Kunstwerk sein, das Hephaistos für Achilles geschmiedet hat.

Einiges in van Dycks Gemälde ist jedoch nicht aus den klassischen Texten zu erklären. Vulkan ist deutlich in Liebe für die schöne Frau entbrannt, die vor ihm steht. Das erkennt man an seinem Blick und seiner Gebärde, und es wird außerdem unzweideutig durch den Amor verdeutlicht, der einen Pfeil auf ihn abschießt. Problematisch bleibt vor allem die Haltung der Göttin. Warum wird ihr der Panzer vorgehalten? Ebensowenig können wir ihre Gebärde mit der rechten Hand und den wehmütigen, gefühlvollen Blick deuten: ist dieser liebevoll, dankbar oder abweisend?

Dieses Bild stammt aus der Sammlung von Erzherzog Leopold Wilhelm. Eine zweite Fassung mit genau der gleichen Komposition, jetzt in Potsdam, befand sich im Nachlaß von Amalia von Solms. Das Thema war sicherlich sehr geeignet für eine fürstliche Sammlung, da der Feldherr sich mit dem Helden identifizieren konnte, für den Vulkan die Waffen schmiedete.

Ein besser dokumentiertes und späteres Beispiel finden wir im Oraniensaal von Huis ten Bosch in Den Haag. Theodor van Thulden malte zwei große Szenen: die Schmiede des Vulkan und Venus mit den Waffen des Aeneas, die an beiden Seiten des Kamins angebracht wurden. Diese Lokalisierung enthält auch eine Bedeutung: die Schmiede von Vulkan wird verständlicherweise mit dem Herdfeuer assoziiert. Wir halten es deshalb nicht für ausgeschlossen, daß auch van Dycks Bild als ein »Kamingemälde« gedacht war.

Abgesehen von der ikonographischen Fragestellung haben bei van Dyck zweifellos auch die rein ästhetischen Möglichkeiten des Gegenstandes eine Rolle gespielt. Der zarte, rosa Akt der Göttin bildet einen wundervollen Gegensatz zu dem kalten Metall des Harnischs und den dunklen Gestalten des Feuergottes und seiner Gehilfen. Eine andere Komposition van Dycks mit dem gleichen Thema, wo der schöne Akt der Göttin und ihre anmutigen Bewegungen noch mehr betont werden, befindet sich im Louvre.

Nora De Poorter

192

Anton van Dyck

(1599 Antwerpen - 1641 London)

Nicolas Lanier

Leinwand, 111 × 87,6 cm
1720 in der Galerie,
Inv.Nr. 501
82 (siehe S. 232)

Nicolas Lanier (1588-1666) war eine vielseitige Künstlerpersönlichkeit. Er entstammte einer französischen Musikerfamilie und stand lange in Diensten des englischen Hofes. Erst diente er Heinrich, dem Prinzen von Wales, später dessen Bruder Karl I., dem bedeutendsten Kunstliebhaber unter den englischen Fürsten. Lanier war ein guter Sänger, Musiker, Komponist und auch Amateurmaler und Kunstsammler. Er war ein hervorragender Kenner der Malerei, und Karl I. schickte ihn auf den Kontinent, unter anderem nach Italien, mit dem Auftrag, Bilder für seine Sammlung zu kaufen.

Es ist bekannt, daß Karl I. ein Porträt von Lanier von van Dyck besaß — es hing neben dem *Porträt des Organisten H. Liberti* in Whitehall — und daß Lanier dieses später beim Verkauf der königlichen Sammlung im Jahre 1649 selbst erworben hat. Die Identifizierung des hier besprochenen Bildnisses als Lanier stützt sich auf die Ähnlichkeit mit dem von Lucas Vorsterman nach Jan Lievens gestochenen Porträt des Musikers. Auf der Rückseite des Wiener Bildes befindet sich der Eigentumsstempel der englischen königlichen Sammlung (CR für Carolus Rex), und man darf demnach annehmen, daß es sich hier tatsächlich um das Porträt von Lanier handelt, das in Whitehall hing.

Der Abgebildete steht in einer höfischen Pose, eine Hand in die Seite gestemmt und die andere auf dem Schwertgriff, und blickt uns etwas herablassend, mit einem nachdenklichen, wehmütigen Ausdruck an. Er trägt ein eher auffälliges Gewand aus weißem und rotem Satin, mit einem schwarzen Mantel über der einen Schulter und lehnt an einer Fensterbank, einem felsenartigen Gebilde, das wie eine Ruine mit Pflanzen bewachsen ist und links einen Durchblick auf eine Landschaft öffnet. Diese recht theatralische Inszenierung mit rustikalem Hintergrund könnte als Hinweis auf Laniers aktive Beteiligung an den märchenhaften, in Arkadien spielenden »masks« gedeutet werden, die am englischen Hofe aufgeführt wurden.

Lanier ist als Höfling, in einem poetisch idealisierten Rahmen porträtiert. Einen direkten Hinweis auf seine Ausübung der Künste gibt es nicht. Ganz anders ist das bei dem nüchternen Selbstporträt von Nicholas Lanier in Oxford. Hier hat der Musiker und Amateurmaler sich mit den vielsagenden Attributen Malerpalette und Notenblatt dargestellt. In einem Punkt stimmen die beiden Bildnisse überein, nämlich in der (von van Dyck übernommenen?) ruinenartigen Mauer mit dem Durchblick auf den Hintergrund.

In welchem Jahr van Dyck und Lanier einander begegneten und wann das Wiener Porträt vermutlich entstanden ist, konnte nicht festgestellt werden. Möglicherweise hatten sie einander schon in Italien kennengelernt, wo Lanier Kunstwerke kaufte, als van Dyck sich auch dort aufhielt, oder in Antwerpen, wohin Lanier im Jahre 1628 mit einer wichtigen Sammlung von Malereien für den König aus Mantua kam. Es wäre aber auch möglich, daß van Dyck dem Musiker erst später am englischen Hof begegnet ist. Wie dem auch sei, hinsichtlich der genauen Datierung des Porträts herrscht keine Einstimmigkeit; es wird in van Dycks zweite Antwerpner Periode (1628-1632) oder in die ersten Jahren seiner englischen Zeit (1632-1634) datiert. Wir ziehen diese letztere Hypothese vor. Dafür sprechen unseres Erachtens sowohl die Technik der Zeichnung für dieses Bild, die sich in Edinburgh befindet (schwarze Kreide auf blauem Papier), als auch Laniers weißes Satingewand, das schwerlich früher datiert werden kann.

Kennzeichnend für van Dycks Begabung ist bei diesem Bildnis die virtuose Pinselführung, die dem Antlitz eine unvergleichliche Subtilität gibt und die alle Kompositionselemente, auch die »Zutaten« aus verschiedenartigem Material, zum Leben erweckt. Es gelingt ihm, eine Atmosphäre von aristokratischer Verfeinerung und poetischer Wehmut zu schaffen.

Nora De Poorter

Anton van Dyck

(1599 Antwerpen - 1641 London)

Prinz Ruprecht von der Pfalz

Leinwand, 175 × 95,5 cm
1730 in der Galerie
Inv.Nr. 484
83 (siehe S. 231)

Das höfische Porträt — zu diesem Typus gehört das Bildnis des zwölfjährigen Prinzen Ruprecht von der Pfalz — ist als Gattung mit einem zweifachen Problem konfrontiert: es muß der Aufgabe gerecht werden, die Individualität bis zur eindeutigen Erkennbarkeit zu erfassen und auf der anderen Seite übergeordnete, abstrakte Prinzipien der staatlichen und gesellschaftlichen Ordnung in ihren Repräsentanten, Prinzipien des richtig Handelns im geschichtlichen Kräftespiel an Hand dieses Individuums darzustellen. Je nachdem, ob und wie die überkommen-wiederholbare, abstrakte Ansprüche ausdrückende Bildnisformel mit dem eindringenden Interpretationsvermögen des Malers dem porträtierten Individuum gegenüber auszugleichen war, wird man den künstlerischen Wert des Bildnisses ermessen dürfen. (Seine »offizielle« Funktion bleibt davon allerdings weitgehend unberührt.)

In der Wiener Gemäldegalerie, wie in den meisten auf fürstliche Auftraggeber und Sammler zurückgehenden Gemäldegalerien, ist diese doppelte Aufgabe des höfischen Porträts in ihren verschiedenen Gewichtungen besonders schön zu verfolgen, standen den Habsburgern doch über lange Abschnitte ihrer Geschichte bedeutende Bildnismaler zur Verfügung. Bei der Ausprägung desjenigen Typus, der weitgehend ohne äußere Zeichen und Insignien imstande war, Größe und Herrschertugend zu vermitteln und der für die weitere Entwicklung des höfischen Bildnisses im 16. und 17. Jahrhundert bedeutend wurde, beim Entstehen des ganzfigurigen Porträts, spielen vier Maler, die sich Mitte des 16. Jahrhunderts auf den Reichstagen in Augsburg auch persönlich trafen, eine wichtige Rolle: Anthonis Mor, Tizian, Jacob Seisenegger und Lucas Cranach. Die höfische Bildnisauffassung war durch und durch habsburgisch geprägt und verbreitete sich aus diesem Bereich über ganz Europa. Für van Dycks Bildnisauffassung sind neben der niederländisch-spanischen Tradition (van Dyck besaß drei Porträts von Mor) vor allem Tizian, Veronese, das venezianisch-oberitalienische Porträt des 16. Jahrhunderts (Moroni) wichtig geworden, Vorläufer, an denen sich schon van Dycks »Lehrer« Rubens orientiert hatte. Van Dycks Stil in dieser Gattung bildet sich voll während seiner Zeit in Genua Mitte der zwanziger Jahre aus, in der er natürlich auch Rubens' ganzfigurige Porträts Genueser Adliger vor Augen hatte. Alle »Requisiten«, die wir auf dem Bildnis des Prinzen Ruprecht von der Pfalz vorgeführt bekommen, gehören gleichsam zum Repertoire. Das »Wie« ist es, um dessentwillen wir van Dyck als den Schöpfer des westeuropäischen, vor allem des englischen Aristokratenporträts anzusehen haben.

Prinz Ruprecht (1619-1682) war der dritte Sohn Friedrichs V., des protestantischen Kurfürsten von der Pfalz, und seiner Frau Elisabeth, der Tochter Jakobs I. und Schwester König Karls I. von England. Friedrich wurde 1619 König von Böhmen und ging als »Winterkönig« in die Geschichte ein: er verlor gegen die kaiserlichen katholischen Kräfte die entscheidende Schlacht vom Weißen Berge vor Prag im November 1620, 1623 auch seine Kurwürde und emigrierte mit seiner Familie nach Holland an den Hof Friedrich Heinrichs von Oranien und seiner Frau Amalie von Solms in Den Haag. Im Haag, wo sich van Dyck während seiner Antwerpner Zeit (1627-32) zweimal aufhielt, entstanden wahrscheinlich im Winter 1631/32 die beiden ganzfigurigen Porträts des Prinzen Ruprecht und seines älteren Bruders Karl Ludwig (1617-1680), des 1650 wieder eingesetzten Kurfürsten von der Pfalz und späteren Vaters der berühmten Liselotte von der Pfalz. Ruprecht selbst, im Gegensatz zu seinem kalt-steifen, herrischen und berechnenden Bruder, war ein lebensvoller, charmanter, künstlerisch begabter Mann, der seit 1636 im Dienst seines Onkels, Karls I., und später, nach der Wiederherstellung der Monarchie in England, militärische Karriere in der Kavallerie und als Admiral machte.

Van Dyck hatte immer ein scharfes Auge für das Spezifische eines bestimmten Alters, sei es in seinen zahlreichen Kinderporträts (— aber wie anders als der weniger robuste Velazquez!), bei Teenagern wie hier, den mehr oder weniger reifen Erwachsenen, sei es in den berührenden Bildnissen alter Menschen. Muß man auch vorsichtig sein, aus der Biographie des Porträtierten Gewußtes auf das Bildnis selbst zu projizieren (hinzu kommt als schwer Wägbares das, was van Dyck von sich selbst ins Modell trägt!), so läßt doch der Vergleich der Knabenbilder bemerken, wie der Jüngere der beiden, Ruprecht, van Dyck offensichtlich anregte, reicher zu »instrumentieren«, während Karl Ludwig ungleich steifer wiedergegeben und undifferenzierter beobachtet ist (— ähnliches begegnet auch im etwa fünf Jahre später entstandenen Doppelporträt der beiden im Louvre in Paris). Zwar posiert der Zwölfjährige wie vorgeschrieben als Erwachsener, über dem weißen, dünnen Kragen sehen wir jedoch ein Gesicht, in dem sich, unglaublich lebendig und überzeugend, Kindsein und Erwachsen-Werden in aller Widersprüchlichkeit spiegeln. Van Dyck bezieht die alten Requisiten des höfischen Porträts: Säule, Vorhang, Hund und Landschaftsausschnitt, geistvoll in eine Handlung ein. Die Gestalt wirkt durch die asymmetrische Schulterpartie, den mehrfach gebrochenen Kontrapost labil, scheint sich jedoch buchstäblich an der festen Architektur zu stabilisieren. Das vornehme Schwarz des Gewandes ist durch das glänzende Gold der verspielt verschlungenen Ketten, des Degenknaufes, durch das Spiel des Lichtes auf der Seide, gerahmt und gehoben von den differenzierten Grün- und Grautönen der Landschaft und des Vorhangs belebt. Bewegung und Ruhe, Pose und Handlung sind so miteinander verzahnt, daß trotz des Eingehens auf das Individuum das Bild mühelos-hochmütiger Eleganz und Beherrschung vor unsere Augen tritt, ein Bild, das bis heute unsere Vorstellung vom Aristokratischen prägt.

Das Porträtpaar der pfälzischen Prinzen taucht zum ersten Mal 1728 im gemalten Inventar der Kunstsammlungen Kaiser Karls VI. in Wien auf.

Wolfgang Prohaska

Jacob Jordaens

(Antwerpen 1593 - 1678)

Das Fest des Bohnenkönigs

Leinwand, 242 × 300 cm. Auf der
Kartusche im Hintergrund der
Spruch:
NIL.SIMILIVS.INSANO.QVAM.
EBRIVS.
1659 in der Galerie,
Inv.Nr. 786
84 (siehe S. 249)

Am Dreikönigstag war es zu Jordaens Zeiten in Flandern
üblich, ein Familienfest zu feiern. Es wurden Lose gezogen oder ein Kuchen gebacken, in dem eine Bohne versteckt war. Wen das Los traf, oder wer in seinem Stück
Kuchen die Bohne fand, war König und durfte den Vor-
sitz des Festes übernehmen. Er stellte dann selbst seinen
Hofstaat zusammen.

Jacob Jordaens hat dieses typische Volksfest wiederholt gemalt. Jedesmal wählte er den Moment, in dem der
König das Glas hebt, und die anderen rufen: »Der König
trinkt«. Das erklärt den flämischen Titel dieser Bilder,
mit dem sie in der breiten Öffentlichkeit bekannt geblieben sind.

Unter dem Motto »Nil similius insano quam ebrius«
(nichts gleicht einem Verrückten mehr als ein Betrunke-
ner) ist eine große Gesellschaft rund um einen reich ge-
deckten Tisch versammelt und feiert das Fest. Rechts
sitzt der König, der sein Glas hebt. Es ist bei Jordaens
immer der Älteste der Gruppe, der diese Rolle spielt,
und häufig stand Adam van Noort, sein Schwiegervater,
Modell für diese imposante Figur. Er wird von seiner
Hofhaltung umringt. Manche von ihnen kann man an
den Papierstreifen identifizieren, die sie sich an die
Schulter geheftet haben. So erkennen wir den »Vor-
schneider« (den Mann hinter dem König, der einen Her-
ing ißt), die »Königin« (in der Mitte; bei Jordaens immer
die schönste Frau) und den »Mediziner«, den Arzt (der
Mann links, der sich erbricht). Die Papierstreifen für den
»Hofmeister« und den »Sänger« liegen in der Mitte auf
dem Boden. Diese Funktionen sind offenbar noch nicht
vergeben.

Jordaens malte die Gruppe in ihrer ganzen Ausgelas-
senheit. Er zeigt dabei keine Adeligen oder Aristokraten,
sondern einfache Bürger, die gerne ihren Wohlstand
und ihre Lebenslust zur Schau tragen. Mit der Darstellung dieser Eitelkeit warnt der Maler aber auch gleichzeitig vor den Ausschweifungen und Übertreibungen.
Nicht nur das Motto, das den Mittelpunkt der Komposition bildet und auf die Folgen zügelloser Trunksucht
hinweist, predigt die Mäßigung, es gibt auch noch andere Bildelemente, die sich auf diese Lebensregel beziehen.
Dabei benutzt Jordaens häufig Sprüche von Jacob Cats,
dem Bestseller-Autor und Moralisten jener Zeit in den
Niederlanden. Der Mediziner links, der sich schon zu
Beginn des Festes übergeben muß (noch sind nicht einmal alle Rollen verteilt), spielt auf die Redensart an, daß

Überfluß schadet. Der Hund, der bei dem Kind bettelt,
ist ein Hinweis auf ein anderes Sprichwort: »res immode-
rate cupido est« (Begierde kennt kein Maß), womit der
Künstler sagen will, daß ein Hund, dem man ein Stück
Brot gibt, immer weiter betteln wird. Das Liebespärchen
am offenen Fenster, das mit seinen Liebkosungen nicht
geizt und in unmittelbarer Nähe des Pfeifenrauchers
sitzt, verweist auf einen anderen Spruch von Cats: »Es ist
Rauch, nichts als Rauch, was den Liebhaber nährt«, wobei nachdrücklich der flüchtige Charakter der irdischen
Liebe betont wird. Das alles mag deutlich machen, daß
der Maler in diesen bürgerlich-realistisch wiedergegebenen Vorgang eine tiefere Botschaft legen wollte, eine
Aufforderung zur Mäßigung. Ob seine Zeitgenossen das
verstanden haben, ist eine offene Frage. Vielleicht
schon, denkt man an die vielen Fassungen, die von diesem beliebten Thema erhalten geblieben sind und die
alle die gleiche Botschaft verkünden. Die meisten dieser
Bilder waren für die Bürgerstand bestimmt, und dieser
erkannte sich in ihnen.

Das Gemälde in Wien, stilistisch um 1640-45 zu datieren, gehörte zur Sammlung von Leopold Wilhelm. Es
übersiedelte 1656 mit nach Wien und gelangte deshalb
recht schnell in ein aristokratisches, nicht bürgerliches
Milieu.

Jacob Jordaens (1593-1678) gehörte mit Peter Paul
Rubens und Anton van Dyck zu den drei großen Meistern der Antwerpner Barockmalerei. Sein umfangrei-
ches Oeuvre unterscheidet sich deutlich von dem seiner
beiden Zeitgenossen. Es ist durch eine sehr persönliche
Themenwahl mit deutlich moralisierenden Aspekten
und einem spezifischen Stil gekennzeichnet. Jordaens
war nicht nur ein Maler mit einer sehr langen Schaffens-
zeit, sondern auch ein begabter und produktiver Zeich-
ner, der uns viele Blätter hinterlassen hat. Nach dem Tod
von Rubens im Jahr 1640 und dem van Dycks 1641 war
der bedeutendste Maler in Antwerpen, der wichtige Aufträge erhielt und ein großes Atelier leitete. Aufgrund
von Bildern wie dem *Fest des Bohnenkönigs* und *Wie die
Alten sungen, so zwitschern die Jungen*, wird er allgemein als der Maler des Bürgertums angesehen, wobei
aber eine Reihe wichtiger Aspekte, die zweifellos in seinem Oeuvre vorhanden sind, vernachlässigt werden.

Marc Vandenven

Frans Snyders

(1579 - 1657 Antwerpen)

Ein Fischmarkt

Leinwand, 253 × 375 cm
Die Figuren stammen von Anton
van Dyck.
1649 für die Kaiserliche Galerie
erworben.
Inv.Nr. 383
85 (siehe S. 279)

Die Tradition großer Gemälde mit einer Häufung von allerlei Erzeugnissen der Natur wie Gemüsen, Früchten, Fleisch und Fisch, war um die Mitte des 16. Jahrhunderts in Antwerpen von Pieter Aertsen und seinem Schüler Joachim Beuckelaer eingeführt worden. Sie stellten Dienstmädchen, Verkäuferinnen und Marktkrämer als monumentale Figuren in den Vordergrund ihrer Küchen- und Marktbilder zwischen ausgestellten Waren und belebten häufig den Hintergrund mit einer biblischen Szene, die der ganzen Darstellung sofort eine moralisierende Bedeutung gab. Ihre Malereien waren tatsächlich deutlich als Stellungnahme zu gesellschaftlichem Leben und der Art, wie der Mensch mit der Natur umging, gedacht — obwohl es oft schwierig ist, die Botschaft genau zu beschreiben. Viele Künstler des 16. und 17. Jahrhunderts in Flandern wie im Ausland folgten den Spuren von Aertsen und Beuckelaer (so z.B. Frederik van Valckenborch (vgl. S. 288, 289), wobei allerdings die moralisierende oder philosophische Tendenz offenbar allmählich verwässert wurde. Frans Snyders, in Antwerpen zu Beginn des 17. Jahrhunderts der wichtigste Vertreter dieses Genres, formulierte das Thema unter dem Einfluß von Rubens, dynamisch und barock, mit stärkerer Betonung der großen Züge, was die ganze Komposition strafft und die verschiedenen Teile zueinander in Beziehung setzt. Er malte ein Dutzend Fischmärkte (vgl. auch S. 279), von denen dieser einer der imposantesten ist.

Von der linken Bildhälfte bis über die Mitte der Komposition ragt ein Tisch, über und über mit Fischen bedeckt. Ein riesiger Stör mit seiner gezahnten Dornenreihe am Rücken durchschneidet die Fläche diagonal und bringt die offenbar noch zappelnden großen und kleinen Seetiere und Fische (Kabeljau, Seewolf, Seehahn, Tintenfisch, Salm, Seehase, Seelambrete, Krabben und Krebse usw.) in eine gewisse Ordnung. Steinbutte, Heringe und andere getrocknete Fische hängen darüber. Eine prächtige Muschelsammlung füllt das Tischchen im Vordergrund, und zwischen einem auf dem Boden ausgestreckten Rochen und einem Bottich mit Karpfen kriecht ein lebender Seehund, der uns mit traurigem Blick anstarrt. Darüber, auf einem Tisch, liegt ein toter Fischotter. Viele dieser Tiere und Fische finden wir auch auf anderen Fischmärkten von Snyders, aber anders konzipiert, in abweichender Haltung oder sogar aus einem ganz anderen Blickwinkel betrachtet. Es wäre interessant zu wissen, inwieweit der Künstler beim Malen eines derartig vielfältigen Stillebens auf frühere Studien zurückgriff, in denen er — mit Kreide oder Feder auf Papier oder mit Ölfarben auf einer kleinen Holztafel — einzelne Tiere festgehalten hat und bis zu welchem Grad unmittelbare Beobachtung seinen Pinsel führte. Es ist die immer wiederkehrende, so wichtige Frage für die Kunstgeschichte nach der jeweiligen Rolle von Wahrnehmung, Dokumentation, Erinnerung und Phantasie. Immer wieder gelingt es Snyders, die getreue Wiedergabe, die Zoologen in Entzücken versetzt, mit einer lebendigen Maltechnik in Übereinstimmung zu bringen, wobei Pinsel-

führung, Farbharmonie und Schattenbehandlung einander unterstützen.

Die rechte Seite des Bildes zeigt eine ganz andere Auffassung, mit breit gezeichneten Formen, gröberem Farbauftrag und einem wärmeren Kolorit. Eine dunkle Schattenpartie in der Mitte des Gemäldes muß beide Teile verbinden oder wenigstens das Additive der Struktur verwischen. Es bleibt ein Gegensatz, der für angenehme Abwechslung sorgt: durch die frische Natürlichkeit links im Vordergrund erhält das menschliche Geschehen im rechten Mittelgrund eine stark emotionale Spannung.

Was dort genau vorgeht, hat man bisher noch immer nicht klären können. Man wollte das »Finden des Staters« darin sehen, aber die Darstellung weicht stark von der Erzählung im Matthäusevangelium ab (17,24-27). Dort lesen wir, daß Christus Petrus auftrug, im nahe gelegenen Meer eine Angel zu werfen und im Maul des ersten auftauchenden Fisches nach dem Stater oder der Tetradrachme zu suchen, mit der er für sie beide den Zinsgroschen bezahlen konnte. Das Bild zeigt uns, wie ein junger Mann, in antikem oder biblischem Gewand, für eine Münze von einem groben Fischhändler einen Fisch zugesteckt bekommt. Der intensive Blick des jungen Mannes deutet an, daß diesem Handel einiges Hin- und Hergerede vorangegangen ist, oder er betont jedenfalls die Bedeutung ihres Tausches, und der bartlose, ältere Mann zwischen den beiden, der auch den Fischverkäufer ansieht, scheint seine Erörterungen noch nicht beendet zu haben. Eine Gruppe interessierter oder belustigter Zuschauer steht um sie herum. Es scheint hier demnach um den Kauf eines Fisches für eine Münze zu gehen und nicht um das Finden dieser Münze im Fisch, und der Protagonist der Erzählung scheint der junge Mann zu sein, welcher der Johannesfigur entspricht, wie Rubens sie unzählige Male wiedergab. Aus dem Leben von Johannes ist jedoch keine derartige Geschichte bekannt, so daß die genaue Art dieses Geschehnisses auf dem Fischmarkt nicht festgestellt werden kann.

Anfangs wurden die Figuren in dieser Komposition Rubens zugeschrieben, später Cornelis de Vos, aber seit Gustav Glücks Forschungen scheint man sich einig zu sein, daß der junge Anton van Dyck hier an der Arbeit war. Die Kenntnis, die wir von van Dyck und dessen Zusammenarbeit mit Rubens vor der Abreise nach Italien im Oktober 1621 haben, ist aber noch nicht so genau, wie wir es wünschen würden und einige Bemerkungen erscheinen hier angebracht. Die grobe Malweise, bestimmte Gesichtszüge und die anatomischen Formen, z.B. des Korbträgers rechts, erinnern an die Werke, die van Dyck in seiner sogenannten ersten Antwerpner Periode schuf. Ein Detail, wie die schmiedeeiserne Fackel, die wir aus van Dycks *Gefangennahme Christi* in Madrid kennen, kann von Bedeutung sein, wie die architektonische Struktur im Hintergrund. Diese ist nämlich eine getreue Wiedergabe des Portals, das Rubens zwischen dem Hof seines Hauses und seinem Garten bauen ließ, und van Dyck hat das dekorative Bauwerk auf mehreren Ge-

mälden und auf einer Zeichnung abgebildet, die alle kurz vor dem Italien-Aufenthalt, in der Periode, in der er wiederholt von Rubens zur Mitarbeit herangezogen wurde, entstanden. Man darf darin eine Ehrenbezeugung des jungen Malers an den Mann sehen, der, wenn auch nicht sein Lehrer, doch sein künstlerischer Mentor war.

Das ist in diesem Bild jedoch nicht der einzige Hinweis auf Rubens. Die Gesichtstypen, die hier zu sehen sind, stammen aus Rubens Werkstatt. Der Johanneskopf ist zum Beispiel deutlich Rubens verpflichtet und unterscheidet sich sehr von der Darstellung desselben Apostels in anderen Werken van Dycks aus dieser Periode. In manchen seiner frühen Arbeiten scheint van Dyck eine bewußt gepflegte, eigene Formensprache benützt zu haben, mit einem großen Bestand von Physiognomien, die stilistisch nicht von Rubens beeinflußt waren. Sie zeich-

nete sich durch eine eckige Anatomie, lineare Faltenbehandlung und eine andersartige Palette aus. Daneben und gleichzeitig verstand er es wie kein anderer, den Stil von Rubens nachzuahmen und diesen »Wortschatz« gebrauchte er vor allem — aber offenbar nicht ausschließlich — bei Werken, die er im Auftrag von Rubens ausführte. Es ist bisher noch nicht möglich zu entscheiden, ob das Rubensartige dieses Fischmarktes lediglich als eine Huldigung van Dycks an Rubens gedeutet werden muß, oder aber ob man daraus eine aktivere Rolle des Letzteren ableiten darf. Die starke stilistische Affinität mit Rubens' Altar der Fischverkäufergilde in der Liebfrauenkirche in Mecheln, der 1618-1619 gemalt wurde und bei dem nach Meinung verschiedenen Autoren van Dyck die Hand im Spiel gehabt haben soll, legt das gleiche Datum für den Fischmarkt nahe.

Arnout Balis

Johannes Fyt

(1611 - 1661 Antwerpen)

Die Rast der Diana

Leinwand, 207 × 291 cm. Signiert unten in der Mitte: Ionnes FYT 1650. Die Figuren stammen von Th. Willeboirts.
1659 in der Galerie,
Inv.Nr. 706
86 (siehe S. 240)

Diana ist eine der beliebtesten Figuren aus der antiken Mythologie. Häufig symbolisiert sie den Mond (Luna), und in dieser Form muß sie das Himmelgewölbe mit ihrem Bruder Apollo, der Sonne, teilen. In der Kunst des 16. Jahrhunderts wurde sie mit Vorliebe als Verteidigerin der weiblichen Jungfräulichkeit und Keuschheit dargestellt: sie bestraft Callisto, als deren Schwangerschaft offenbar wurde, und ließ Actaeon, der sie in ihrer Nacktheit belauert hatte, von seinen eigenen Hunden zerfleischen. Rubens machte in Flandern ein anderes Thema populär: Diana als Jägerin. Gemeinsam mit Jan Brueghel widmete er einige kleine Bilder diesem Thema, offenbar im Auftrag der Infantin Isabella, der Statthalterin der Niederlande. Diana entflieht der Gesellschaft von Männern und erweist sich, durch ihre Leidenschaft für die Jagd, als immun für Cupidos Liebespfeile. Sie wurde als geeigneter Archetyp der weiblichen Tugenden betrachtet, und viele Damen ließen sich als Diana porträtieren. Wir wissen nicht, für wen das hier besprochene Bild bestimmt war, aber da es 1650 datiert ist, und sich bereits 1659 in der Sammlung des Erzherzogs Leopold Wilhelm, des Statthalters der Niederlande, befand, könnte er der erste Besitzer gewesen sein. Dann wäre der Hinweis auf die weibliche Keuschheit vielleicht weniger relevant als die Rolle der Diana als Göttin der Jagd. Wir wissen ja, daß Leopold Wilhelm gern auf die Jagd ging.

Die Göttin, geschmückt mit der Mondsichel im Haar und von dreien ihrer Nymphen umringt, ruht nach einer erfolgreichen Jagdpartie.

Das Bild ist von Johannes Fyt signiert. Dieser hatte wahrscheinlich bei Frans Snyders gelernt und sich, genau wie dieser, auf das Malen von Tieren und Stilleben spezialisiert. Unzählige Jagdstilleben von ihm sind erhalten geblieben (vgl. S. 239, 240). Unter italienischem Einfluß verläßt er die helle Palette Snyders und arbeitet mit tonigen Schattierungen, die auf einen ziemlich dunklen Mittelton abgestimmt sind. Seine Pinselführung ist dekorativer und ausgeprägter als die seines Lehrmeisters.

Die Figuren in dieser *Rast der Diana* sind von Thomas Willeboirts Bosschaert, wie wir aus dem Inventar der Sammlung von Leopold Wilhelm erfahren. Dieser Maler stammte aus Bergen op Zoom, wurde aber in Antwerpen von Gerard Seghers ausgebildet. Dianas ovales Gesicht in diesem Bilde, mit den großen Augen und scharfen Zügen, erinnert an die Frauentypen seines Lehrers, jedoch ist die Hand Willeboirts an den manieristischen Haltungen, den gedrehten Formen und der geziert geflochtenen Haartracht deutlich zu erkennen.

Arnout Balis

David Teniers d.J.

(1610 Antwerpen - 1690 Brüssel)

Das Vogelschießen zu Brüssel

Leinwand, 172 × 247 cm.
Bez. links unten unterhalb der
Wagenpferde:
DAVID.TENIERS.FEC.AN 1652
1659 in der Galerie,
Inv.Nr. 756
87 (siehe S. 286)

David Teniers d.J. war der berühmteste Sproß eines der bekanntesten Malergeschlechter Antwerpens, das außerdem mit einer anderen namhaften Malerdynastie verschwägert war, nämlich den Brueghels. Entscheidend für die Entwicklung seines Werkes war seine Orientierung an der Genremalerei von Adriaen Brouwer, der zwischen 1631 und 1638 in Antwerpen die Tradition der auf Brueghel zurückreichenden Bauernszenen wieder zum Leben erweckt hatte, indem er sie als Momentaufnahmen heftiger und häufig dreister Handlungen wiedergab. Anfangs, d.h. seit seiner Meisterprüfung im Jahre 1633, ließ Teniers sich stark von Brouwers satirischen Bauernszenen inspirieren; dessen Werk hat er auch kopiert: seinem Vorbild folgend geht es hier um halbdunkle, rauchige Interieurs von armseligen Scheunen oder Herbergen, wo Bauern und derbe Männer aus dem Volk trinken, spielen und streiten. Nach Brouwers Tod kommt ein lichterer Akzent in Teniers' Werk: die Palette hellt sich auf und auch das Bild der Menschen aus dem Volk ist milder geworden. Jetzt malt Teniers auch viele Bauernkirchweihen, die eher eine idyllische Huldigung an das Landleben zu sein scheinen. Diese Veränderung hängt übrigens mit der veränderten Einstellung des Bürgertums zum Leben auf dem Lande zusammen, dessen positive Aspekte immer mehr geschätzt werden. Teniers' spätere Genrebilder machen dadurch auch einen mehr anekdotischen und erzählenden Eindruck als das frühere, stark von Brouwer beeinflußte Oeuvre.

Im Jahre 1647 wurde Teniers Hofmaler des Erzherzogs Leopold Wilhelm, mit der besonderen Aufgabe, dessen prachtvolle Gemäldesammlung zu betreuen. Zu dieser Pflicht gehörte u.a. der Einkauf von Bildern, namentlich aus der konfiszierten Sammlung des abgesetzten und enthaupteten englischen Königs Karl I. und die Vorbereitung eines großen, illustrierten Katalogs, zu welchem Zwecke er alle in erzherzoglichen Besitz befindlichen italienischen Gemälde in kleinem Format kopieren mußte. Aber auch Teniers' Fähigkeiten als anekdotischer Darsteller des täglichen Lebens wurde vom Erzherzog hochgeschätzt. So mußte Teniers den Statthalter in einer Reihe von Funktionen abbilden, die zu seinem Amt gehörten: mitten in seiner Kunstsammlung, auf der Falkenjagd oder, wie hier, beim Schießen auf dem Brüsseler »Zavel«.

Dieses Ereignis, von Teniers 1652 gemalt, war ein altes Brüsseler Fest mit dem »Ommegang«, der Prozession zu Ehren Unserer Lieben Frau von Zavel. Aus diesem Anlaß paradierten auch die Angehörigen der Armbrustschützengilde, einer der Brüsseler Stadtmilizen. Der Brauch verlangte, daß der Landesherr den Eichelhäher oder Markolf, der oben auf einem Pfahl befestigt worden war, den die Gilde für ihre Schießübungen benützte, herunterzuschießen hatte. Nach altem Herkommen findet die Feier vor der Kirche Unserer Lieben Frau von Zavel statt, wo die ganze Gilde mit den Mitgliedern des Stadtmagistrats und dem Hofstaat von Leopold Wilhelm zusammengekommen ist. Die Darstellung dieser Szene hatte bereits Tradition: schon früher, im Jahre 1615, hatte Denijs van Alsloot die Vorgänger von Leopold Wilhelm, Albrecht und Isabella bei der gleichen Festlichkeit abgebildet.

Hans Vlieghe

David Teniers d.J.

(1610 Antwerpen - 1690 Brüssel)

Erzherzog Leopold Wilhelm

Im Hintergrund die Belagerung von Gravelingen.
Leinwand,
203,5 × 136 cm
1659 in der Galerie
Inv. Nr. 3564
88 (siehe S. 286)

Unter den zahlreichen Gouverneuren, die die Könige von Spanien in den Niederlanden einsetzten, zählt Erzherzog Leopold Wilhelm seiner politischen Rolle nach zu den weniger bedeutenden. Umso wichtiger ist sein Beitrag, den er als einer der größten Kunstliebhaber seiner Zeit zur Geschichte des Gemäldesammelns und als Mäzen für die niederländische Malerei während seiner Statthalterschaft geleistet hat.

Am 6. Januar 1614 in Graz als jüngerer Sohn des späteren Kaisers Ferdinand II. und dessen Gemahlin Maria Anna von Bayern geboren, wurde er, wie für die nicht erbberechtigten Söhne fürstlicher Familien üblich, zum geistlichen Stand bestimmt. Von frühester Jugend an erhielt er die dafür notwendige sorgfältige Bildung, die ihm später den mühelosen Verkehr mit den geistigen und künstlerischen Größen der Vergangenheit wie der eigenen Zeit ermöglichte. Ebenso früh erlangte er geistliche Würden: schon 1625 wurde er Bischof von Passau und Straßburg, 1626 Titularbischof von Halberstadt, 1637 Bischof von Olmütz, 1655 schließlich Bischof von Breslau. 1642 wurde er als Hochmeister des Deutschen Ritterordens investiert, eine aus der Tradition des Ordens militante kirchliche Würde, die ihn in eine militärische Laufbahn führte. Obwohl er durch seine Bildung, die seinen inneren Neigungen stark entgegenkam, für ein Leben bestimmt schien, das ausschließlich dem Studium der Bücher und der Kunst gewidmet war, hatte er in den folgenden Jahren, den letzten des Dreißigjährigen Krieges, mehrmals das Oberkommando der kaiserlichen Armee zu übernehmen, eine Aufgabe, die angesichts der unvorteilhaften Position der Kaiserlichen in dieser Zeit besonders undankbar war und Leopold Wilhelm keinen Kriegsruhm eintrug, obwohl er es an persönlichem Einsatz nicht fehlen ließ. Die Berufung zum Statthalter der spanischen Niederlande durch König Philipp IV. im Jahr 1646 mußte ihm daher wohl als Erleichterung erscheinen, zugleich ermöglichten ihm die nun zur Verfügung stehenden finanziellen Mittel, wenn deren Auszahlung durch den spanischen Hof auch äußerst schleppend vor sich ging, seiner eigentlichen Neigung, der Liebe zur Kunst, freien Lauf zu lassen.

Aber auch als Statthalter hatte Leopold Wilhelm weiterhin militärische Aufgaben. Im Rahmen des Westfälischen Friedens von 1648, der den Dreißigjährigen Krieg beendete, hatte Spanien zwar einen Sonderfrieden mit den nördlichen Niederlanden geschlossen, und sie damit nicht nur de facto, sondern auch de jure als selbständiges Staatsgebilde anerkannt, blieb aber mit Frankreich weiterhin im Kriegszustand, der bis zum Abschluß des Pyrenäenfriedens von 1659 andauerte. Die Erinnerung an eine der auf dem Boden der spanischen Niederlande ausgetragenen kriegerischen Auseinandersetzungen, der Belagerung von Gravelingen und Dünkirchen im Artois, jener Grafschaft, die im Pyrenäenfrieden ganz an Frankreich fallen sollte, hat David Teniers d.J. als Hofmaler des Erzherzogs in einem ganzfigurigen Repräsentationsporträt — einem im Werk Teniers' sonst seltenen Bildtypus — festgehalten. Der Erzherzog trägt einen ge-

schwärzten Reiterharnisch, als modische Elemente sind der schmale, spitzenbesetzte Kragen und die unten engen, oben trichterförmig weiten Stiefel, über denen Spitzenbesätze sichtbar werden, bemerkenswert. Die breite Feldbinde und der Feldherrnstab deuten auf die Funktion des Statthalters als Oberbefehlshaber der spanischen Truppen in den Niederlanden.

Die künstlerische Karriere des Malers dieses Porträts, David Teniers d.J., ist eng mit Leopold Wilhelm verbunden, nicht nur als Hofmaler, sondern auch als künstlerischer Berater des Statthalters, der sich um die Bildergalerie zu kümmern hatte. Teniers schien für diese Aufgabe prädestiniert. 1610 in Antwerpen als Sohn des Malers David Teniers d.Ä. geboren, hatte er neben dem Malen von Bildern mit Szenen aus dem bäuerlichen Leben, die in großer Zahl erhalten sind, sich mit dem Kunsthandel beschäftigt und dabei seine Geschäftstüchtigkeit bewiesen. Nach dem Weggang Leopold Wilhelms diente er auch dessen Nachfolgern als Hofmaler. In der Funktion eines Galeriedirektors war Teniers vor allem mit dem Anfertigen von Kopien der gesammelten Gemälde beschäftigt, die einerseits in den Galeriebildern, andererseits für das »Theatrum Pictorium« Verwendung fanden, einer großangelegten druckgraphischen Katalogpublikation der erzherzoglichen Galerie, von der allerdings 1660 nur der erste Teil mit den italienischen Gemälden erschien. Das 1658 datierte Widmungsblatt zeigt das bekränzte Bildnis des Erzherzogs auf einem Sockel, der die Widmungsinschrift trägt, umgeben von der gerüsteten Bellona sowie von Putten mit Attributen der Künste und Bildern der Sammlung, damit der Devise »fortiter suaviter«, die in den Kranz eingeflochten ist, wie auch den Hauptbeschäftigungen des Statthalters, dem nur widerwillig betriebenen Kriegführen und dem mit umso mehr Eifer gepflegten Kunstsammeln entsprechend. An der Anfertigung der 244 Radierungen auf 229 Seiten, (manche Blätter tragen zwei kleinere Radierungen, meist Wiedergaben von halbfigurigen Bildnissen nebeneinander), waren eine ganze Reihe von Künstlern beteiligt, alle Tafeln tragen am Plattenrand Namen des Malers, Größe des Originals und den Namen des Stechers, unter denen Jan van Troyen, Lucas Vorsterman der Jüngere, Pieter Liesebetten, Quirin Boel und Theodor van Kessel die führenden waren. Auffallend sind die Unterschiede in den Zuschreibungen gegenüber dem Inventar der erzherzoglichen Kunstsammlung von 1659: der Verfasser des Inventars — unter den vier Unterfertigern dürfen wir mit einigem Recht Jan Anton van der Baren, den als Maler hervorgetretenen Hofkanonikus des Erzherzogs als den eigentlichen Verfasser ansehen — war offenbar der viel bessere Kenner als Teniers; einige der Zuschreibungen verraten eine kritischere Distanz zu den Objekten als die Bildunterschriften im »Theatrum Pictorium«, vielleicht auch in lobrednerischer Absicht möglichst viele Bilder berühmten Künstlern zuschreiben wollen. Als Vorlage für die Radierer fertigte Teniers bereits in die genaue Größe der Radierungen verkleinerte gemalte Kopien, denen er durch die flüssige und rasch hingesetzte

Erzherzog Leopold Wilhelm besichtigt seine Galerie in Brüssel, I

Auftrag des Erzherzogs Leopold
Wilhelm
Leinwand,
123 × 163 cm
Inv. Nr. 739
89 (siehe S. 285)

Malerei so sehr seinen persönlichen und unverkennbaren Charakter verlieh, daß die Absicht, nicht nur die genaue Komposition, sondern auch den Malstil seiner Vorlagen nachzuahmen, gänzlich überdeckt wird. Durch die Umsetzung in die Radierung erlitten die Bilder eine weitere Vergröberung, so daß die kritischen Urteile der zeitgenössischen Kunstkenner verständlich erscheinen, die die Radierungen wahre Travestien der Originale nannten, denen man nur die Fehler, aber nicht die Vorzüge der Originale anmerke.

Wesentlich bekannter als das »Theatrum Pictorium« und die dafür angefertigten Kopien sind die »Galeriebilder« des Teniers geworden. Der Typus des Galeriebilds, des »Cabinet d'amateurs« war eine ganz eigenständige Schöpfung der Antwerpener Malerei der ersten Jahre des 17. Jahrhunderts. Nicht nur die Kunstschätze eines Sammlers, zumeist Gemälde, in einer Form, die alle deutlich sichtbar und wiedererkennbar macht, sondern auch das Ambiente der Sammlung, ein prächtiger Saal im Haus des Besitzers und womöglich dieser selbst mit vornehmen Besuchern, die seine Sammlung besichtigen, wurde dargestellt. Willem van Haecht schuf mit der Galerie des Cornelis van der Geest (Rubenshaus Antwerpen) das wichtigste Denkmal dieser Bildgattung. Geschildert wird hier ein Besuch des Statthalterpaares Albrecht und Isabella zusammen mit den führenden Künstlern Antwerpens bei Cornelis van der Geest, in dessen Kunstsammlung sich Bilder von Jan van Eyck bis Rubens fanden. Teniers malte für Erzherzog Leopold Wilhelm gleich mehrere Galeriebilder in verschiedenen Fassungen, die sich unter anderem in den Bayerischen Staatsgemäldesammlungen, im Prado, im Museum in Brüssel, in Privatbesitz und im Kunsthistorischen Museum in Wien befinden. Das hier abgebildete, größere der beiden Wiener Bilder zeigt einen Einblick in einen hohen, links mit zwei großen Fenstern belichteten Raum, dessen ganze bildparallele Hauptwand dicht mit Bildern in mehreren Reihen vom Boden bis zur Decke behängt ist. Weitere Bilder hängen an der Seitenwand eines hohen, zwischen den Fenstern vorspringenden kastenartigen Türverbaus oder stehen an Stühle gelehnt am Boden. Vorne steht der Besitzer der fürstlichen Galerie, Erzherzog Leopold Wilhelm und weist mit dem Stock auf eines der am Boden lehnenden Bilder, im Gespräch mit seinem Hofmaler Teniers, weiter links das übrige Gefolge des Statthalters, darunter Kanonikus van der Baren.

Von allen erhaltenen Bildern mit der Galerie Leopold Wilhelms stellt dieses weitaus am meisten Gemälde, insgesamt 51, ausschließlich Werke italienischer Maler, dar. Während die in scheinbar regelloser Unordnung im Vordergrund verteilten Bilder, sowie die an der Schrankwand links hängenden den Charakter eines durchaus in der Wirklichkeit möglichen Arrangements tragen, wirkt die mit Bildern dicht behängte Hauptwand unnatürlich, mehr wie ein Bilderbogen als ein tatsächlicher Raumeindruck, was nicht nur durch das dichte Aneinanderschließen der Rahmen, die keinen Fingerbreit Platz lassen, sondern vor allem durch die Anordnung in fünf Reihen exakt gleich hoher Bilder hervorgerufen wird. Da die meisten der hier dargestellten Gemälde noch erhalten sind, davon ein großer Teil im Kunsthistorischen Museum und wir überdies durch das ausführliche und genaue Inventar der Sammlung Leopold Wilhelms von 1659 über die Maße der Bilder informiert sind (in der späteren Aufstellung des 18. Jahrhunderts hatte es, um die Bilder einem architektonischen System anzupassen, zahlreiche Formatveränderungen gegeben) läßt sich leicht die Probe anstellen: die Vergleiche ergeben, daß die Bilder in ihrem relativen Größenmaßstab zueinander in vielen Fällen verändert wurden, um eine möglichst gleichmäßige und dichte Füllung der Rückwand mit Bildern zu erzielen.

Zwei der im Besitz der Bayerischen Staatsgemäldesammlungen befindlichen Galeriebilder sind in der Anlage des dargestellten Raumes dem großen Wiener Bild so ähnlich, daß man denken könnte, es sei jedesmal derselbe große Saal im Palast des Statthalters in Brüssel dargestellt, wenn auch jedesmal mit anderen Bildern. Eine Gruppe weiterer Galeriebilder, zu der das im Brüsseler Museum, im Prado und eines der Münchner Bilder zählen, zeigt eine von der ersten Gruppe gänzlich verschiedene, untereinander aber wieder ähnliche Raumanlage, so daß man auch hier an ein und denselben, diesmal kleineren Saal (oder verschiedene, ähnlich aussehende, hintereinander liegende Säle) denken könnte.

Über die Gedanken, die Leopold Wilhelm bewegt haben könnten, die Galeriebilder durch Teniers anfertigen zu lassen, können nur Vermutungen angestellt werden. Keines dieser Bilder wird im Inventar seiner eigenen Kunstsammlung genannt, das große Wiener Galeriebild taucht zum ersten Mal in einem Prager Inventar von 1718 auf, es dürfte somit auf jene Bildersammlung Kaiser Ferdinands III. zurückgehen, zu deren Entstehung Leopold Wilhelm durch Vermittlung von Bildern, etwa aus der aufgelösten Sammlung des Herzogs von Buckingham, tatkräftig beigetragen hatte. Auch das Galeriebild im Prado, das zudem eine Signatur von Teniers in spanischer Sprache trägt, ist seit 1666 in der königlichen spanischen Sammlung nachweisbar. Die Vermutung, Leopold Wilhelm könnte die Galeriebilder an seine Verwandten und sonst ihm Nahestehende versendet haben, um sie von Umfang und Aussehen seiner Galerie zu unterrichten, erscheint daher nicht unwahrscheinlich. Somit müßte an der immer leicht variierten Auswahl der auf den Galeriebildern dargestellten Gemälde erkennbar sein, welche Teile seiner Sammlung dem Erzherzog besonders am Herzen lagen oder auf die stolz zu sein er besondere Gründe hatte. Tatsächlich finden wird die Zimelien seiner Sammlung, deren größter Teil heute den Ruhm der Wiener Galerie ausmacht, hier versammelt: in der ersten Reihe Giorgiones *Drei Philosophen*, die *Anbetung der Könige* von Veronese, die *Heimsuchung* von Palma Vecchio, *Diana und Aktäon* von Tizian (heute in der National Gallery London), in der zweiten Reihe *Kains Brudermord* von Palma Giovine, die *Erweckung*

des Jünglings von Nain von Veronese, eine *Lazarus-erweckung* von Pordenone (heute in der Prager Burgga-lerie), ein heute verschollenes Bild mit der *Kreuztragung* von Cariani, Fettis *Verlobung der hl.Katharina*, in der dritten Reihe ein Werkstattbild Palmas, der *Hl. Hiero-nymus* von Dossi, eine *Hl. Familie* von Schiavone, der *Barmherzige Samariter* von F. Bassano, ein heute ver-schollenes Bild mit *Christus und der Samariterin*, eine *Madonna mit Heiligen* von Palma Vecchio und eine wei-tere *Madonna mit Heiligen* von Tizian; in der vierten Reihe: Saraceni, *Judith, Beweinung Christi* von Schiavo-ne (heute in Dresden), die *Kirschenmadonna* von Ti-zian, eine *Hl. Familie* von Palma (heute in den Uffizien), *Christus und die Ehebrecherin* von Tizian, der *zwölfjäh-rige Jesus im Tempel* von Ribera, ein verschollenes Bild mit dem kreuztragenden Christus; in der fünften und untersten Reihe: ein Bildnis eines unbekannten venezia-nischen Malers, ein Bildnis von Tintoretto, ein weiteres Bildnis von Moroni, teilweise verdeckt ein *Christus als Schmerzensmann* (heute im Brukenthalmuseum in Si-biu, Rumänien), dann das *Bildnis einer jungen Dame* von Parmigianino und weitere Bildnisse, darunter die Kopie eines Selbstbildnisses von Tizian und *Der Arzt Parma* von Tizian. An der Wand des hohen Kastens links hängen oben zwei Bildnisse von Tizian, darunter ein dem Guido Reni zugeschriebener *Brudermord Kains*, ei-ne hl.Katharina von einem unbekannten venezianischen Maler, der ebenfalls venezianische *Kleine Tamburin-schläger*, ein kleines Damenbildnis von Palma Vecchio und der achteckige *Reuige Petrus* von Reni.

Im Vordergrund lehnen ein männliches Bildnis von Catena, die *Violante* und der *Bravo* von Tizian, dahinter eine *Beweinung Christi* von Carracci und eine heute ver-schollene Landschaft von Bril, rechts die *Hl.Margarete* von Raffael und schließlich eine große Komposition mit *Esther vor Ahasver* von Veronese, die sich heute in den Uffizien in Florenz befindet.

Bis auf wenige Ausnahmen sind auf dem Wiener Ga-leriebild ausschließlich aus der Sammlung Hamilton stammende Bilder dargestellt, die aus einer veneziani-schen Privatsammlung von Hamilton erworben, und schließlich 1649 in Antwerpen versteigert wurden. Die Erwerbung dieser Sammlung, die den Grundstock der Galerie Leopold Wilhelms bildete, dürfte der unmittel-bare Anlaß für die Anfertigung des Galeriebilds durch Teniers gewesen sein.

Karl Schütz

David Teniers d.J.
Besuch des Erzherzogs Leopold Wilhelm in seiner Galerie in Brüssel
(Bayerische Staatsgemäldesammlungen, München)

David Teniers d.J.
Besuch des Erzherzogs Leopold Wilhelm in seiner Galerie in Brüssel
(Bayerische Staatsgemäldesammlungen, München)

Besuch des Erzherzogs Leopold Wilhelm in seiner Galerie in Brüssel
(Prado, Madrid)

Katalog

Aertsen, Pieter (Amsterdam 1508/09-1575)
Marktszene
Eichenholz, 91 × 112 cm.
1685 in der Galerie. Inv. Nr. 960. Um 1560.

Adriaenssen, Alexander (Antwerpen 1587-1661)
Totes Geflügel mit Katze
Bez. links an der Tischplatte: Alex. Adriaenssen fe. Eichenholz, 58 × 82,5 cm.
Aus Schloß Ambras. Inv. Nr. 5654.

Aertsen, Pieter (Amsterdam 1508/09-1575)
Bauernfest
Auf dem Fensterkreuz dat. 1550. Eichenholz, 85 × 171 cm.
1610 in der Galerie. Inv. Nr. 2365.

Aertsen, Pieter (Amsterdam 1508/09-1575)
Vanitas Stilleben
Im Hintergrund Christus bei Maria und Martha
Bez. und dat. 1552 25 Julj.
Holz, 60 × 101,5 cm.
1659 in der Galerie. Inv. Nr. 6927.

Aertsen, Pieter (Amsterdam 1508/09-1575)
Die vier Evangelisten
Bez. mit der Initiale A im Buch des Markus. Eichenholz, 113 × 143 cm.
Erworben 1931. Inv. Nr. 6812.

Arthois, Jacques d' (Brüssel 1613-1686)
Waldlandschaft mit Herde
Leinwand, 173 × 218 cm. Erworben 1785. Inv. Nr. 440.

Arthois, Jacques d' (Brüssel 1613-1686)
Große Waldlandschaft mit dem hl. Francisco Borja
Bez. links unten: Jacques d'Arthois. Leinwand, 240 × 456 cm.
Erworben 1776. Inv. Nr. 422. Spätwerk.

Alsloot, Denis van (Mecheln 1570-Brüssel 1628)
Waldlandschaft mit Cephalus und Procris
Die Figuren von H. de Clerck. Von der ehem. Bezeichnung D: ab Alsloot
S:A:Pict:1608 nur mehr die Jahreszahl links unten auf dem Baumstamm sichtbar.
Rechts unter den Figuren H. de Clerck. Eichenholz, 75 × 105 cm.
1781 in der Galerie. Inv. Nr. 1077.

Avont, Pieter van (Mecheln 1600-Deurne bei Antwerpen 1652)
Maria mit dem Kind, dem Johannesknaben und Engeln in einer Waldlandschaft
Die Waldlandschaft von F. Wouters. Bez. rechts unten: Peet... Eichenholz, 55,5 × 79,5 cm.
1659 in der Galerie. Inv. Nr. 1681.

Avont, Pieter van (Mecheln 1600-Deurne bei Antwerpen 1652)
Flora im Garten
Landschaft und Blumen von Jan Brueghel d.J. Bez. links unten: Peeter van Avont.
Kupfer, 47,8 × 70,4 cm. 1720 in der Galerie. Inv. Nr. 1692.

Avont, Pieter van (Mecheln 1600-Deurne bei Antwerpen 1652)
Die Heilige Familie mit dem Johannesknaben und Engeln
Die Landschaft von Jan Brueghel d.J. Bez. links unten: Peter van Avont.
Kupfer, 53 × 76 cm. 1730 in der Galerie. Inv. Nr. 1683.

Backer, Jacob de (Antwerpen um 1540/45-um 1600)
Maria mit dem Kind, dem Johannesknaben und Engeln
Leinwand, 133 × 180,5 cm. 1621 in der Galerie. Inv. Nr. 1689.

Balen, Hendrick van (Antwerpen um
1575-1632)
Mariae Himmelfahrt
Kupfer, 28 × 18 cm. 1781 in der Galerie.
Inv. Nr. 790. Um 1600.

Baren, Jan Anton van der
(Brüssel 1615/16?-Wien 1686)
Die Eucharistie im Blumenkranz
Unter der Monstranz die Inschrift:
O AMOR QVI SEMPER ARDES.
Leinwand, 96 × 67 cm.
1659 in der Galerie. Inv. Nr. 549.

Baren, Jan Anton van der
(Brüssel 1615/16?-Wien 1686)
Marienstatuette im Blumenkranz
Oben die Inschrift: GAVDE VIRGO
GLORIOSA/SUPER OMNES SPECIOSA.
Bez. auf der Rückseite: VAN DER
BAREN F. Leinwand, 155,5 × 106 cm.
1659 in der Galerie. Inv. Nr. 3545.

Balen, Hendrick van (Antwerpen um 1575-1632)
Europa auf dem Stier
Die Landschaft von J. Brueghel d. J. Eichenholz, 42 × 63 cm.
1659 in der Galerie. Inv. Nr. 814. Um 1621/22.

Baren, Jan Anton van der (Brüssel 1615/16?-W?en 1686)
Stilleben mit Kürbissen
Dat. über der Tür des linken Gebäudes: MDCLVII IAAR. Leinwand, 102 × 145 cm.
1659 in der Galerie. Inv. Nr. 5716.

Baren, Jan Anton van der
(Brüssel 1615/16?-Wien 1686)
Allegorie der Epiphanie
Leinwand, 71 × 74 cm.
1659 in der Galerie. Inv. Nr. 8608.

Beer, Jan de (Antwerpen wahrscheinlich um 1480-Antwerpen vor dem Jahr 1528)
Der büßende hl. Hieronymus in einer Landschaft
Eichenholz, 68,5 × 76 cm. 1659 in der Galerie. Inv. Nr. 978. Um 1520/25.

Benson, Ambrosius
(in der Lombardei um 1495-Brügge 1550)
Die Anbetung der Könige
Eichenholz, 70 × 53 cm. 1884 in der
Galerie. Inv. Nr. 925. Um 1527.

Beuckelaer, Joachim
(Antwerpen um 1530-um 1574)
Marktweib
Dat. rechts unten auf dem Faß: 1561.
Eichenholz, 125 × 94 cm.
1685 in der Galerie. Inv. Nr. 3559.

Beer, Jan de (Antwerpen wahrscheinlich um 1480-Antwerpen vor dem Jahr 1528)
Die Marter des Apostels Matthias
Eichenholz, 25,5 × 41,5 cm. Erworben 1939. Inv. Nr. 6961. Spätwerk.

Beuckelaer, Joachim
(Antwerpen um 1530-um 1574)
Bauern auf dem Markt
Holz, 109 × 140 cm.
Bez. rechts unten mit dem Monogramm IB
und dat. auf dem Butterfaß: 1567.
1884 im Kunsthistorischen Museum.
Inv. Nr. 964.

Beer, Jan de (Antwerpen wahrscheinlich um 1480-Antwerpen vor dem Jahr 1528)
Die Marter des hl. Sebastian
Eichenholz, 25,5 × 41,5 cm. Erworben 1939. Inv. Nr. 6971. Spätwerk.

Beuckelaer, Joachim
(Antwerpen um 1530-um 1574)
Köchin
Dat. über der Türe: 1574. Eichenholz,
112 × 81 cm. Erworben 1907.
Inv. Nr. 6049.

Bles, Herri met de, auch gen. Civetta (Dinant wahrscheinlich um 1510-Ferrara nach 1550?)
Landschaft mit der Predigt Johannes d. Täufers
Bez. (?) mit dem Käuzchen im hohlen Baum links. Eichenholz, 29 × 39 cm.
1659 in der Galerie. Inv. Nr. 1004.

Bles, Herri met de, auch gen. Civetta (Dinant wahrscheinlich um 1510-Ferrara nach 1550?)
Landschaft mit dem barmherzigen Samariter
Eichenholz, 29 × 42 cm. 1781 in der Galerie. Inv. Nr. 1005.

Bles, Herri met de, auch gen. Civetta (Dinant wahrscheinlich um 1510-Ferrara nach 1550?)
Landschaft mit dem Gang nach Emmaus
Eichenholz, 23 × 35 cm. 1781 in der Galerie. Inv. Nr. 1006.

Bles, Herri met de, auch gen. Civetta
(Dinant wahrscheinlich um 1510-Ferrara
nach 1550?)
Die Versuchung des hl. Antonius
Bez. (?) neben dem Krug im Vordergrund
rechts mit dem Käuzchen. Eichenholz,
kreisrund, Dm. 16 cm. 1748 in der
Galerie (?). Inv. Nr. 5690. Spätwerk.

Bles, Herri met de, auch gen. Civetta
(Dinant wahrscheinlich um 1510-Ferrara
nach 1550?)
Die Hölle
Bez. (?) mit dem Käuzchen in einer
Höhlung des helmförmigen Turmes rechts.
Eichenholz, 30,5 × 29,5 cm.
1748 in der Galerie (?). Inv. Nr. 5691.

Bles, Herri met de, auch gen. Civetta (Dinant wahrscheinlich um 1510-Ferrara nach 1550?)
Die Kreuztragung Christi
Eichenholz, 34,5 × 53 cm. Erworben 1929. Inv. Nr. 6780. Um 1535/40.

Bloemen, Jan Frans van, gen. Orizonte (Antwerpen 1662-Rom 1749)
Italienische Landschaft
Leinwand, 112 × 138 cm. Wahrscheinlich 1800 in der Galerie. Inv. Nr. 442.

Bloemen, Peeter van, gen. Standart (Antwerpen 1657-1720)
Italienische Landschaft
Leinwand, 73 × 98 cm. Erworben 1802. Inv. Nr. 1735.

Boeckhorst, Jan (Rees oder Münster 1604-Antwerpen 1668)
Flora
Leinwand, 104 × 84 cm. 1772 in der Galerie. Inv. Nr. 5761. Um 1630/40.

Boeckhorst, Jan (Rees oder Münster 1604-Antwerpen 1668)
Pomona
Leinwand, 106 × 84,5 cm. 1772 in der Galerie. Inv. Nr. 5763. Um 1630/40.

Boeckhorst, Jan (Rees oder Münster 1604-Antwerpen 1668)
Merkur erblickt Herse
Leinwand, 118 × 178,5 cm. 1659 in der Galerie. Inv. Nr. 379.

Bol, Hans (Mecheln 1534-Amsterdam 1593)
Flämisches Dorfleben
Links unten an der Bank Reste der Bezeichnung: HB. Eichenholz, 49 × 85 cm.
1748 in der Galerie. Inv. Nr. 1068. Um 1562.

Bosch, Hieronymus ('s Hertogenbosch um 1450-1516)
Die Kreuztragung Christi
Auf der Rückseite kreisrunde Darstellung eines Kindes mit Windrädchen und Laufstuhl.
Eichenholz, 57 × 32 cm; oben um ca. 20 cm, unten gering beschnitten. Erworben 1923.
Inv. Nr. 6429.

Broecke, Willem van den
(Guillelmus Paludanus)
(Mecheln 1530-Antwerpen 1580)
Selbstbildnis als Wachsbossierer
Bez. in der halbkreisförmigen Nische:
G.P.S.AETATIS SVAE ANNO
XXXIII.MEN.IV.DIES.XXII.PIX.
IN.MARTIO.1564.
Eichenholz, 54 × 45,5 cm.
Erworben 1915. Inv. Nr. 6305.

Bouts, Albrecht (Löwen um 1455-1549)
Johannes der Täufer
Eichenholz, 34,5 × 13 cm.
1932 Legat Gustav von Benda.
Inv. Nr. 6976. Um 1490.

Boudewyns, Adriaen Frans (Brüssel 1644-1711)
Italienische Landschaft mit antiken Ruinen und Landleuten
Die Staffage von P. Bout. Eichenholz, 29 × 38 cm. Erworben 1780. Inv. Nr. 1760.

Bril, Paul (Antwerpen 1554-Rom 1626)
Berglandschaft mit Merkur und Argus
Leinwand, 68 × 88 cm. 1659 in der Galerie. Inv. Nr. 3583.

Bril, Paul (Antwerpen 1554-Rom 1626)
Hafen mit Leuchtturm
Unten links 1601 datiert.
Kupfer, 22 × 29,5 cm. 1659 in der Galerie. Inv. Nr. 5770.

Bril, Paul (Antwerpen 1554-Rom 1626)
Flußlandschaft mit Turmruine
Bez. links unten auf einem Säulenstück: P. BRIL 1600. Kupfer, 21,5 × 29,5 cm.
1659 in der Galerie. Inv. Nr. 5773.

Bruegel d. Ältere, Pieter (Breda ? 1525/30-Brüssel 1569) ▷
Kinderspiele
Bez. rechts unten auf dem Balkon: BRVEGEL, 1560.
Eichenholz, 118 × 164,5 cm.
1594 in der Galerie. Inv. Nr. 1017.

Bruegel d. Ältere, Pieter (Breda ? 1525/30-Brüssel 1569)
Selbstmord Sauls
Bez. links unten: SAUL. XXXI. CAPIT., und:
BRVEGEL.M.CCCCC.LXII. Eichenholz, 33,5 × 55 cm, 1781 in der Galerie, Inv. Nr. 1011.

Bruegel d. Ältere, Pieter (Breda ? 1525/30-Brüssel 1569)
Der Kampf zwischen Karneval und Fasten
Bez. unten links auf einem Stein: BRVEGEL, 1559. Eichenholz, 118 × 164,5 cm.
Wahrscheinlich Sammlung Kaiser Rudolfs II. Inv. Nr. 1016.

Bruegel d. Ältere, Pieter (Breda ? 1525/30-Brüssel 1569)
Die Heimkehr der Herde
Bez. unten links: BRVEGEL MDLXV.
Eichenholz, 117 × 159 cm. 1594 in der Galerie. Inv. Nr. 1018.

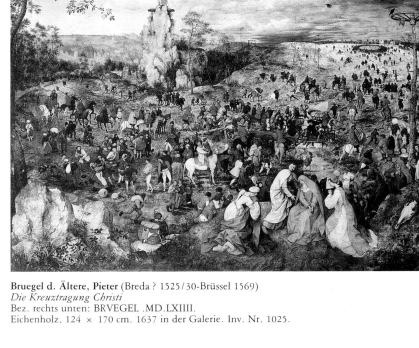

Bruegel d. Ältere, Pieter (Breda ? 1525/30-Brüssel 1569)
Die Kreuztragung Christi
Bez. rechts unten: BRVEGEL .MD.LXIIII.
Eichenholz, 124 × 170 cm. 1637 in der Galerie. Inv. Nr. 1025.

Bruegel d. Ältere, Pieter (Breda ? 1525/30-Brüssel 1569)
Der Vogeldieb
Bez. links unten: BRVEGEL M.D.LXVIII.
Eichenholz, 59 × 68 cm. 1659 in der Galerie. Inv. Nr. 1020.

Bruegel d. Ältere, Pieter (Breda ? 1525/30-Brüssel 1569)
Der Turmbau zu Babel
Bez. unten auf einem Quader: BRVEGEL.FE.M.CCCCC.LXIII.
Eichenholz, 114 × 155 cm. Sammlung Kaiser Rudolfs II. Inv. Nr. 1026.

Bruegel d. Ältere, Pieter (Breda ? 1525/30-Brüssel 1569)
Bauernhochzeit
Eichenholz, 114 × 163 cm. 1594 in der Galerie. Inv. Nr. 1027.

Bruegel d. Ältere, Pieter (Breda ? 1525/30-Brüssel 1569)
Der düstere Tag
Links unten Reste der Signatur und Datierung (MDLX) V.
Eichenholz, 118 × 163 cm. 1594 in der Galerie. Inv. Nr. 1837.

Bruegel d. Ältere, Pieter (Breda ? 1525/30-Brüssel 1569)
Bauerntanz
Bez. rechts unten: BRVEGEL.
Eichenholz, 114 × 164 cm. 1610 in der Galerie. Inv. Nr. 1059.

Bruegel d. Ältere, Pieter (Breda ? 1525/30-Brüssel 1569)
Die Jäger im Schnee
Bez. unten in der Mitte: BRVEGEL M.D.LXV.
Eichenholz, 117 × 162 cm. 1594 in der Galerie. Inv. Nr. 1838.

Bruegel d. Ältere, Pieter (Breda ? 1525/30-Brüssel 1569)
Die Bekehrung Pauli
Bez. rechts unten auf dem Felsen: BRVEGEL.M.D.LXVII.
Eichenholz, 108 × 156 cm. 1594 in der Galerie. Inv. Nr. 3690.

Nach Bruegel (P. Brueghel d.J.) (Brüssel 1564/65-Antwerpen 1638)
Der bethlehemitische Kindermord
Bez. rechts unten: BRVEG (der Rest abgeschnitten). Eichenholz, 116 × 160 cm.
1610 in der Galerie. Inv. Nr. 1024. Um 1564.

Brueghel, Jan d. Ältere (Brüssel 1568-Antwerpen 1625) ▷
Die Anbetung der Könige
Kupfer, 33 × 48 cm, links unten signiert und datiert: BRVEGHEL 1598. Erworben 1806.
Inv. Nr. 617.

Nach Bruegel (P. Brueghel d.J. ?)
Das Fest des hl. Martin
Fragment. Leimfarben auf Leinwand,
92,5 × 73,5 cm. 1659 in der Galerie.
Inv. Nr. 2691. Ende der 60er Jahre.

Brueghel, Jan d. Ältere
(Brüssel 1568-Antwerpen 1625)
Blumenstrauß in einer blauen Vase
(Tulpenstrauß)
Eichenholz, 66 × 50,5 cm.
1748 in der Galerie. Inv. Nr. 558.

Brueghel, Jan d. Ältere
(Brüssel 1568-Antwerpen 1625)
Kleiner Blumenstrauß
Auf einer Münze die Jahreszahl 1599.
Eichenholz, 51 × 40 cm. 1659 in der
Galerie. Inv. Nr. 548. Um 1607.

Brueghel, Jan d. Ältere
(Brüssel 1568-Antwerpen 1625)
Großer Blumenstrauß in einem Holzgefäß
(Kaiserkronenstrauß)
Eichenholz, 98 × 73 cm.
1659 in der Galerie. Inv. Nr. 570.

Brueghel, Jan d. Ältere (Brüssel 1568-Antwerpen 1625)
Die Kreuzigung Christi
Kupfer, 26 × 35 cm. 1619 in der Galerie. Inv. Nr. 627. Um 1595.

Brueghel, Jan d. Ältere (Brüssel 1568-Antwerpen 1625)
Die Versuchung des hl. Antonius
Bez. links unten: BRVEGHEL 1... Kupfer, 20,8 × 29 cm. 1659 in der Galerie.
Inv. Nr. 667. Um 1603/04.

Brueghel, Jan d. Ältere
(Brüssel 1568-Antwerpen 1625)
Landschaft mit dem hl. Fulgentius
Kupfer, 26 × 35 cm. 1659 in der Galerie.
Inv. Nr. 672. Um 1595.

Brueghel, Jan d. Ältere (Brüssel 1568-Antwerpen 1625)
Der Besuch auf dem Pachthof
Kupfer, 27 × 36 cm. 1747/48 in der Galerie. Inv. Nr. 674. Um 1597.

Brueghel, Jan d. Ältere (Brüssel 1568-Antwerpen 1625)
Ceres und die vier Elemente
Die Figuren von H. van Balen. Bez. links unten unter den Muscheln: BRVEGHEL 1604.
Kupfer, 42 × 71 cm. 1781 in der Galerie. Inv. Nr. 815.

Brueghel, Jan d. Ältere (Brüssel 1568-Antwerpen 1625)
Äneas mit der Sibylle in der Unterwelt
Kupfer, 36 × 52 cm. 1619 in der Galerie. Inv. Nr. 817. Kurz nach 1600.

Brueghel, Jan d. Ältere
(Brüssel 1568-Antwerpen 1625)
Waldlandschaft
Eichenholz 40 × 32 cm.
1781 in der Galerie. Inv. Nr. 1072.

Brueghel, Jan d. Ältere
(Brüssel 1568-Antwerpen 1625)
Gebirgslandschaft mit der Versuchung Christi
Eichenholz, 62 × 41,5 cm. 1619 in der Galerie. Inv. Nr. 1076. Um 1605/10.

Brueghel, Jan d. Ältere (Brüssel 1568-Antwerpen 1625)
Überfall auf einen Wagenzug
Die Figuren von S. Vrancx. Eichenholz, 55,5 × 85 cm. 1659 in der Galerie. Inv. Nr. 1071. Um 1612.

Brueghel, Jan d. Ältere (Brüssel 1568-Antwerpen 1625)
Der Weg zum Markt
Bez. links unten: BRVEGHEL 1603. Kupfer, 18,5 × 25,5 cm. Erworben 1918. Inv. Nr. 6328.

Brueghel, Jan d. Ältere (Brüssel 1568-Antwerpen 1625)
Dorfstraße
Kupfer, 18 × 25,5 cm. Erworben 1918. Inv. Nr. 6329.

Brueghel, Jan d. Ältere (Brüssel 1568-Antwerpen 1625)
Die Kirchweih in Schelle
Bez. rechts unten auf dem Boot: BRVEGHEL.
Eichenholz, 52 × 90,5 cm. 1614. Erworben 1950. Inv. Nr. 9102.

Brueghel, Jan d. Ältere (Brüssel 1568-Antwerpen 1625)
Tierstudien (Hunde)
Eichenholz, 34 × 55,5 cm. 1932 Legat Gustav von Benda. Inv. Nr. 6985. Um 1616.

Brueghel, Jan d. Jüngere (Antwerpen 1601-1678)
Seesturm
Eichenholz, 38 × 56 cm. 1685 in der Galerie. Inv. Nr. 3558. Wohl um 1625/30.

Brueghel, Jan d. Ältere (Brüssel 1568-Antwerpen 1625)
Tierstudien (Esel, Katzen, Affen)
Eichenholz, 34,2 × 55,5 cm. 1932 Legat Gustav von Benda. Inv. Nr. 6988. Um 1616.

Brueghel, Pieter d. Jüngere (Brüssel 1564/65-Antwerpen 1638)
Winterlandschaft mit Vogelfalle
Bez. rechts unten: P. BRVEGH..; die nicht mehr deutliche Jahreszahl lautete 1601.
Eichenholz, 39 × 57 cm. 1659 in der Galerie. Inv. Nr. 625.

Champaigne, Philippe de (Brüssel 1602-Paris 1674)
Die Beweinung Abels
Bez. auf dem Holz unter dem Leichnam Abels: PHIL. DE CHAMPAIGNE.FACIEBAT 1656.
Leinwand, 312 × 394 cm. 1659 in der Galerie. Inv. Nr. 371.

Clerck, Hendrick de (Brüssel um 1570-1629)
Die Speisung der Fünftausend
Bez. neben dem linken Fuß Christi:
H. de Clerck. Leinwand, 203 × 167 cm.
1595 in der Galerie. Inv. Nr. 3573.

Cleve, Joos van (in Antwerpen nachweisbar
seit 1507-Antwerpen 1540/41)
Kaiser Maximilian I. (1459-1519)
Eichenholz, Brettgröße mit Originalrahmen
28,5 × 22,3 cm; oben halbrund; Bildgröße
27 × 18 cm. 1659 in der Galerie.
Inv. Nr. 972. Um 1508/09.

Cleve, Joos van (in Antwerpen nachweisbar seit 1507-Antwerpen 1540/41)
Flügelaltar mit der Heiligen Familie, hl. Georg, hl. Katharina und unbekannten Stiftern
Eichenholz, Mittelfeld 94,5 × 70 cm, beide Seitenflügel je 94,5 × 30 cm. Auf dem
Mittelbild rechts unten spätere Anstückung 3,5 cm, oben 2 cm, am linken Seitenflügel links
Anstückung oben 10 cm, unten 11 cm. 1619 in der Galerie. Inv. Nr. 938.

Cleve, Joos van (in Antwerpen nachweisbar
seit 1507-Antwerpen 1540/41)
Maria mit dem Kind
Eichenholz, 74,3 × 56 cm. 1781 in der
Galerie. Inv. Nr. 836. Gegen 1530.

Cleve, Joos van (in Antwerpen nachweisbar
seit 1507-Antwerpen 1540/41)
Lukrezia
Eichenholz, 76 × 54 cm. 1659 in der
Galerie. Inv. Nr. 833. Um 1520/25.

Cleve, Joos van (in Antwerpen nachweisbar
seit 1507-Antwerpen 1540/41)
*Porträt der Königin Eleonore von Frankreich
(1498-1558)*
Eichenholz, 35,5 × 29,5 cm. Erworben
1908.
Inv. Nr. 6079.

Cleve, Joos van (in Antwerpen nachweisbar seit 1507-Antwerpen 1540/41)
Die Geburt Christi
Eichenholz, 74,7 × 54 cm. 1921 Legat Monsignore Dr. Hackelberg-Landau. Inv. Nr. 6347. Um 1520.

Cleve, Maerten van (Antwerpen 1527-1581)
Ein Raufhandel
Eichenholz, 47,3 × 51 cm.
1685 in der Galerie.
Inv. Nr. 3565. Um 1565/70.

Cleve, Maerten van (Antwerpen 1527-1581)
Ausgeweideter Ochse
Bez. über der Tür: MC F.I.V.; auf der Türchwelle 1566 dat.
Eichenholz, 68 × 53,5 cm. 1906 im Kunsthistorischen Museum. Inv. Nr. 1970.

Coecke van Aelst, Pieter (Aelst 1502-Brüssel 1550)
Die Ruhe auf der Flucht nach Ägypten
Eichenholz, 112 × 70,5 cm.
1659 in der Galerie. Inv. Nr. 968.

Cleve, Maerten van (Antwerpen 1527-1581)
Flämische Haushaltung
Eichenholz, 123 × 144 cm. 1659 in der Galerie. Inv. Nr. 969. Um 1555/60.

Cleve, Maerten van (Antwerpen 1527-1581)
Bauernmahl
Bez. auf der Bank rechts unten: Martin Clev. Eichenholz, 71 × 108,5 cm.
1685 in der Galerie. Inv. Nr. 3579. Nach 1566.

Coninck, David de (Antwerpen 1646-Brüssel nach 1699)
Tote Wildenten
Leinwand, 55 × 75 cm. 1781 in der Galerie. Inv. Nr. 385.

Coninxloo, Gillis van (Antwerpen 1544-Amsterdam 1606)
Waldlandschaft
Eichenholz, 56 × 85 cm. Auf dem Baumstamm links Reste des Monogramms.
1925 von der Galerie St. Lukas in Wien gewidmet. Inv. Nr. 6504.

Coques, Gonzales (Antwerpen 1614 od. 1618-1684)
Landschaft mit Rudolf von Habsburg und dem Priester
Die Landschaft von J. d'Arthois. Leinwand, 108,5 × 138,5 cm.
Erworben 1877. Inv. Nr. 3692.

Coxcie, Michiel (Mecheln 1499-1592)
Der Sündenfall
Eichenholz, 237 × 87,5 cm.
1659 in der Galerie. Inv. Nr. 1031.

Coxcie, Michiel (Mecheln 1499-1592)
Die Vertreibung aus dem Paradies
Eichenholz, 237 × 87,5 cm.
1659 in der Galerie. Inv. Nr. 1032.

Craesbeeck, Joos van (Neerlinter um 1605/06-Brüssel vor 1662)
Bauerngesellschaft im Wirtshaus
Bez. auf dem als Stuhl umgestürzten Schaff: CB. Eichenholz, 61,2 × 79,3 cm.
Erworben 1869. Inv. Nr. 810. Um 1650/60.

Crayer, Gaspard de
(Antwerpen 1584-Gent 1669)
Die hl. Therese empfängt eine goldene
Kette und eine Kasel von der Madonna
Leinwand, 320 × 226 cm. Erworben 1785.
Inv. Nr. 494. Nach 1639.

Crayer, Gaspard de
(Antwerpen 1584-Gent 1669)
Die Verkündigung an Maria
Leinwand, 333 × 238 cm. Erworben 1776.
Inv. Nr. 497. Um 1620/30.

Crayer, Gaspard de
(Antwerpen 1584-Gent 1669)
Jungfrau mit dem Kind und Heiligen
Leinwand, 279 × 201 cm. Erworben 1785.
Inv. Nr. 507.

Crayer, Gaspard de
(Antwerpen 1584-Gent 1669)
Reiterbildnis des Don Diego Messia Felipe
de Guzmán, Marquis de Léganis
Leinwand, 225 × 177,5 cm. Erworben
1952. Inv. Nr. 9112. Um 1627/28.

Crayer, Gaspard de (Antwerpen 1584-Gent 1669)
Die Beweinung Christi
Leinwand, 208 × 266 cm. 1659 in der Galerie. Inv. Nr. 801. Zwischen 1649 und 1656.

Crayer, Gaspard de
(Antwerpen 1584-Gent 1669)
Ecce homo
Leinwand, 147,5 × 121,5 cm.
1659 in der Galerie. Inv. Nr. F15.
Zwischen 1649 und 1656.

Dalen, Jan van
(Antwerpen vor 1620?-nach 1653)
Bacchus
Bez. links Mitte: J.v.d.f.1648.
Leinwand, 68 × 59 cm.
1659 in der Galerie. Inv. Nr. 1687.

David, Gerard (Oudewater bei Gouda um
1460-Brügge 1523)
Die Heilige Nacht
Eichenholz, 57 × 41 cm. 1659 in der
Galerie. Inv. Nr. 904. Um 1495.

David, Gerard (Oudewater bei Gouda um
1460-Brügge 1523)
Bildnis eines Goldschmiedes
Eichenholz, 27,7 × 20 cm.
1659 in der Galerie.
Inv. Nr. 970. Um 1505/10.

Dyck, Anton van
(Antwerpen 1599-London 1641)
*Madonna mit Kind und den Hll. Rosalia,
Petrus und Paulus*. Leinwand, 275 × 210 cm.
Erworben 1776. Inv. Nr. 482.

Dyck, Anton van
(Antwerpen 1599-London 1641)
*Prinz Karl Ludwig von der Pfalz
(1617-1680)*. Leinwand, 175 × 96,5 cm.
1730 in der Galerie.
Inv. Nr. 485. Wahrscheinlich 1632.

David, Gerard (Oudewater bei Gouda um
1460-Brügge 1523)
Michaelsaltar
Eichenholz, Mittelfeld 66 × 53 cm, beide
Seitenflügel 66 × 22,5 cm.
Erworben 1886. Inv. Nr. 4056.

Dyck, Anton van
(Antwerpen 1599-London 1641)
Die Beweinung Christi
Leinwand, 99 × 74,5 cm. 1720 in der
Galerie. Inv. Nr. 486. Um 1618/20.

Dyck, Anton van
(Antwerpen 1599-London 1641)
Prinz Ruprecht von der Pfalz (1619-1682)
Leinwand, 175 × 95,5 cm.
1730 in der Galerie. Inv. Nr. 484.

Dyck, Anton van
(Antwerpen 1599-London 1641)
*Der mystische Verlobung des Seligen
Hermann Joseph*
Leinwand, 160 × 128. Erworben 1776.
Inv. Nr. 488.

Dyck, Anton van
(Antwerpen 1599-London 1641)
Bildnis eines jungen Feldherrn in
goldverzierter Rüstung
Leinwand, 115,5 × 104 cm.
1720 in der Galerie. Inv. Nr. 490.

Dyck, Anton van
(Antwerpen 1599-London 1641)
Infantin Isabella Clara Eugenia als Witwe
(1566-1633)
Leinwand, 109 × 89 cm.
1659 in der Galerie. Inv. Nr. 496.

Dyck, Anton van
(Antwerpen 1599-London 1641)
Marquis Francisco de Moncada (1586-1635)
Bez. rechts auf der Säulenbasis: A.VAN
DYCK. Auf der Säule das Wappen des
Dargestellten. Leinwand, 115,3 × 86 cm.
1720 in der Galerie. Inv. Nr. 499.
Um 1634/35.

Dyck, Anton van
(Antwerpen 1599-London 1641)
Bildnis einer älteren Frau
Bez. links unten: A VAN DYCK A° 1634.
Leinwand, 117 × 93 cm.
1720 in der Galerie. Inv. Nr. 500.

Dyck, Anton van (Antwerpen 1599-London 1641)
Venus in der Schmiede des Vulkan
Leinwand, 116,5 × 156 cm. 1659 in der Galerie. Inv. Nr. 498.

Dyck, Anton van
(Antwerpen 1599-London 1641)
Nicolas Lanier
Leinwand, 111 × 87,6 cm.
1720 in der Galerie. Inv. Nr. 501.

Dyck, Anton van
(Antwerpen 1599-London 1641)
Christus am Kreuz
Leinwand, 133 × 101 cm. 1772 in der
Galerie. Inv. Nr. 502. Um 1626/32.

Dyck, Anton van
(Antwerpen 1599-London 1641)
Jacomo de Cachiopin (1578-1642)
Leinwand, 111 × 84,5 cm.
1720 in der Galerie. Inv. Nr. 503.

Dyck, Anton van
(Antwerpen 1599-London 1641)
Bildnis einer Dame
Leinwand, 117,4 × 93 cm. 1720 in der
Galerie. Inv. Nr. 504. Um 1626/32.

Dyck, Anton van
(Antwerpen 1599-London 1641)
Bildnis eines jungen Mannes
Leinwand, 111 × 85 cm. 1720 in der
Galerie. Inv. Nr. 509. Um 1626/32.

Dyck, Anton van
(Antwerpen 1599-London 1641)
Der hl. Franziskus in Ekstase
Leinwand, 120 × 97 cm. Erworben 1776.
Inv. Nr. 510. Um 1630/32.

Dyck, Anton van
(Antwerpen 1599-London 1641)
Jan von Montfort (gest. 1649)
Leinwand, 114,5 × 88,5 cm.
1720 in der Galerie. Inv. Nr. 505.
Um oder kurz vor 1628.

Dyck, Anton van
(Antwerpen 1599-London 1641)
P. Carolus Scribani, S.J. (1561-1629)
Leinwand, 117,5 × 104 cm. Erworben
1776. Inv. Nr. 508. Um 1629.

Dyck, Anton van (Antwerpen 1599-London 1641)
Die Gefangennahme Samsons
Leinwand, 146 × 254 cm. 1659 in der Galerie. Inv. Nr. 512.

Dyck, Anton van
(Antwerpen 1599-London 1641)
Die Heilige Familie
Leinwand, 106 × 83,5 cm.
Vor 1713 in der Galerie.
Inv. Nr. 513. Um 1626/28.

Dyck, Anton van
(Antwerpen 1599-London 1641)
*Studie zum Kopf einer emporblickenden
Frau*
Papier auf Eichenholz, 49,2 × 45,9 cm.
1659 in der Galerie. Inv. Nr. 514.

Dyck, Anton van (Antwerpen 1599-London 1641)
Drei Kopfstudien
Leinwand auf Holz, 47 × 77 cm. 1733 in der Galerie. Inv. Nr. 2631. Um 1622.

Dyck, Anton van
(Antwerpen 1599-London 1641)
Studie zum Kopf eines Schächers
Eichenholz, 56,3 × 46,5 cm.
1730 in der Galerie. Inv. Nr. 533.
Um 1617/18.

Dyck, Anton van
(Antwerpen 1599-London 1641)
Studienkopf eines alten Mannes
Eichenholz, 49,5 × 58 cm.
1730 in der Galerie. Inv. Nr. 536.
Um 1616/18.

Dyck, Anton van (Antwerpen 1599-London 1641)
Thomas Howard Graf Arundel (1586-1646) und seine Gemahlin
Auf dem Zettel rechts die Devise: CONCORDIA CVM CANDORE.
Leinwand, 124 × 202 cm. Alter kaiserlicher Besitz. Inv Nr. 6404. Um 1639/40.

Dyck, Anton van
(Antwerpen 1599-London 1641)
Bildnis eines Malers (Paul de Vos?)
Leinwand, 75,5 × 58 cm.
1659 in der Galerie (?). Inv. Nr. 693.
Um 1621.

Dyck, Anton van
(Antwerpen 1599-London 1641)
Studienkopf eines Mannes
Papier auf Leinwand, 33 × 28,7 cm.
Galerievorrat. Inv. Nr. 1956. Um 1614/15.

Dyck, Anton van
(Antwerpen 1599-London 1641)
Der Apostel Judas Thaddäus
Eichenholz, 61 × 49,5 cm. Erworben 1931.
Inv. Nr. 6809. Um 1619/21.

Dyck, Anton van
(Antwerpen 1599-London 1641)
Der Apostel Simon
Eichenholz, 64 × 51,5 cm.
1976 Legat Dr. Oskar Strakosch.
Inv. Nr. 9702. Um 1619/21.

Dyck, Anton van
(Antwerpen 1599-London 1641)
Der Apostel Philippus
Eichenholz, 64,5 × 50,5 cm.
1976 Legat Dr. Oskar Strakosch.
Inv. Nr. 9703.

Egmont, Justus van
(Leiden 1601-Antwerpen 1674)
Herzog Philippe von Orléans (1640-1701)
Leinwand, 140 × 105 cm.
1659 in der Galerie.
Inv. Nr. 2763, 1651 oder 1654.

Egmont, Justus van
(Leiden 1601-Antwerpen 1674)
König Ludwig XIV. von Frankreich
(1638-1715)
Bez. auf der Rückseite: Justus van Egmont
A.165..25.August Paris.
Leinwand, 137,5 × 105 cm.
1659 in der Galerie.
Inv. Nr. 3208, 1651 oder 1654.

Dyck, Anton van (Antwerpen 1599-London 1641)
Maria mit Kind und der hl. Dorothea
Leinwand, 103,5 × 136 cm. 1659 in der Galerie. Inv. Nr. 9798. Um 1622.

Ehrenberg, Wilhelm Schubert von (Ehrenberg 1638?-Antwerpen um 1676)
Kircheninneres, Architekturphantasie
Bez. rechts auf dem Säulensockel neben dem Baldachin: W.v.Ehrenberg.f 1664.
Leinwand, 100 × 121 cm. 1720 in der Galerie. Inv. Nr. 757.

Ertvelt, Andries van (Antwerpen 1590-1652)
Hafen mit Kriegsschiffen
Bez. unten Mitte auf der Tonne mit dem Monogramm: AVE. Leinwand, 185 × 317 cm.
1659 in der Galerie. Inv. Nr. 595. Nach 1640.

Eyck, Jan van
(Maaseyck b. Maastricht um 1390-
Brügge 1441)
Kardinal Nicola Albergati (1375-1443)
Eichenholz, 34,1 × 27,3 cm.
1659 in der Galerie. Inv. Nr. 975.

Eyck, Jan van
(Maaseyck b. Maastricht um 1390-
Brügge 1441)
Bildnis des Goldschmiedes Jan de Leeuw
Eichenholz, 33 × 27 cm, auf dem
Originalrahmen die Inschrift: IAN DE (Bild
eines Löwen) OP SANT ORSELEN DACH
DAT CLAER EERST MET OGHEN SACH.
1401. GHECONTERFEIT NV HEEFT MI
IAN VAN EYCK WEL BLIICCT
WANNEERT BEGA(N). 1436.
1781 in der Galerie. Inv. Nr. 946.

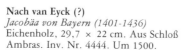

Nach van Eyck (?)
Jacobäa von Bayern (1401-1436)
Eichenholz, 29,7 × 22 cm. Aus Schloß
Ambras. Inv. Nr. 4444. Um 1500.

Flandes, Juan de (?)
(Flandern-Palencia vor 1519 ?)
Philipp der Schöne (1478-1506)
Eichenholz, Brettgröße mit aufgeleimtem
Originalrahmen, 36,3 × 25,4 cm;
Bildfläche 30 × 19,3 cm. Erworben 1882.
Inv. Nr. 3872. Um 1497/1502.

Flandes, Juan de
(Flandern-Palencia vor 1519 ?)
Johanna die Wahnsinnige (1473-1555)
Eichenholz, Brettgröße mit Originalrahmen
aus einem Stück, 36,4 × 25,5 cm;
Bildgröße 29,5 × 19,3 cm. Erworben 1882.
Inv. Nr. 3873.

Flandes, Juan de
(Flandern-Palencia vor 1519 ?)
Die Kreuztragung Christi
Eichenholz, 21,5 × 15,9 cm. 1913 von
Kommerzialrat Oskar Berl gewidmet.
Inv. Nr. 6269. Zwischen 1496 und 1504.

Flandes, Juan de
(Flandern-Palencia vor 1519 ?)
Christus wird ans Kreuz genagelt.
Eichenholz, 21,6 × 15,7 cm.
Erworben 1913. Inv. Nr. 6276.

Flémalle, Bertholet (Lüttich 1614-1675)
Johannes und Petrus heilen einen Lahmen
Leinwand, 80 × 57 cm.
1659 in der Galerie. Inv. Nr. 159.

Floris, Frans de Vriendt, gen. Floris
(Antwerpen 1519/20-1570)
Brustbild eines Knaben
Eichenholz, 35,7 × 27,2 cm.
1733 in der Galerie. Inv. Nr. 3532.
Um 1560/65.

Floris, Frans de Vriendt, gen. Floris
(Antwerpen 1519/20-1570)
Bildnis eines Gildenknappen
Eichenholz, 63,5 × 49 cm.
1659 in der Galerie. Inv. Nr. 7707.
Um 1563/66.

Floris, Frans de Vriendt, gen. Floris
(Antwerpen 1519/20-1570)
Studienkopf
Eichenholz, 41,5 × 32 cm. 1981 von der
Galerie St.Lucas in Wien gewidmet.
Inv. Nr. 9800. Um 1555/60.

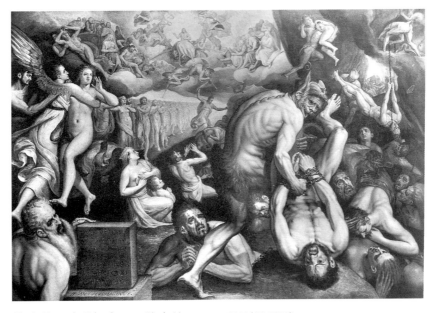

Floris, Frans de Vriendt, gen. Floris (Antwerpen 1519/20-1570)
Das Jüngste Gericht
Bez. links unten auf dem Steinsockel: FF. ANTVERPIEN̄.INVĒ.FAC. 1565.
Leinwand, 162 × 220 cm. 1621 in der Galerie. Inv. Nr. 3581.

Floris, Frans de Vriendt, gen. Floris
(Antwerpen 1519/20-1570)
Die Kreuztragung Christi
Sig. links auf dem Kreuzbalken: FFF ET N̄.
Eichenholz, 114 × 81 cm.
1772 in der Galerie. Inv. Nr. F7.
Um 1553/54.

Francken, Frans II. (Antwerpen 1581-1642)
Ein Kunst- und Raritätenkabinett
Auf dem Notizbuch links unten Aufschrift, davon leserlich: ...by d.. dok.. Abram...
den 5 Octobr 1641 (?). Monogrammiert auf dem Petschaft: FF.
Eichenholz, 74 × 78 cm. 1781 in der Galerie. Inv. Nr. 1048. Nach 1636 (1641?).

Francken, Frans II. (Antwerpen 1581-1642)
Ecce homo
Bez. vorne auf der Stufe: f.franck.IN. Kupfer, 34,5 × 45 cm.
1758 in der Galerie. Inv. Nr. 1056. Um 1610/15.

Francken, Frans II. (Antwerpen 1581-1642)
Krösus zeigt Solon seine Schätze
Im Hintergrund Krösus auf dem Scheiterhaufen. Bez. links am Sockel: D.ō.FRANCK̄.IÑ.
Eichenholz, 86,5 × 120 cm. 1659 in der Galerie. Inv. Nr. 1049. Um 1625.

Francken, Frans II. (Antwerpen 1581-1642)
Hexenversammlung
Bez. links unten: DEN.JOÑ fransis frankeÑ fecit et INtor 1607.
Eichenholz, 56 × 83,5 cm. 1610 in der Galerie. Inv. Nr. 1070.

Francken, Frans II. (Antwerpen 1581-1642)
Hexenküche
Eichenholz, 51,8 × 66 cm. 1719 in Schloß Ambras. Inv. Nr. 1074. Um 1610.

Francken, Hieronymus d. Ältere (Antwerpen 1578-1623)
Tanzgesellschaft
Eichenholz, 41,5 × 54 cm. 1685 in der Galerie. Inv. Nr. 3576.

Francken, Frans II. (Antwerpen 1581-1642)
Die Kreuzigung Christi
Bez. rechts unten: DEN.IOÑ.FF.IN.,
darunter 1606. Eichenholz, 57 × 41 cm.
1758 in der Galerie. Inv. Nr. 1078.

Francken, Frans II. (Antwerpen 1581-1642)
Der Höllensturz der Verdammten
Eichenholz, 47 × 32 cm.
1659 in der Galerie. Inv. Nr. 1106.
Um 1605/10.

Fyt, Johannes (Antwerpen 1611-1661)
Tote Rebhühner mit Jagdhund
Bez. rechts auf dem Stein: Joannes FYT 1647. Leinwand, 38 × 61,5 cm.
1659 in der Galerie. Inv. Nr. 388.

Fyt, Johannes (Antwerpen 1611-1661)
Stilleben mit einem Knaben
Der Knabe von E. Quellinus (?). Bez. links unten im Notenbuch: Ioannes.FYT.F.
Leinwand, 174 × 225 cm. 1781 in der Galerie. Inv. Nr. 389.

Fyt, Johannes (Antwerpen 1611-1661)
Die Rast der Diana
Die Figuren von Th. Willeboirts. Bez. unten in der Mitte: Ioannes. FYT 1650.
Leinwand, 207 × 291 cm. 1659 in der Galerie. Inv. Nr. 706.

Fyt, Johannes (Antwerpen 1611-1661)
Totes Wildgeflügel
Leinwand, 49 × 68 cm. 1685 in der Galerie. Inv. Nr. 393.

Fyt, Johannes (Antwerpen 1611-1661)
Jagdbeute mit totem Pfau und Eberkopf
Leinwand, 137,6 × 134,4 cm. Erworben
1928. Inv. Nr. 6771. Um 1646.

Fyt, Johannes (Antwerpen 1611-1661)
Früchte und Geflügel mit Jagdhund
Bez. auf der Steinplatte rechts unten: Joannes FYT.F.1662. Leinwand, 61,5 × 105 cm.
1685 in der Galerie. Inv. Nr. 578.

Gassel, Lucas (Helmont um 1500/10-Brüssel nach 1568)
Landschaft mit Juda und Thamar
Bez. auf dem Felsen in der Mitte mit dem Monogramm und dat. 1548.
Eichenholz, 79 × 114 cm. 1659 in der Galerie. Inv. Nr. 1019.

Gheringh, Anton Günther (gest. 1668 Antwerpen)
Innenansicht der Jesuitenkirche St.Karl Borromäus zu Antwerpen
Bez. links unten: A Gheringh:ao:1665. Leinwand, 113 × 141 cm.
Erworben 1776. Inv. Nr. 602.

Gossaert, Jan, gen. Mabuse
(Maubeuge zwischen 1470 und 1480-
Middelburg 1532)
Männliches Bildnis
Eichenholz, 40 × 27,5 cm. 1772 in der
Galerie. Inv. Nr. 837. Um 1525/30.

Gossaert, Jan, gen. Mabuse
(Maubeuge zwischen 1470 und 1480-
Middelburg 1532)
Der Heilige Lukas malt die Madonna
Holz 109,5 × 82 cm. 1659 in der Galerie.
Inv. Nr. 894.

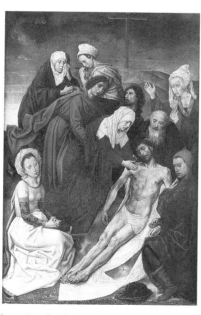

Goes, Hugo van der (Gent um 1430 oder 1440-Kloster Roodendaele bei Brüssel 1482)
Diptychon von Sündenfall und Erlösung
Links der Sündenfall, rechts die Beweinung Christi. Auf der abgesägten Rückseite des
Sündenfalls die hl. Genoveva.
Eichenholz, 32,3 × 21,9 cm (Sündenfall) bzw. 34,4 × 22,8 cm (Beweinung). 1659 in der
Galerie. Inv. Nr. 945 (Beweinung), 5822 A (Sündenfall), 5822 B (Hl. Genoveva).

Gossaert, Jan, gen. Mabuse
(Maubeuge zwischen 1470 und 1480-
Middelburg 1532)
Maria mit dem Kind
Umschrift der Nische: GE.3.MVLIERIS
SEMEN IHS.SERPENTIS CAPVT
CONTRIVIT. Eichenholz, 30 × 25 cm.
1619 in der Galerie. Inv. Nr. 942.
Um 1525/27.

Grimmer, Jacob (Antwerpen um 1526-1590)
Landschaft mit Schloß und Wirtshaus
Die Figuren von G. Mostaert. Bez. rechts unten: IACOB GRI.F.1583 AVG 16;
auf dem Faß links unten das Monogramm GM. Eichenholz, 25,5 × 50 cm.
1773 in Schloß Ambras. Inv. Nr. 5652.

Gyselaer, Philipp (tätig in Antwerpen im 2. Viertel d. 17. Jh.)
Jupiter und Merkur bei Philemon und Baucis
Bez. halb rechts unten: gyselaer. Eichenholz, 46 × 62 cm.
1796 in der Galerie. Inv. Nr. 1697.

Hecke, Jan van den
(Quaremonde 1620-Antwerpen 1684)
*Weibliche Büste in Blumen- und
Fruchtgirlande*. Leinwand, 58 × 42 cm.
1659 in der Galerie. Inv. Nr. 551.

Hecke, Jan van den (Quaremonde 1620-Antwerpen 1684)
Ein Blumenkorb
Eichenholz, 53 × 66 cm. 1659 in der Galerie. Inv. Nr. 1748.

Heem, Jan Davidsz de
(Utrecht 1606-Antwerpen 1683/84)
*Abendmahlskelch und Hostie mit
Fruchtgirlanden*
Bez. unter dem Abendmahlskelch:
J. De Heem fecit Anno 1648.
Leinwand, 138 × 125,5 cm.
1659 in der Galerie. Inv. Nr. 571.

Heil, Daniel van (Brüssel 1604-1662)
Winterlandschaft
Leinwand, 58 × 85 cm. 1659 in der Galerie. Inv. Nr. 737.

Hemessen, Jan Sanders van (Hemixem bei Antwerpen um 1500-Haarlem ? um 1556/57)
Matthäi Berufung zum Apostelamt
Im Hintergrund Christus und seine Jünger.
Das früher gelesene Datum 1537 nicht mehr sichtbar.
Holz, 114 × 137 cm. 1720 in der Galerie. Inv. Nr. 961. Um 1548.

Hemessen, Jan Sanders van (Hemixem bei Antwerpen um 1500-Haarlem ? um 1556/57)
Matthäi Berufung zum Apostelamt
Im Hintergrund Christus beim Mahl mit Sündern und Zöllnern (Matth. 9,10-11).
Holz, 85 × 107 cm. 1659 in der Galerie. Inv. Nr. 985.

Hemessen, Jan Sanders van (Hemixem bei Antwerpen um 1500-Haarlem ? um 1556/57)
Der hl. Hieronymus
Eichenholz, 66 × 80 cm. 1659 in der Galerie. Inv. Nr. 1682. Um 1538/40.

Herdt, Jan de (nachweisbar 1646-1668)
Erminia bei den Landleuten
Bez. Mitte unten auf dem Brett:
I:D:HERDT.F.1667. Leinwand,
154 × 148 cm. 1748 in der Galerie.
Inv. Nr. 2921.

Hoecke, Jan van den
(Antwerpen 1611-1651)
*Erzherzog Ferdinand III., König von
Böhmen und Ungarn (1608-1657)*
Leinwand, 260 × 113 cm. 1733 in der
Galerie. Inv. Nr. 697. Um 1634/35.

Hoecke, Jan van den
(Antwerpen 1611-1651)
Kardinalinfant Ferdinand (1609-1641)
Leinwand, 260 × 112 cm. 1733 in der
Galerie. Inv. Nr. 699. Um 1634/35.

Hoecke, Jan van den (Antwerpen 1611-1651)
Hero beweint den toten Leander
Leinwand, 155 × 215 cm. 1733 in der Galerie. Inv. Nr. 727. Um 1635/37.

Hoecke, Jan van den (Antwerpen 1611-1651)
Maria mit Kind im Blumenkranz
Die Blumen von Mario de'Fiori. Leinwand, 162 × 200 cm.
1659 in der Galerie. Inv. Nr. 1713. Um 1635/37.

Hoecke, Jan van den (Antwerpen 1611-1651)
Die Monate Januar und Februar
Skizze zu Kartons für eine Folge von Tapisserien. Leinwand, 61 × 77 cm.
1659 in der Galerie. Inv. Nr. 2652b. Vor 1650. Eine weitere Skizze (die Monate September und Oktober; Inv. Nr. 2652d) ebenfalls in der Galerie.

Hoecke, Jan van den
(Antwerpen 1611-1651)
Allegorie der Vergänglichkeit
Leinwand, 298 × 216 cm. 1659 in der
Galerie. Inv. Nr. 761. Um 1636/40.

Hoecke, Jan van den
(Antwerpen 1611-1651)
Kaiser Ferdinand III. (1608-1657)
Leinwand, 74,5 × 61 cm.
1659 in der Galerie. Inv. Nr. 3283.
Um 1640/45.

Hoecke, Jan van den (Antwerpen 1611-1651)
Die Monate Januar und Februar
Karton für eine Folge von Tapisserien. Die Ausführung von P. Thys und A. van Utrecht.
Leinwand, 318 × 436 cm. 1659 in der Galerie. Inv. Nr. 3549. Um 1650. Weitere Kartons
(Die Monate März bis Dezember; Inv. Nr. 1863, 1864, 3550-3552) ebenfalls in der Galerie.

Hoecke, Jan van den
(Antwerpen 1611-1651)
Erzherzog Leopold Wilhelm (1614-1662)
Leinwand, 100 × 77 cm.
1659 in der Galerie. Inv. Nr. 3284.
Um 1640/45.

Hoecke, Jan van den
(Antwerpen 1611-1651)
Erzherzog Leopold Wilhelm im Gebet vor der Madonna
Leinwand, 62 × 52 cm.
1659 in der Galerie. Inv. Nr. 3711.

Hoecke, Robert van den (Antwerpen 1622-Bergen/Mons 1668)
Ansicht von Ostende
Bez. unten Mitte: R v Hoecke. Eichenholz, 57,5 × 93 cm.
1659 in der Galerie. Inv. Nr. 454.

Hoecke, Jan van den (Antwerpen 1611-1651)
Der Triumph der Zeit. Skizze
Leinwand, 79 × 105 cm. 1659 in der Galerie. Inv. Nr. 9810.

Hoecke, Robert van den (Antwerpen 1622-Bergen/Mons 1668)
Schlittschuhlaufen auf dem Stadtgraben in Brüssel
Bez. auf dem vorspringenden Teil der Stadtmauer: RvH 1649. Eichenholz, 58 × 92 cm.
1659 in der Galerie. Inv. Nr. 656.

Hoecke, Robert van den (Antwerpen 1622-Bergen/Mons 1668)
Feldlager mit Ruinen
Eichenholz, 28 × 72 cm; die auseinandergesägten Hälften wieder zusammengefügt.
1659 in der Galerie. Inv. Nr. 792, 799.

Hoet, Gerard (Zaltbommel 1648-Haag 1733)
Moses schlägt Wasser aus dem Felsen
Eichenholz, 36 × 45 cm. 1796 in der Galerie. Inv. Nr. 1761.

Hoy, Nikolaus (Antwerpen 1631-Wien 1679)
Feldschlacht
Leinwand, 134 × 237 cm. 1781 in der Galerie. Inv. Nr. 1741.

Horemans, Jan Joseph d. Ältere (Antwerpen 1682-1759)
Schusterwerkstatt
Bez. rechts an der Tür: J Horemans 1712. Leinwand, 50 × 60 cm.
1781 in der Galerie. Inv. Nr. 2627.

Huysmans, Cornelis (Antwerpen 1648-Mecheln 1727)
Waldlandschaft
Leinwand, 50,5 × 63,5 cm. 1781 in der Galerie. Inv. Nr. 1764.

Immenraet, Philips Augustijn
(Antwerpen 1627-1679)
Die Verstoßung der Hagar
Leinwand, 89 × 64 cm.
1659 in der Galerie. Inv. Nr. 1198.

Janssens, Abraham (Antwerpen 1575-1632)
Venus und Adonis
Leinwand 200 × 240 cm. 1781 in der Galerie. Inv. Nr. 728.

Isenbrant, Adriaen (vor 1500-Brügge 1551)
Ruhe auf der Flucht nach Ägypten
Eichenholz, 46 × 74 cm. 1735 in der Galerie. Inv. Nr. 1008. Zwischen 1510/20.

Janssens, Abraham (Antwerpen 1575-1632)
Die Flucht der Cloelia
Leinwand, 197 × 289 cm. 1916 in der Galerie. Inv. Nr. 6661. Um 1605.

Jordaens, Hans III. (Antwerpen um 1595-1643 (1653 ?))
Ein Kunst- und Raritätenkabinett
Die Figuren von Cornelis de Baellieur. Bez. auf der Rückseite: Hans Jordans.F.
Eichenholz, 86 × 120 cm. 1659 in der Galerie. Inv. Nr. 716. Um 1630 (?).

Jordaens, Jacob (Antwerpen 1593-1678)
Der wunderbare Fischzug
Leinwand, 193 × 306,5 cm. Galerievorrat. Inv. Nr. 2625. Um 1640.

Jordaens, Jacob (Antwerpen 1593-1678)
Das Fest des Bohnenkönigs
Auf der Kartusche im Hintergrund der Spruch: NIL.SIMILIUS.INSANO.QUAM.EBRIVS.
Leinwand, 242 × 300 cm.
1659 in der Galerie. Inv. Nr. 786.

Jordaens, Jacob (Antwerpen 1593-1678)
Die Töchter des Kekrops finden den kleinen Erichthonios
Leinwand, 150 × 208 cm. Erworben 1924. Inv. Nr. 6488. Um 1640.

Keuninck, Kerstiaen de d. Ältere (Courtrai um 1560-Antwerpen nach 1632/33)
Gebirgslandschaft
Leinwand, 78 × 100,5 cm. 1659 in der Galerie. Inv. Nr. 2415. Um 1590.

Keuninck, Kerstiaen de d. Ältere (Courtrai um 1560-Antwerpen nach 1632/33)
Mondscheinlandschaft mit Pan und Syrinx
Eichenholz, 23,5 × 34,8 cm. Aus Schloß Ambras. Inv. Nr. 5774.

Key, Adriaen Thomas
(Antwerpen ? um 1544-nach 1589)
Männliches Bildnis
Eichenholz, 98,5 × 71 cm.
1720 in der Galerie. Inv. Nr. 808. 1575.

Key, Adriaen Thomas
(Antwerpen ? um 1544-nach 1589)
Bildnis eines Herren in spanischer Tracht
Dat. rechts oben: A° AETATIS 41;
darunter 1568. Eichenholz, 109 × 82,5 cm.
1773 in der Galerie. Inv. Nr. 1034.

Key, Willem (Breda um 1520-Antwerpen 1568)
Bildnis eines rothärtigen jungen Mannes mit Barett
Dat. rechts: 1550; darunter AETA.34.
Eichenholz, 37 × 26 cm.
1781 in der Galerie. Inv. Nr. 976.

Key, Adriaen Thomas
(Antwerpen ? um 1544-nach 1589)
Weibliches Bildnis
Dat. oben links: 1575; rechts: AETA...
Eichenholz, 99 × 71 cm.
1720 in der Galerie. Inv. Nr. 811.

Key, Adriaen Thomas
(Antwerpen ? um 1544-nach 1589)
Bildnis eines Mannes mit rotblondem Bart
Bez. links oben mit dem Monogramm AK
(ligiert), darunter dat. 1572; rechts oben:
AETA.28. Eichenholz, 85 × 63 cm.
1685 in der Galerie. Inv. Nr. 3679.

Lens, Andries Cornelis (Antwerpen 1739-Brüssel 1822)
Wie Zeus von Hera auf dem Berge Ida eingeschläfert wird
Leinwand, 109,5 × 133 cm. 1781 in der Galerie. Inv. Nr. 1367. Um 1780.

Lint, Peter van (Antwerpen 1609-1690)
Christus heilt den Lahmen am Teich Bethesda
Bez. unten in der Mitte: P.V.LINT.F. Eichenholz, 50 × 81 cm.
1659 in der Galerie. Inv. Nr. 1691. Um 1640/50.

Lombard, Lambert (Lüttich 1505-1566)
Silenszug
Eichenholz, 77 × 67,5 cm.
1659 in der Galerie. Inv. Nr. 1680.

Luycx, Frans (Antwerpen 1604-Wien 1668)
Kardinalinfant Ferdinand (1609-1641)
Eichenholz, 60 × 47 cm.
1730 in der Galerie. Inv. Nr. 689.

Luycx, Frans (Antwerpen 1604-Wien 1668)
Erzherzog Leopold Wilhelm (1614-1662)
Leinwand, 85 × 56 cm.
1659 in der Galerie. Inv. Nr. 2754.
Um 1635/40.

Luycx, Frans (Antwerpen 1604-Wien 1668)
Erzherzogin Cäcilia Renata, Königin von Polen (1611-1644)
Leinwand, 222 × 111 cm.
1659 in der Galerie (?). Inv. Nr. 1732.
Um 1640.

Luycx, Frans (Antwerpen 1604-Wien 1668)
Friedrich Wilhelm, Kurfürst von Brandenburg (1620-1688)
Leinwand, 139 × 119 cm.
Aus der kaiserlichen Hofburg.
Inv. Nr. 3163. Um 1650/55.

Luycx, Frans (Antwerpen 1604-Wien 1668)
Erzherzog Karl Joseph (1649-1664)
Leinwand, 138,5 × 97,5 cm.
Aus der kaiserlichen Hofburg.
Inv. Nr. 3185. Um 1651.

Luycx, Frans (Antwerpen 1604-Wien 1668)
Eleonore von Gonzaga (1628-1686)
als Diana
Oben in der Mitte Inschrift aus dem 18.
Jh.: ELEONORA RÖM.KAYSERIN.
Leinwand, 153 × 126 cm.
Aus Schloß Ambras.
Inv. Nr. 4508. Kurz nach 1651.

Lytens, Gysbrecht (Antwerpen
1586-zwischen 1643 und 1656)
Winterlandschaft mit lagernden Zigeunern
Bez. links unten mit dem Monogramm:
.GL. Eichenholz, 66,5 × 56 cm.
Erworben 1951. Inv. Nr. 9111.

Mandijn, Jan (?) (Haarlem 1502-Antwerpen
gegen 1560)
Die Versuchung des hl. Antonius
Eichenholz, 120 × 120 cm.
1884 in der Galerie. Inv. Nr. 3688.

Luycx, Frans (Antwerpen 1604-Wien 1668)
König Wladislaw IV. von Polen (1595-1648)
Leinwand, 203,5 × 140,5 cm.
1685 in der Galerie. Inv. Nr. 7150.
Um 1639.

Luycx, Frans (Antwerpen 1604-Wien 1668)
Erzherzog Ferdinand Karl (1628-1662)
Bez. am unteren Rand: FERDINANDVS
AVSTR.COMˢ.TYR.
Leinwand, 215 × 113 cm. Alter kaiserlicher
Besitz. Inv. Nr. 9425. Ende der 40er Jahre.

Massys, Quinten (?) (Löwen 1465/66-Antwerpen 1530)
Der heilige Hieronymus in der Zelle
Eichenholz, 57 × 77 cm. 1659 in der Galerie. Inv. Nr. 965.

Massys, Jan (Antwerpen um 1509-1575)
Lustige Gesellschaft
Bez. rechts oben: IOANNES MASSIIS PINGEBAT, auf dem Kaminmantel dat. 1564.
Eichenholz, 73 × 100 cm. 1772 in der Galerie. Inv. Nr. 963.

Massys, Jan (Antwerpen um 1509-1575)
Lot und seine Töchter
Bez. links oben am Felsen: 1563. IOANNES MASSIIS PINGEBAT.
Eichenholz, 151 × 171 cm. 1659 in der Galerie. Inv. Nr. 1015.

Massys, Jan (Antwerpen um 1509-1575)
Der hl. Hieronymus
Dat. auf dem gerollten Blatt: ANNO:1537:. Eichenholz, 67 × 96 cm.
1659 in der Galerie. Inv. Nr. 966.

Meister von Frankfurt (?) (Antwerpen ? 1460-1533)
Flügelaltar
Auf dem Mittelbild links am Bein des knieenden Pagen die später hinzugefügte Bezeichnung RMS. Eichenholz, Mittelbild 99 × 55 cm, die Flügel je 99 × 23 cm. Aus Schloß Ambras. Inv. Nr. 5656. Um 1515.

Meister der Dresdner Porträts von 1548
(tätig in Antwerpen)
Bildnis einer älteren Frau
Eichenholz, 79 × 61 cm; wohl Fragment
eines größeren Bildes. 1659 in der Galerie.
Inv. Nr. 826.

Meister von Hoogstraeten (tätig in
Antwerpen Anfang d. 16. Jh.)
Hl. Johannes d. Täufer und der
Hl. Hieronymus
Eichenholz, 27,5 × 10,9 cm und
27,5 × 10,8 cm. 1781 in der Galerie.
Inv. Nr. 949.

Meister der Sankt Georgsgilde (tätig in Mecheln Ende d. 15. Jh.)
Philipp der Schöne (1478-1506) und seine Schwester Margarete (1480-1530)
Auf dem Originalrahmen die Herrschaftstitel der Dargestellten, darunter die Altersangaben:
links: etate xvi o anor; rechts: etate xiiii z anor. Holz, 36 × 22 cm, zwei oben dreipaßförmige
geschlossene Täfelchen, durch Scharniere zum Diptychon verbunden, Bildfläche je
27,5 × 14 cm. Aus Schloß Ambras. Inv. Nr. 4446, 4447. 1494.

Meister von Hoogstraeten (tätig in
Antwerpen Anfang d. 16. Jh.)
Maria mit dem Kind und den Hll.
Katharina und Barbara
Eichenholz, 28,2 × 20,8 cm. 1932 Legat
Gustav von Benda. Inv. Nr. 6978.

Meister der Sankt Georgsgilde (tätig in Mecheln Ende d. 15. Jh.)
Karl V. (1500-1558) mit seinen Schwestern Eleonore (1498-1558) und Isabella (1501-1526)
Bez. auf der unteren Rahmenleiste: Madame leonora En laige de iiii ans, Duc Charles En
laige de deux ans et demi, Madame Ysabiau en laige de ung an et iii mois. Über den Köpfen
die aus Österreich, Brabant, Alt- und Neuburgund mit dem habsburgischen Löwen als
Herzschild zusammengesetzten Wappen. Drei Holztäfelchen, oben halbrund, im
Originalrahmen, je 36,5 × 18 cm mit Rahmen, 31,5 × 14 cm ohne Rahmen.
1516 in der Galerie. Inv. Nr. 4452. 1502.

Meister des Verlorenen Sohnes (tätig in Antwerpen um 1530-1560)
Die Geschichte des verlorenen Sohnes
Eichenholz, 128,5 × 214,5 cm. 1659 in der Galerie. Inv. Nr. 986.

Meister der weiblichen Halbfiguren (?)
Bildnis eines jungen Mannes
Auf der Rückseite alte Bezeichnung:
GEERAERT VAN BRUGH.F. Eichenholz,
54 × 43 cm. 1659 in der Galerie.
Inv. Nr. 997.

Meister der weiblichen Halbfiguren (?)
Bildnis einer jungen Frau
Auf der Rückseite alte Bezeichnung:
GEERAERT VAN BRUGH.F. Eichenholz,
54 × 43 cm. 1659 in der Galerie.
Inv. Nr. 998.

Meister der weiblichen Halbfiguren (tätig in den Südniederlanden zwischen 1550 und 1560)
Landschaft mit der Ruhe auf der Flucht nach Ägypten
Eichenholz, 38,5 × 51,5 cm. 1781 in der Galerie. Inv. Nr. 950. Frühwerk.

Memling, Hans (Seligenstadt/Main
um 1435-Brügge 1494)
Johannesaltar
Eichenholz, Mittelbild 69 × 47 cm,
Außenseite der Flügel 69,3 × 17,3 cm,
Innenseite der Flügel 63,5 × 18,5 cm.
1659 in der Galerie. Inv. Nr. 939
(Mitteltafel), 943 a, b (Innenflügel),
994 a, b (Außenflügel).

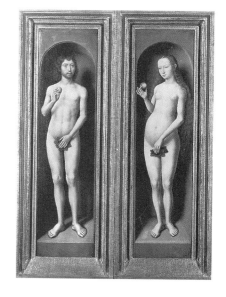

Meulen, Adam Frans van der (Brüssel 1632-Paris 1690)
Reitergefecht
Leinwand, 56,5 × 68,5 cm. Erworben 1780. Inv. Nr. 609.

Mirou, Anton (Antwerpen 1570-nach 1661)
Die Bekehrung Pauli
Kupfer, 28,5 × 36 cm. 1747/48 in der Galerie. Inv. Nr. 460. Um 1600.

Millet, Jean François (Antwerpen 1642-Paris 1679)
Waldlandschaft mit Badenden
Leinwand, 25,5 × 35 cm. Erworben 1786. Inv. Nr. 455.

Momper, Joos de d. Jüngere (Antwerpen 1564-1635)
Große Gebirgslandschaft
Die Figuren von H. Jordaens III. Leinwand, 209 × 286 cm.
1659 in der Galerie. Inv. Nr. 644. Um 1610/20.

Momper, Joos de d. Jüngere (Antwerpen 1564-1635)
Seesturm
Eichenholz, 71 × 97 cm. 1884 in der Galerie. Inv. Nr. 2690.

Momper, Joos de d. Jüngere
(Antwerpen 1564-1635)
Waldige Felsschlucht
Eichenholz, 65,5 × 49,5 cm.
1659 in der Galerie. Inv. Nr. 6400.

Momper, Joos de d. Jüngere (Antwerpen 1564-1635)
Gebirgslandschaft mit Burg
Die Staffage von J. Brueghel d. Älteren. Eichenholz, 44,8 × 74,7 cm.
Erworben 1942. Inv. Nr. 6967.

Momper, Joos de d. Jüngere (Antwerpen 1564-1635)
Gebirgslandschaft mit Flußtal
Die Staffage von J. Brueghel d. Älteren. Eichenholz, 44,8 × 34,7 cm.
Erworben 1942. Inv. Nr. 6968.

Mor, Anthonis Mor van Dashorst
(Utrecht 1516/19-Antwerpen 1576)
Bildnis eines schwarzbärtigen Mannes
Eichenholz, 105 × 77 cm.
1781 in der Galerie. Inv. Nr. 1028.

Mor, Anthonis Mor van Dashorst
(Utrecht 1516/19-Antwerpen 1576)
*Bildnis des Anton Perrenot de Granvella
(1517-1586)*
Eichenholz, 107 × 82 cm; allseitig
beschnitten. 1772 in der Galerie.
Inv. Nr. 1035.

Mor, Anthonis Mor van Dashorst
(Utrecht 1516/19-Antwerpen 1576)
Königin Anna von Spanien (1549-1580)
Bez. rechts an der Stuhllehne: Antonius
Mor faciebat a° 157 (0). Leinwand,
161 × 110 cm. Alter kaiserlicher Besitz.
Inv. Nr. 3053.

Mostaert, Gillis I (Hulst um 1534-Antwerpen nach 1598)
Moses schlägt Wasser aus dem Felsen
Eichenholz, 125 × 162 cm. 1659 in der Galerie. Inv. Nr. 1093. Um 1560.

Mostaert, Gillis I (Hulst um 1534-Antwerpen nach 1598)
Kriegszug im Winter
Leinwand, 81,5 × 155 cm. 1619 in der Galerie. Inv. Nr. 3826. Spätwerk.

Neeffs, Peeter d. Ältere (Antwerpen um 1578-1657/1661)
Abendmesse in einer gotischen Kirche
Die Staffage von F. Francken d. Jüngeren. Eichenholz, 35 × 55 cm.
1796 in der Galerie. Inv. Nr. 640.

Neeffs, Peeter d. Ältere (Antwerpen um 1578-1657/1661)
Innenansicht der Jesuitenkirche zu Antwerpen
Die Staffage von S. Vrancx. Bez. links unten: S. Vrancx. Eichenholz, 52 × 71 cm.
1659 in der Galerie. Inv. Nr. 1051. Um 1630.

Neeffs, Peeter d. Jüngere (Antwerpen 1620-nach 1675)
Innenansicht der Kathedrale zu Antwerpen
Erzherzog Leopold Wilhelm wird von der Geistlichkeit eingeholt. Die Figuren von B. Peeters
I. Bez. auf dem Pfeiler rechts: PEETER NEEFFS, am linken Pfeiler: BONAVENTVRA PETRI
FECIT. Eichenholz, 50 × 70 cm. 1659 in der Galerie. Inv. Nr. 1693.

Niederländisch, um 1560
Männliches Bildnis
Eichenholz, 41 × 32 cm.
1659 in der Galerie. Inv. Nr. 418.

Niederländisch, 2. Hälfte d. 16. Jh.
*Bildnis eines lachenden rotblonden bärtigen
Mannes*
Papier auf Eichenholz, 41 × 29 cm.
1659 in der Galerie. Inv. Nr. 765.

Niederländisch, um 1580
*Bildnis eines rotblonden bärtigen Mannes
mit Halskrause*
Im Hintergrund links: .TATIS, rechts ...A.
Eichenholz, 44 × 36 cm.
1659 in der Galerie. Inv. Nr. 767.

Niederländisch, um 1570
*Bildnis eines jungen Mannes vor einer
Landschaft*
Pergament auf Eichenholz, Dm. 16 cm.
1884 in der Galerie. Inv. Nr. 778.

Niederländisch, um 1540/45
*Bildnis eines jungen Mannes mit Barett und
Handschuhen*
Eichenholz, 42,5 × 32,5 cm. 1720 in der
Galerie. Inv. Nr. 839.

Niederländisch, Ende d. 15. Jh.
Mädchenkopf
Eichenholz, 37 × 27 cm. 1772 in der
Galerie. Inv. Nr. 871.

Niederländisch (Antwerpen), um 1520
Flügelaltar
Eichenholz, Mitteltafel 94 × 71 cm, Flügel je 94 × 31 cm. 1659 in der Galerie.
Inv. Nr. 944.

Niederländisch, um 1590
Weibliches Bildnis. Büste
Eichenholz, 42,5 × 34 cm.
1781 in der Galerie. Inv. Nr. 1037.

Niederländisch, Ende d. 15. Jh.
Mädchenkopf
Eichenholz, 34 × 26 cm. Galeriedepot.
Inv. Nr. 2674.

Niederländisch, um 1520
Die Anbetung der Könige
Eichenholz, 50 × 63 cm. 1781 in der Galerie. Inv. Nr. 1013.

Niederländisch, um 1540/50
Weibliches Bildnis
Eichenholz, 44,5 × 35 cm.
Aus Schloß Ambras. Inv. Nr. 5626.

Niederländisch, um 1550
Männliches Bildnis
Eichenholz, 10,8 × 8,1 cm.
1920 Legat Richard von Lieben.
Inv. Nr. 6341.

Niederländisch, Ende d. 15. Jh.
Maria mit dem Kind in der Mondsichel
Eichenholz, 43 × 30 cm; die Wolken in
den Ecken vielleicht später hinzugefügt.
Erworben 1923. Inv. Nr. 6425. Gegen 1490.

Noort, Adam van (Antwerpen 1562-Ende 1641)
Christus segnet die Kinder
Eichenholz, 67 × 100 cm. 1781 in der Galerie. Inv. Nr. 1160.

Oost, Jacob van d. Ältere
(Brügge 1601-1671)
Anbetung der Hirten
Im Hintergrund der hl. Franz von Assisi.
Leinwand, 258 × 189 cm, oben
halbkreisförmig abgerundet.
Erworben 1785. Inv. Nr. 753.

Orley, Bernaert van (Brüssel 1488-1541)
*Bildnis eines jungen Mannes
(Selbstbildnis ?)*
Eichenholz, 60 × 45 cm. 1659 in der
Galerie. Inv. Nr. 865. Um 1520.

Orley, Bernaert van (Brüssel 1488-1541)
Die Beschneidung Christi
Eichenholz, 115,5 × 72,5 cm; ursprünglich
geschweift. 1758 in der Galerie.
Inv. Nr. 893. Um 1525/30.

Orley, Bernaert van (Brüssel 1488-1541)
Thomas- und Matthias-Altar
Bez. auf dem Schild des Mittelpfeilers im Rund: BERNART VAN ORLEI und einem
unklaren Monogramm (O,V,B ?), darüber ein Malerwappen mit drei Schilden.
Eichenholz, oben geschweift, 140 × 180 cm. Erworben 1809. Inv. Nr. 992.

Patinier, Joachim (Bouvignes? zwischen 1475 und 1490-Antwerpen 1524)
Die Taufe Christi
Bez. auf dem Felsen im Vordergrund: OPVS. IOACHIM.D.PATINIER.
Eichenholz, 59,7 × 76,3 cm. 1659 in der Galerie. Inv. Nr. 981.

Nachfolge d. Joachim Patinier (Bouvignes? zwischen 1475 und 1490-Antwerpen 1524)
Die Schlacht bei Pavia, 1525
Eichenholz, 32 × 41 cm. 1619 in der Galerie. Inv. Nr. 5660.

Patinier, Joachim (Bouvignes? zwischen 1475 und 1490-Antwerpen 1524)
Die Marter der heiligen Katharina
Eichenholz, 27 × 44 cm. 1659 in der Galerie. Inv. Nr. 1002.

Peeters, Bonaventura I (Antwerpen 1614-Hoboken 1652)
Südländischer Hafen
Bez. rechts auf der Kaimauer: B.P. Eichenholz, 47 × 63 cm.
1659 in der Galerie. Inv. Nr. 1717. Anfang der 40er Jahre.

Peeters, Bonaventura I (Antwerpen 1614-Hoboken 1652)
Türken stürmen einen Seehafen
Bez. links unten auf einem Schild: B.P. 1641. Eichenholz, 47 × 62 cm.
1659 in der Galerie. Inv. Nr. 1781.

Peeters, Jan (Antwerpen 1624-1677)
Schiffe in Seenot an der Küste
Bez. rechts unten auf der Klippe: J.P. Leinwand, 87 × 103 cm.
1781 in der Galerie. Inv. Nr. 447.

Pourbus, Frans d. Ältere
(Brügge 1545/46-1581)
*Bildnis des Don Iñigo López de Mendoza
y Zuñiga (1511-1580)*
Links oben unter dem Wappen eine Devise,
die sich rechts oben auf dem Pfeiler
wiederholt: QVAE.VTILITAS./
IN.SANGVINE. MEO./SI.DESCENDO./
IN.CORVPTIONEM.
Eichenholz, 102 × 73 cm.
1720 in der Galerie. Inv. Nr. 1029.

Pourbus, Frans d. Ältere
(Brügge 1545/46-1581)
Bildnis eines Mannes mit Stirnnarbe
Dat. links oben: A° 1564.
Eichenholz, 45 × 37 cm.
1659 in der Galerie. Inv. Nr. 1044.

Pourbus, Frans d. Ältere
(Brügge 1545/46-1581)
Jan van Hembyze (1513-1584)
Bez. links oben: D.IOANNES.AB.
HEMBYZE.AE 50/F.POVRBVS.F.1567.
Rechts oben das Wappen des Dargestellten,
darunter die Devise: EXPENDITO.
Eichenholz, 45 × 33,4 cm.
1730 in der Galerie. Inv. Nr. 1041.

Pourbus, Frans d. Jüngere
(Antwerpen 1569-Paris 1622)
Männliches Bildnis
Eichenholz, 53,5 × 36,5 cm.
1659 in der Galerie. Inv. Nr. 842.
90er Jahre.

Pourbus, Frans d. Jüngere
(Antwerpen 1569-Paris 1622)
Erzherzogin Eleonore (1582-1620)
Leinwand, 111,5 × 92 cm. Galeriedepot.
Inv. Nr. 3070. Um 1603/04.

Pourbus, Frans d. Ältere? (Brügge 1545/46-1581)
David und Abigail
Eichenholz, 158 × 208 cm. 1659 in der Galerie. Inv. Nr. 1096.

Pourbus, Pieter (Gouda 1523/24-Brügge 1584)
Kreuzigungstriptychon
Eichenholz, Mitteltafel 51 × 41 cm, die Flügel je 51 × 18 cm.
1781 in der Galerie. Inv. Nr. 878. Um 1559.

Primo, Luigi, eig. Louis Cousin (Grotenberg-Breivelde 1606-Brüssel 1667)
Venus beweint den toten Adonis
Leinwand, 173 × 332 cm. 1659 in der Galerie. Inv. Nr. 1705. Um 1655/57.

Quellinus, Jan Erasmus
(Antwerpen 1634-Mecheln 1715)
Die Krönung Karls V. in Bologna, 1530
Leinwand, 413 × 285 cm. 1730 in der
Galerie. Inv. Nr. 1766.

Quellinus, Jan Erasmus
(Antwerpen 1634-Mecheln 1715)
*Die Gefangennahme König Franz I. in der
Schlacht von Pavia, 1525*
Leinwand, 328 × 216 cm. Inv. Nr. 2464.

Ravesteyn, Dirck de Quade van (tätig in Prag am Hof Rudolfs II., bezeugt 1589-1619)
Ruhende Venus
Eichenholz, 80 × 152 cm. Sammlung Kaiser Rudolfs II. Inv. Nr. 1104. Um 1596/1598.

Ravesteyn, Dirck de Quade van (tätig in Prag am Hof Rudolfs II., bezeugt 1589-1619)
Flötenspielerin
Leinwand, 111 × 127,5 cm. Sammlung Kaiser Rudolfs II. Inv. Nr. 3080.

Reymerswaele, Marinus van (Zeeland 1490/95-nach 1567)
Das Gleichnis vom ungerechten Verwalter
Auf einem Täfelchen rechts die Aufschrift: luce.XVI.Redde.ratione(m).
villicatiô(n)is.tue.ia(m) eńi(m) nó(n).poteris.ā(m)plius.(zu ergänzen villicare) (Luk. 16,2).
Eichenholz, 77 × 96,5 cm. 1685 in der Galerie. Inv. Nr. 962. Um 1540.

Rem, Gaspar (Antwerpen 1542-Venedig 1615/17)
Selbstbildnis
Bez. am oberen Rand: A°D^(NI).MDC.
XIIII.EFFIGIE.GASPAR REM.
AETAT.SVE.LXXII. Leinwand,
50 × 44 cm. 1659 in der Galerie.
Inv. Nr. 2505.

Reymerswaele, Marinus van (Zeeland 1490/95-nach 1567)
Der hl. Hieronymus in der Zelle
Eichenholz, 80 × 108 cm. 1884 in der Galerie. Inv. Nr. 2645. 40er Jahre.

Reyn, Jean de (Bailleul um
1610-Dünkirchen 1678)
Bildnis eines Musikers
Leinwand, 111 × 84,5 cm.
1720 in der Galerie. Inv. Nr. 481.

Rubens, Peter Paul (Siegen 1577-Antwerpen 1640)
Beweinung Christi
Bez. links außen auf dem Felsen: P.P.RVBENS.F.I.6.I.4.
Eichenholz, 40,5 × 52,5 cm.
1659 in der Galerie. Inv. Nr. 515.

Rijckere, Bernaert de (Courtrai um 1535-Antwerpen 1590)
Diana und Aktäon
Sig. auf dem Brunnentrog mit dem Buchstaben B und dat. 1573. Eichenholz, 124 × 168 cm.
1781 in der Galerie. Inv. Nr. 1092.

Rubens, Peter Paul
(Siegen 1577-Antwerpen 1640)
Die Wunder des hl. Ignatius von Loyola
Leinwand, 535 × 395 cm. Erworben 1776.
Inv. Nr. 517.

Rubens, Peter Paul
(Siegen 1577-Antwerpen 1640)
Die Wunder des hl. Franz Xaver
Leinwand, 535 × 395 cm. Erworben 1776.
Inv. Nr. 519. Um 1617/20.

Rubens, Peter Paul (Siegen 1577-Antwerpen 1640)
Die Jagd des Meleager und der Atalante
Leinwand, 257 × 416 cm. 1659 in der Galerie. Inv. Nr. 523. Um 1620.
Die Tiere von F. Snyders, die Landschaft von J. Wildens, die Figuren links oben und rechts unten von Van Dyck.

Rubens, Peter Paul
(Siegen 1577-Antwerpen 1640)
Die Himmelfahrt Mariens
Eichenholz, 458 × 297 cm. Erworben 1776.
Inv. Nr. 518.

Rubens, Peter Paul
(Siegen 1577-Antwerpen 1640)
Der hl. Hieronymus in Kardinalstracht
Eichenholz, 60 × 47 cm. 1730 in der
Galerie. Inv. Nr. 520. Gegen 1625.

Rubens, Peter Paul
(Siegen 1577-Antwerpen 1640)
*Ansegisus und die hl. Bega, die Eltern
Pippins d. Mittleren*
Eichenholz, 94 × 76 cm. 1685 in der
Galerie. Inv. Nr. 521. Um 1612/15.

Rubens, Peter Paul
(Siegen 1577-Antwerpen 1640)
Studienkopf eines Greises
Eichenholz, 67 × 56,5 cm; stark
beschnitten; Maße des Originals
65,5 × 22,5 cm oben, 28,5 cm unten.
1730 in der Galerie. Inv. Nr. 522.
Um 1610.

Rubens, Peter Paul
(Siegen 1577-Antwerpen 1640)
Der hl. Ambrosius und Kaiser Theodosius
Leinwand, 362 × 246 cm.
1733 in der Galerie. Inv. Nr. 524.

Rubens, Peter Paul
(Siegen 1577-Antwerpen 1640)
Selbstbildnis
Später links auf der Säule hinzugefügt:
P.P.RVBINS.
Leinwand, 109,5 × 85 cm.
1720 in der Galerie. Inv. Nr. 527.

Rubens, Peter Paul (Siegen 1577-Antwerpen 1640)
Die Begegnung König Ferdinands von Ungarn mit dem Kardinal-Infanten Ferdinand vor der Schlacht bei Nördlingen 1634
Leinwand, 328 × 388 cm. 1730 in der Galerie. Inv. Nr. 525.

Rubens, Peter Paul (Siegen 1577-Antwerpen 1640)
Die Beweinung Christi durch Maria und Johannes
Eichenholz, 107,5 × 115,5 cm. 1730 in der Galerie.
Inv. Nr. 529. Um 1614/15.

Rubens, Peter Paul (Siegen 1577-Antwerpen 1640)
Die vier Weltteile
Leinwand, 208 × 283 cm, allseitig beschnitten. 1685 in der Galerie. Inv. Nr. 526.

Rubens, Peter Paul
(Siegen 1577-Antwerpen 1640)
Die Wunder des hl. Franz Xaver. Skizze
Eichenholz, 104,5 × 72,5 cm.
Erworben 1776. Inv. Nr. 528.

Rubens, Peter Paul
(Siegen 1577-Antwerpen 1640)
Die Wunder des hl. Ignatius von Loyola. Skizze
Eichenholz, 105,5 × 74 cm. Erworben
1776. Inv. Nr. 530. Um 1615/16.

Rubens, Peter Paul (Siegen 1577-Antwerpen 1640)
Cimon und Efigenia
Leinwand, 208 × 282 cm. 1733 in der Galerie. Inv. Nr. 532. Um 1617.

Rubens, Peter Paul
(Siegen 1577-Antwerpen 1640)
Das Mädchen mit dem Fächer
Leinwand, 96 × 73 cm. 1659 in der
Galerie. Inv. Nr. 531. Um 1612/14.

Rubens, Peter Paul
(Siegen 1577-Antwerpen 1640)
*Isabella von Bourbon, Königin von Spanien
(1602-1644)*
Holz, 48,5 × 40,5 cm.
1781 in der Galerie. Inv. Nr. 538.
Um 1629.

Rubens, Peter Paul (Siegen 1577-Antwerpen 1640)
Ildefonso-Altar
Eichenholz, Mittelteil 352 × 236 cm, Flügel je 352 × 109 cm.
Erworben 1777. Inv. Nr. 678. Zu Inv. Nr. 698 gehörig.

Rubens, Peter Paul (Siegen 1577-Antwerpen 1640)
Das Jesuskind mit dem kleinen Johannes d. Täufer und zwei Engeln
Eichenholz, 76,5 × 122,3 cm. 1720 in der Galerie. Inv. Nr. 680. Um 1615/20.

Rubens, Peter Paul (Siegen 1577-Antwerpen 1640)
Das Venusfest
Leinwand, 217 × 350 cm.
1685 in der Galerie. Inv. Nr. 684.

Rubens, Peter Paul
(Siegen 1577-Antwerpen 1640)
Das Pelzchen
Helene Fourment, die zweite Gemahlin des
Künstlers
Eichenholz, 176 × 83 cm.
1730 in der Galerie. Inv. Nr. 688.

Rubens, Peter Paul
(Siegen 1577-Antwerpen 1640)
*Die reuige Magdalena und ihre Schwester
Martha*
Leinwand, 205 × 157 cm.
Erworben 1786. Inv. Nr. 683. Gegen 1620.

Rubens, Peter Paul
(Siegen 1577-Antwerpen 1640)
Die Verkündigung an Maria
Leinwand, 224 × 200 cm. Erworben 1776.
Inv. Nr. 685.

Rubens, Peter Paul (Siegen 1577-Antwerpen 1640)
Gewitterlandschaft mit Philemon und Baucis
Eichenholz, 146 × 208,5 cm. 1659 in der Galerie. Inv. Nr. 690.

Rubens, Peter Paul (Siegen 1577-Antwerpen 1640)
Der Einsiedler und die schlafende Angelica
Eichenholz, 43 × 66 cm. 1685 in der Galerie. Inv. Nr. 692. Um 1626/28.

Rubens, Peter Paul
(Siegen 1577-Antwerpen 1640)
Kaiser Maximilian I. (1459-1519)
Eichenholz, 140,5 × 101,5 cm.
1772 in der Galerie. Inv. Nr. 700.

Rubens, Peter Paul
(Siegen 1577-Antwerpen 1640)
Die heilige Familie unter dem Apfelbaum
Zusammengefügte Flügelaußenseiten von
Inv. Nr. 678.
Eichenholz. 353 × 233 cm. Erworben 1777.
Inv. Nr. 698.

Rubens, Peter Paul (Siegen 1577-Antwerpen 1640)
Die Krönung des Siegers
Eichenholz, 47,5 × 65,5 cm. 1659 in der Galerie. Inv. Nr. 695. Um 1630/40.

Rubens, Peter Paul
(Siegen 1577-Antwerpen 1640)
*Herzog Karl d. Kühne von Burgund
(1467-1477)*
Eichenholz, 118,5 × 102 cm; unvollendet.
1772 in der Galerie. Inv. Nr. 704.
Um 1618.

Rubens, Peter Paul (Siegen 1577-Antwerpen
1640)
*Isabella d'Este, Markgräfin von Mantua
(1474-1539)*
Leinwand, 101,8 × 81 cm.
1659 in der Galerie. Inv. Nr. 1534.
Um 1605.

Rubens, Peter Paul (Siegen 1577-Antwerpen 1640)
Der Schloßpark
Eichenholz, 52,7 × 97 cm. 1781 in der Galerie. Inv. Nr. 696.

Rubens, Peter Paul (Siegen 1577-Antwerpen 1640)
Capriccio
Eichenholz, 30,3 × 49,8 cm. 1685 in der Galerie (?). Inv. Nr. 3582.

Rubens, Peter Paul
(Siegen 1577-Antwerpen 1640)
Infantin Isabella Clara Eugenia (1566-1633)
Eichenholz, 105 × 74 cm. Erworben 1921.
Inv. Nr. 6345. Um 1615.

Rubens, Peter Paul (?)
Eleonore von Gonzaga (1598-1655)
Leinwand, 76 × 49,5 cm. 1659 in der
Galerie. Inv. Nr. 3339. Um 1600/01.

Rubens, Peter Paul (Siegen 1577-Antwerpen 1640)
Das Haupt der Medusa
Leinwand, 68,5 × 118 cm. 1685 in der Galerie. Inv. Nr. 3834. Um 1617/18.

Rubens, Peter Paul
(Siegen 1577-Antwerpen 1640)
Die hl. Therese von Avila (1515-1582)
Eichenholz, 67 × 70 cm; unvollendet.
1659 in der Galerie. Inv. Nr. 7119.
Um 1615.

Rubens, Peter Paul
(Siegen 1577-Antwerpen 1640)
Vincenzo II. Gonzaga (1594-1627)
Leinwand, 67 × 51,5 cm. Fragment,
Ecke rechts oben ergänzt. Erworben 1908.
Inv. Nr. 6084.

Rubens, Peter Paul
(Siegen 1577-Antwerpen 1640)
Erzherzog Albrecht VII. (1559-1621)
Eichenholz, 105 × 74 cm. Erworben 1921.
Inv. Nr. 6344. Um 1615.

Rubens - Werkstatt
Jupiter und Merkur bei Philemon und Baucis
Leinwand, 153,5 × 187 cm. 1659 in der Galerie. Inv. Nr. 806. Um 1620/25.

Ryckaert, David III (Antwerpen 1612-1661)
Die »Dulle Griet« unternimmt einen Raubzug vor die Hölle
Eichenholz, 47,5 × 63 cm. 1781 in der Galerie. Inv. Nr. 722.

Ryckaert, David III (Antwerpen 1612-1661)
Die Leiden der Bauern (Plünderung)
Bez. links unten: Davide Ryckaert Fecit Antwerpiae 1649. Leinwand, 121 × 177 cm.
1659 in der Galerie. Inv. Nr. 733.

Ryckaert, David III (Antwerpen 1612-1661)
Die Freuden der Bauern (Kirmes)
Bez. rechts unten: Davide Ryckaert Fecit Antwerpiae. Leinwand, 120 × 175 cm.
1659 in der Galerie. Inv. Nr. 729. 1649.

Ryckaert, David III (Antwerpen 1612-1661)
Ein Alchimist
Eichenholz, 46,7 × 79 cm. 1659 in der Galerie. Inv. Nr. 1694. Um 1640.

Savery, Jacob d. Ältere (Kortrijk um
1565/67-Amsterdam 1603)
Landschaft mit Tobias und dem Engel
Bez. rechts unten: J. SAVERY 1592.
Eichenholz, kreisrund, Dm. 22 cm.
1737 in der Galerie. Inv. Nr. 952.

Savery, Roelandt
(Kortrijk 1576-Utrecht 1639)
Gebirgslandschaft mit einer Obstverkäuferin
Bez. links unten auf einem Stein:
R.SAVERY 1609. Eichenholz, 40 × 32 cm.
1685 in der Galerie. Inv. Nr. 1081.

Savery, Roelandt (Kortrijk 1576-Utrecht 1639)
Orpheus in der Unterwelt
Bez. links unten: R. SAVERY. Erlenholz, 27 × 35 cm.
1781 in der Galerie. Inv. Nr. 973. Um 1610/15.

Savery, Roelandt (Kortrijk 1576-Utrecht 1639)
Gebirgslandschaft mit Holzfällern
Bez. links unten: R. SAVERY 1610. Kupfer, 27 × 36 cm.
1781 in der Galerie. Inv. Nr. 957.

Savery, Roelandt (Kortrijk 1576-Utrecht 1639)
Das Paradies
Im Hintergrund der Sündenfall. Bez. links unten auf einem Stein:
ROELANDT.SAVERY.FE.1628. Kupfer, 42 × 57 cm.
1773 in der Galerie. Inv. Nr. 1003.

Savery, Roelandt (Kortrijk 1576-Utrecht 1639)
Landschaft mit Vögeln
Bez. unten Mitte: ROELANDT.SAVERY.FE.1628. Kupfer, 42 × 57 cm.
1773 in der Galerie. Inv. Nr. 1082.

Savery, Roelandt (Kortrijk 1576-Utrecht 1639)
Landschaft mit Tieren
Im Hintergrund Orpheus und die thrakischen Weiber. Eichenholz, 35 × 49 cm.
1781 in der Galerie. Inv. Nr. 1091. Um 1618.

Savery, Roelandt (Kortrijk 1576-Utrecht 1639)
Landschaft mit Reisenden
Bez. rechts unten auf einem Stein: R.SAVERY.FE.1608. Kupfer, 35 × 49 cm.
1773 in der Galerie. Inv. Nr. 1083.

Savery, Roelandt (Kortrijk 1576-Utrecht 1639)
Orpheus unter den Tieren
Bez. rechts oben neben einem Bären: R., darunter FE.
Kupfer, 28 × 26 cm. 1621 in der Galerie. Inv. Nr. 3534.

Savery, Roelandt (Kortrijk 1576-Utrecht 1639)
Waldlandschaft mit Jägern
Bez. unten Mitte: ROELANDT.SAVERY.FE.1604. Eichenholz, 51 × 94 cm.
1773 Schloß Ambras. Inv. Nr. 5688.

Schoonjans, Anton
(Antwerpen 1656-Wien 1726/27)
Vestalinnen
Leinwand, 128 × 97 cm.
1806 in der Galerie. Inv. Nr. 2325.
Um 1693/95.

Schoonjans, Anton
(Antwerpen 1656-Wien 1726/27)
Die Geißelung Christi
Leinwand, 202 × 127 cm.
1869 in der Galerie. Inv. Nr. 7641.
Um 1699.

Schut, Cornelis (Antwerpen 1597-1655)
Der Triumph der Zeit
Leinwand, 319 × 382 cm. 1659 in der Galerie. Inv. Nr. 3547. Nach 1624.

Schuppen, Jacob van
(Paris 1670-Wien 1751)
Bildnis Thomas de Granger
Auf dem Briefkuvert die Adresse: A
Monsieur Monsieur Thomas de Granger a
Vienne. Leinwand, 133,5 × 112,5 cm.
1781 in der Galerie. Inv. Nr. 1767.
Um 1716.

Schut, Cornelis (Antwerpen 1597-1655)
*Die Bekehrung des hl. Wilhelm von
Maleval durch den hl. Bernhard von
Clairvaux*
Leinwand, 193 × 124 cm.
1659 in der Galerie. Inv. Nr. 2536.

Seghers, Daniel (Antwerpen 1590-1661)
Marienstatuette von Blumen umrahmt
Leinwand, 99,5 × 78 cm. Kunstbesitz
Kaiser Karls VI. Inv. Nr. 552. Um 1645.

Seghers, Daniel (Antwerpen 1590-1661)
*Maria mit dem Kind und der hl. Anna im
Blumenkranz*
Eichenholz, 82,5 × 54,5 cm.
Erworben 1776. Inv. Nr. 553.

Seghers, Daniel (Antwerpen 1590-1661)
Weibliches Bildnis im Blumenkranz
Eichenholz, 76,5 × 58 cm.
1659 in der Galerie. Inv. Nr. 9105.

Seghers, Daniel (Antwerpen 1590-1661)
Die Heilige Familie im Blumenkranz
Eichenholz, 83 × 54,5 cm. Erworben 1776.
Inv. Nr. 554.

Seghers, Gerard (Antwerpen 1591-1651)
Maria mit dem Kind und einem Engel
Leinwand, 128 × 101 cm.
1796 in der Galerie. Inv. Nr. 398.
Anfang d. 30er Jahre.

Seghers, Gerard (Antwerpen 1591-1651)
Maria mit dem Kind und dem Johannesknaben
Leinwand, 100,5 × 152 cm. 1659 in der Galerie. Inv. Nr. 782. Anfang d. 30er Jahre.

Seghers, Gerard (Antwerpen 1591-1651)
Der hl. Aloysius spendet das Abendmahl
Leinwand, 158 × 242 cm. Galeriedepot. Inv. Nr. 2624. Um 1630/35.

Seghers, Gerard (Antwerpen 1591-1651)
Alboin und Rosamunde
Unten die spätere Aufschrift: Lib.Esther c.7. Leinwand, 132 × 202 cm.
Von Kaiser Franz II.(I.) erworben. Inv. Nr. 686. Um 1620/30.

Siberechts, Jan
(Antwerpen 1627-London um 1700)
Die Furt
Leinwand, 115 × 90 cm. Erworben 1951.
Inv. Nr. 9106. Um 1664/65.

Sittow, Michiel (Reval 1469-1525)
Bildnis einer Fürstin (Katharina von Aragon ?)
Das Halsband aus Rosen (für das Haus Tudor ?) und dem Buchstaben K gebildet. Am Brusteinsatz ein C. Der Nimbus vielleicht später hinzugefügt. Eichenholz, 29 × 20,5 cm. Aus Schloß Ambras. Inv. Nr. 5612. Vor 1501 oder 1503/04.

Snayers, Peeter (Antwerpen 1592-Brüssel nach 1666)
Gebirgslandschaft mit Schloß
Eichenholz, 52 × 85,5 cm. 1720 in der Galerie. Inv. Nr. 606.

Snayers, Peeter (Antwerpen 1592-Brüssel nach 1666)
Ein Feldlager
Kupfer, 74 × 112 cm. 1720 in der Galerie. Inv. Nr. 1075.

Sittow, Michiel (Reval 1469-1525)
Die Heilige Nacht
Eichenholz, oben geschweift,
113 × 84 cm; links 2,5 cm angesetzt.
1659 in der Galerie. Inv. Nr. 5878.

Sittow, Michiel (Reval 1469-1525)
Bildnis einer Dame
Eichenholz, 22,5 × 15,5 cm.
1932 Legat Gustav von Benda.
Inv. Nr. 6975. Frühwerk oder 1503.

Snellinck, Jan I (Mecheln 1549-Antwerpen 1638)
Moses schlägt Wasser aus dem Felsen
Eichenholz, 110 × 136 cm. 1720 in der Galerie. Inv. Nr. 7659.

Snyders, Frans (Antwerpen 1579-1657)
Ein Fischmarkt
Die Figuren von Anton van Dyck. Leinwand, 253 × 375 cm. Erworben 1649. Inv. Nr. 383.

Snyders, Frans (Antwerpen 1579-1657)
Ein Fischmarkt
Die Figuren von Cornelis de Vos. Leinwand, 225 × 365 cm.
1659 in der Galerie. Inv. Nr. 384.

Snyders, Frans (Antwerpen 1579-1657)
Stilleben mit Wild, Geflügel und Hasen
Bez. unten rechts: F. Snyders fecit. Eichenholz, 75 × 107 cm. Erworben 1974. Inv. Nr. 9695.

Speckaert, Hans (Brüssel 1530 ?-Rom 1577)
*Der Kupferstecher Cornelis Cort
(1533-1578)*
Rechts im Grund die spätere Aufschrift:
H:SPECART. Leinwand, 60,5 × 45,5 cm.
1659 in der Galerie. Inv. Nr. 1163.
Spätwerk.

Spranger, Bartholomäus
(Antwerpen 1546-Prag 1611)
Venus und Mars, von Merkur gewarnt
Leinwand, 108 × 80 cm. Sammlung Kaiser
Rudolfs II. Inv. Nr. 1097. Um 1586/87.

Spranger, Bartholomäus
(Antwerpen 1546-Prag 1611)
Odysseus und Kirke
Leinwand, 108 × 72 cm. Sammlung Kaiser
Rudolfs II. Inv. Nr. 1095. 80er Jahre.

Spranger, Bartholomäus
(Antwerpen 1546-Prag 1611)
Venus und Merkur
Leinwand, 110 × 72 cm. Sammlung Kaiser
Rudolfs II. Inv. Nr. 1100. Um 1585.

Spranger, Bartholomäus
(Antwerpen 1546-Prag 1611)
Vulkan und Maia
Kupfer, 23 × 18 cm. Sammlung Kaiser
Rudolfs II. Inv. Nr. 1128. Um 1575/80.

Spranger, Bartholomäus (Antwerpen 1546-Prag 1611)
Apoll, Pallas und die Musen
Bez. rechts unten: BAR.SPRANGERS.F. Marmor, 37 × 49 cm. Sammlung Kaiser Rudolfs II.
Inv. Nr. 1119. Nach 1590.

Spranger, Bartholomäus
(Antwerpen 1546-Prag 1611)
Selbstbildnis
Bez. links unten im Grund: IPSE.F.
Leinwand, 62,5 × 45 cm. 1659 in der
Galerie. Inv. Nr. 1137. Um 1580/85.

Spranger, Bartholomäus
(Antwerpen 1546-Prag 1611)
Venus in der Schmiede des Vulkan
Leinwand, 140 × 95 cm. Sammlung Kaiser
Rudolfs II. Inv. Nr. 2001. Um 1610.

Spranger, Bartholomäus
(Antwerpen 1546-Prag 1611)
Allegorie auf Kaiser Rudolf II.
Bez. links unten auf einem Stein:
B.S.1592. Auf der Inschrifttafel: RVDOL-
PHO.II.CAES.AVG.DIVA.POTENS
CHARITESQVE TVVM DIADEMATE
CINCTVM IAM CAPVT ESSE VELINT.
Kupfer, 23 × 17 cm. Sammlung Kaiser
Rudolfs II. Inv. Nr. 1125.

Spranger, Bartholomäus
(Antwerpen 1546-Prag 1611)
Herkules und Omphale
Bez. links auf dem Fußgestell des Stuhls
BAR.SPRANGERS.ANT.FESIT.
Kupfer, 24 × 19 cm.
1619 in der Galerie. Inv. Nr. 1126.

Spranger, Bartholomäus
(Antwerpen 1546-Prag 1611)
Minerva als Siegerin über die Unwissenheit
Leinwand, 163 × 117 cm. Sammlung
Kaiser Rudolphs II. Inv. Nr. 1133.

Spranger, Bartholomäus
(Antwerpen 1546-Prag 1611)
Der Sündenfall
Föhrenholz, 136 × 79 cm.
Sammlung Kaiser Rudolfs II.
Inv. Nr. 2417. Um 1595.

Spranger, Bartholomäus
(Antwerpen 1546-Prag 1611)
Bacchus und Ceres verlassen Venus
(Sine Cerere et Baccho friget Venus)
Rechts unten spätere Bez.: B.SPRANGER.
Leinwand, 161,5 × 100 cm. Sammlung
Kaiser Rudolfs II. Inv. Nr. 2435. Um 1590.

Spranger, Bartholomäus
(Antwerpen 1546-Prag 1611)
Glaucus und Scylla
Leinwand, 110 × 81 cm. Sammlung Kaiser
Rudolfs II. Inv. Nr. 2615. Um 1581.

Spranger, Bartholomäus
(Antwerpen 1546-Prag 1611)
Venus und Adonis
Leinwand, 163 × 104,3 cm. Sammlung
Kaiser Rudolfs II. Inv. Nr. 2526. Um 1597.

Spranger, Bartholomäus
(Antwerpen 1546-Prag 1611)
*Herkules, Dejanira und der tote Kentaur
Nessus*
Leinwand, 112 × 82 cm. Sammlung Kaiser
Rudolfs II. Inv. Nr. 2613. 80er Jahre.

Spranger, Bartholomäus
(Antwerpen 1546-Prag 1611)
Hermaphroditus und die Nymphe Salmacis
Leinwand, 110 × 81 cm. Sammlung Kaiser
Rudolfs II. Inv. Nr. 2614. Um 1581.

Spranger, Bartholomäus
(Antwerpen 1546-Prag 1611)
Jupiter und Antiope
Leinwand, 120 × 89 cm. Sammlung Kaiser
Rudolfs II. Inv. Nr. 5752. 90er Jahre.

Spranger, Bartholomäus
(Antwerpen 1546-Prag 1611)
*Die drei Marien auf dem Weg zum Grab
Christi (Linke Innenseite eines Altarflügels)*
Bez. rechts unten: B.SPRANGERS F.
Eichenholz, Originalrahmen,
221 × 140 cm. Sammlung Kaiser Rudolfs
II. Inv. Nr. 6436. 1598.

Steenwijck, Hendrick van d. Ältere (Steenwijck ? um 1550-Frankfurt am Main 1603)
Abendlicher Gottesdienst in einer gotischen Kirche
Kupfer, 20,8 × 26,3 cm. 1685 in der Galerie. Inv. Nr. 638. Spätwerk.

Stevens, Pieter II
(Mecheln um 1567-Prag um 1624)
Nächtliche Landschaft mit Fischfang
Eichenholz, kreisrund, Dm. 22 cm.
1595 in der Galerie. Inv. Nr. 954.
Kurz nach 1600.

Stevens, Pieter II
(Mecheln um 1567-Prag um 1624)
Venus und Amor vor der Liebesburg
Leinwand, 135 × 63,5 cm. Sammlung
Kaiser Rudolfs II. Inv. Nr. 6953.
Nach 1603.

Steenwijck, Hendrick van d. Jüngere (Antwerpen um 1580-London 1649)
Die Befreiung Petri
Bez. an der mittleren Stufe unter dem Engel: HNE.V.STEINWICK 1621.
Leinwand, 155 × 198 cm. Erworben 1649. Inv. Nr. 731.

Teniers, David d. Ältere (Antwerpen 1582-1649)
Pan spielt vor Nymphen und Satyrn Flöte
Bez. links unten: D.TENIERS.FECIT.1638. Kupfer, 47,3 × 61,4 cm. 1651 in der Galerie (?).
Inv. Nr. 736.

Teniers, David d. Ältere (Antwerpen 1582-1649)
Vertumnus und Pomona
Bez. rechts auf dem Steinsitz: D.TENIERS.FECIT.1638. Kupfer, 47 × 61,4 cm.
1651 in der Galerie (?). Inv. Nr. 738.

Teniers, David d. Ältere (Antwerpen 1582-1649)
Merkur, Argus und Io
Bez. links unten: D.TENIERS.FECIT.1638. Kupfer, 48,5 × 61,5 cm.
1651 in der Galerie (?). Inv. Nr. 745.

Teniers, David d. Ältere (Antwerpen 1582-1649)
Jupiter übergibt Juno die in eine Kuh verwandelte Io
Bez. rechts unten: D.TENIERS.FECIT.1638. Kupfer, 47,3 × 61,2 cm.
1651 in der Galerie (?). Inv. Nr. 743.

Teniers, David d. Jüngere (Antwerpen 1610-Brüssel 1690)
Landschaft mit Felsbogen und zwei Reitern
Bez. links unten: D.TENIERS.F. Kupfer, 32 × 41,8 cm. 1773 in der Galerie.
Inv. Nr. 430. Frühwerk.

Teniers, David d. Jüngere (Antwerpen 1610-Brüssel 1690)
Landschaft mit drei Bauern
Bez. rechts unten: D.TENIERS.F.
Kupfer, 32 × 42 cm. 1773 in der Galerie. Inv. Nr. 435. Frühwerk.

Teniers, David d. Jüngere (Antwerpen 1610-Brüssel 1690)
Bauernhochzeit (»Bauernfreud«)
Bez. unten Mitte: D.TENIERS.F.AV 1648. Leinwand, 76,5 × 114 cm.
1659 in der Galerie. Inv. Nr. 708.

Teniers, David d. Jüngere
(Antwerpen 1610-Brüssel 1690)
Abrahams Dankopfer
Bez. links auf der Altarstufe:
DAVID.TENIERS.FEC.AV 1653.
Leinwand, 132 × 103 cm.
1659 in der Galerie. Inv. Nr. 710.

Teniers, David d. Jüngere (Antwerpen 1610-Brüssel 1690)
Überfall auf ein Dorf (»Bauernleid«)
Bez. unten Mitte: DAVID.TENIERS.F.AV.1648. Leinwand, 77 × 114 cm.
1659 in der Galerie. Inv. Nr. 712.

Teniers, David d. Jüngere (Antwerpen 1610-Brüssel 1690)
Das Wurstmachen
Bez. rechts unten: D.TENIERS.F. Leinwand, 54,5 × 64,5 cm. 1651 in der Galerie (?).
Inv. Nr. 715.

Teniers, David d. Jüngere (Antwerpen 1610-Brüssel 1690)
Erzherzog Leopold Wilhelm besichtigt seine Galerie in Brüssel, I.
Auftrag des Erzherzogs Leopold Wilhelm.
Leinwand, 123 × 163 cm. Inv. Nr. 739.

Teniers, David d. Jüngere (Antwerpen 1610-Brüssel 1690)
Erzherzog Leopold Wilhelm in seiner Galerie in Brüssel, II.
Bez. rechts unten: DAVID.TENIERS.FEC.1653. Leinwand, 70 × 86 cm. 1948 von Baronin
Clarisse de Rothschild zum Gedächtnis an Baron Alphonse de Rothschild gewidmet.
Inv. Nr. 9008.

Teniers, David d. Jüngere (Antwerpen 1610-Brüssel 1690) ▷
Bauernstube mit Zeitungsleser
Bez. rechts unten: D.TENIERS.F. Auf einer Zeichnung an der Wand die Jahreszahl 1675.
Eichenholz, 25,2 × 34,6 cm. 1781 in der Galerie. Inv. Nr. 747.

Teniers, David d. Jüngere (Antwerpen 1610-Brüssel 1690)
Bauernkirmes
Bez. rechts unten: DAVID.TENIERS.FEC. Leinwand, 76 × 112 cm. 1685 in der Galerie.
Inv. Nr. 721. Um 1650.

Teniers, David d. Jüngere (Antwerpen 1610-Brüssel 1690)
Bauernjungen mit einem Hund
Bez. links unten auf einem Stein: D.TENIERS.F. Eichenholz, 34 × 50 cm.
1659 in der Galerie. Inv. Nr. 746. Anfang d. 40er Jahre.

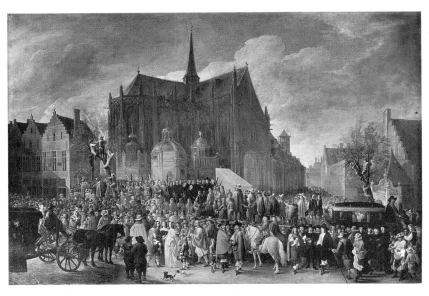

Teniers, David d. Jüngere (Antwerpen 1610-Brüssel 1690)
Das Vogelschießen zu Brüssel
Bez. links unten unterhalb der Wagenpferde: DAVID.TENIERS.FEC.AN 1652.
Leinwand, 172 × 247 cm. 1659 in der Galerie. Inv. Nr. 756.

Teniers, David d. Jüngere
(Antwerpen 1610-Brüssel 1690)
Erzherzog Leopold Wilhelm (1614-1662)
Im Hintergrund die Belagerung von
Gravelingen.
Leinwand, 203,5 × 136 cm.
1659 in der Galerie. Inv. Nr. 3564.

Teniers, David d. Jüngere (Antwerpen 1610-Brüssel 1690)
Gebirgstal
Pasticcio nach Hercules Seghers (1589/90-1638). Eichenholz, 28 × 48 cm.
Erworben 1965 mit Hilfe des Vereins der Museumsfreunde. Inv. Nr. 9672.

Teniers, David d. Jüngere (Antwerpen 1610-Brüssel 1690)
Scheune mit Ziegen und sackpfeifendem Jungen
Bez. rechts unten: D.TENIERS.F. Eichenholz, 73,5 × 104 cm. 1659 in der Galerie.
Inv. Nr. 759. Anfang d. 40er Jahre.

Thomas, Jan (Ypern 1617-Wien 1678)
Bacchanal
Bez. rechts unten: Johannes Thomas Inventor fecit 1656. Leinwand, 78 × 118 cm.
1659 in der Galerie. Inv. Nr. 1727.

Thomas, Jan (Ypern 1617-Wien 1678)
Kaiser Leopold I. (1640-1705)
im Theaterkostüm
Kupfer, 33,3 × 24,2 cm. Erworben 1960.
Inv. Nr. 9135. 1667.

Thomas, Jan (Ypern 1617-Wien 1678)
Infantin Margarita Teresa (1651-1673)
im Theaterkostüm
Kupfer, 33,3 × 24,2 cm. Erworben 1962.
Inv. Nr. 9136. 1667.

Thys, Peter (Antwerpen 1624-1677)
Erzherzog Leopold Wilhelm (1614-1662)
Leinwand, 127 × 86 cm. 1659 in der
Galerie. Inv. Nr. 370. 50er Jahre (?).

Thys, Peter (Antwerpen 1624-1677)
Die Kreuzigung Petri
Leinwand, 44 × 34,5 cm. Erworben 1808.
Inv. Nr. 789.

Thulden, Theodor van
(Hertogenbosch 1606-1669)
Flandern, Brabant und Hennegau verehren
die Jungfrau mit dem Kind
Bez. unten links: T. van Thulden fecᵗ A°
1654. Leinwand, 197 × 177 cm.
1781 in der Galerie. Inv. Nr. 760.

Thulden, Theodor van
(Hertogenbosch 1606-1669)
Die Heimsuchung Mariae
Leinwand, 205 × 144 cm.
1772 in der Galerie. Inv. Nr. 762.

Thys, Peter (Antwerpen 1624-1677)
Die Allegorie des Tages
Nach einer Skizze von Jan van den Hoecke
(ebenfalls in der Galerie, Inv. Nr. 2652a).
Leinwand, 374 × 270 cm. 1659 in der
Galerie. Inv. Nr. 1679. Um 1650.

Thys, Peter (Antwerpen 1624-1677)
Die Allegorie der Nacht
Nach einer Skizze van Jan van den Hoecke
(ebenfalls in der Galerie, Inv. Nr. 2652a).
Leinwand, 374 × 270 cm. 1659 in der
Galerie. Inv. Nr. 1698. Um 1650.

Tilens, Jan (Antwerpen 1589-1630)
Berglandschaft
Bez. rechts unten auf einem Stein im Wasser: IOAN TILEN.IV.1610.
Eichenholz, 62 × 94 cm. 1659 in der Galerie. Inv. Nr. 1785.

Utrecht, Adriaen van (Antwerpen 1599-1652)
Jagdbeute
Bez. rechts unten: Adriaen v.Utrecht f. Leinwand, 114 × 149,5 cm. 1659 in der Galerie.
Inv. Nr. 7716.

Uden, Lucas van (Antwerpen 1595-1672)
Abendlandschaft
Die Figuren von D. Teniers d. Jüngeren. Bez. unten links von der Mitte: L.v.Uden.F.
Eichenholz, 42 × 64,3 cm. Erworben 1911. Inv. Nr. 6209.

Valckenborch, Frederick I van (Antwerpen 1565/66-Nürnberg 1623)
Das Gastmahl Belsazars
Oben an der Wand die Inschrift: MANE THETEL PHARES. Leinwand, 150 × 203,5 cm.
1806 in der Galerie. Inv. Nr. 2333.

Valckenborch, Frederick I van (Antwerpen 1565/66-Nürnberg 1623)
Phantastische Landschaft mit Hirten und Bäumen
Eichenholz, 21,5 × 40,8 cm. 1884 in der Galerie. Inv. Nr. 2503. Um oder vor 1600.

Valckenborch, Lucas I van (Löwen um
1535-Frankfurt am Main 1597)
*Erzherzog Matthias (1557-1619) als
P. Cornelius Scipio maior*
Bez. links unten mit dem Monogramm,
dat. 1580. Eichenholz, 59 × 49 cm.
1824 in der Galerie. Inv. Nr. 1027.

Valckenborch, F. - Werkstatt
Blumenmarkt (Frühling)
Leinwand, 120 × 210 cm. Galerievorrat. Inv. Nr. 2203. Um 1590.

Valckenborch, Lucas I van (Löwen um 1535-Frankfurt am Main 1597)
Sommerlandschaft (Juli oder August)
Bez. links auf dem Felsen: LVV 1585. Leinwand, 116 × 198 cm.
Sammlung Kaiser Matthias. Inv. Nr. 1060.

Valckenborch, Lucas I van (Löwen um 1535-Frankfurt am Main 1597)
Maaslandschaft mit Bergwerk und Schmelzhütten
Bez. auf dem Felsen links vom gemauerten Ofen. 1580 LVV. Eichenholz, 76,5 × 107,5 cm.
Sammlung Kaiser Matthias (?). Inv. Nr. 1023.

Valckenborch, Lucas I van (Löwen um 1535-Frankfurt am Main 1597)
Winterlandschaft (Januar oder Februar)
Bez. links unten: LVV 1586. Leinwand, 117 × 198 cm. Sammlung Kaiser Matthias.
Inv. Nr. 1064.

Valckenborch, Lucas I van (Löwen um 1535-Frankfurt am Main 1597)
Frühlingslandschaft (Mai)
Bez. in der Mitte des Vordergrundes: 1587 LVV.
Leinwand, 116 × 198 cm. 1610 in der Galerie (?). Inv. Nr. 1065.

Valckenborch, Lucas I van (Löwen um 1535-Frankfurt am Main 1597)
Herbstlandschaft (Oktober)
Bez. rechts unten: 1585 LVV. Leinwand, 116 × 198 cm. Sammlung Kaiser Matthias.
Inv. Nr. 1069.

Valckenborch, Lucas I van (Löwen um 1535-Frankfurt am Main 1597)
Gebirgslandschaft mit räuberischem Überfall und Stuckofen
Leinwand, 113 × 204 cm. 1659 in der Galerie. Inv. Nr. 1067. Um 1585 (?).

Valckenborch, Lucas I van (Löwen um 1535-Frankfurt am Main 1597)
Der Angler am Waldteich (mit dem Selbstbildnis des Künstlers)
Eichenholz, 47 × 56 cm. Wahrscheinlich Kunstbesitz des Kaisers Matthias. Inv. Nr. 1073.

Valckenborch, Lucas I van (Löwen um 1535-Frankfurt am Main 1597)
Kaiser Rudolf II. (1552-1612) bei einer Trinkkur
Eichenholz, 24,5 × 40 cm. 1659 in der Galerie. Inv. Nr. 5655. Bald nach 1593.

Valckenborch, Lucas I van (Löwen um 1535-Frankfurt am Main 1597)
Herbstlandschaft mit Obsternte (September)
Links an der Mauer bez.: 1585 LVV. Leinwand, 116 × 198 cm.
Sammlung Erzherzog Matthias. Inv. Nr. 5684.

Veen, Otto van (Leiden 1556-Brüssel 1629)
Erzherzog Albrecht VII. (1559-1621)
Leinwand, 119 × 98 cm.
1781 in der Galerie. Inv. Nr. 1061.
Um 1596/97.

Valckenborch, Maerten I van (Löwen 1534/35-Frankfurt am Main 1612)
Die Anbetung der Hl. Drei Könige (Januar)
Bez. auf dem linken Stützbalken der Hütte: MVV. Oben in der Mitte:
IANVARIVS.MAT.CAP.2. Darunter das Monatszeichen des Wassermannes. Leinwand,
86 × 123 cm. 1765 in der Galerie. Inv. Nr. 5825. 80er Jahre. Weitere 10 Monate
(Februar-November, Inv. Nr. 5826-5835) ebenfalls in der Galerie.

Venne, Jan van de (tätig in Brüssel von 1616
bis um oder vor 1651)
Bettelmusikanten
Eichenholz, 56 × 39 cm.
1659 in der Galerie. Inv. Nr. 772.

Venne, Jan van de (tätig in Brüssel von 1616
bis um oder vor 1651)
Der reuige Apostel Petrus
Leinwand, 155 × 105 cm.
Galeriedepot. Inv. Nr. 2520.

Vermeyen, Jan Cornelisz (Beverwijck bei Haarlem um 1490-Brüssel 1559)
Der Kriegszug Kaiser Karls V. (1500-1558) gegen Tunis, 1535
Folge von 10, ursprünglich 12, Kartons als Vorlage für Bildteppiche. Kohlzeichnung und Wasserfarbenmalerei auf Papier; auf Leinwand aufgezogen.

Verbeeck, Frans (Dekan der Mechelner Malergilde 1563, gest. 1570)
Verbeeck, Jan (Mecheln vor 1530-gest. ?)
Die Versuchung des hl. Antonius
Leimfarben auf Leinwand, 67 × 108 cm. 1637 (?) in der Galerie. Inv. Nr. 3836.

Verbeeck, Jan Cornelisz (Beverwijck bei Haarlem um 1490-Brüssel 1559)
Der Hl. Familie am Feuer
Eichenholz, 66,5 × 50,5 cm.
1906 in der Galerie. Inv. Nr. 3577.

Vermeyen, Jan Cornelisz (Beverwijck bei Haarlem um 1490-Brüssel 1559)
Mädchenkopf
Fragment, Eichenholz, 28,5 × 23 cm.
Galerievorrat. Inv. Nr. 2986.
Anfang d. 30er Jahre.

Die Musterung des Heeres bei Barcelona durch den Kaiser
(Detail), 385 × 662 cm. 1595 in der Galerie. Inv. Nr. 2038. 1546/47.

Die Plünderung von Tunis
(Detail), 385 × 800 cm. 1595 in der Galerie. Inv. Nr. 2045. 1546/47. Weitere Kartons (Inv. Nr. 2039-2044, 2046, 2047) ebenfalls in der Galerie.

Die Landung des Heeres in Karthago
385 × 822 cm. 1595 in der Galerie. Inv. Nr. 2039. 1546/47.

Vos, Cornelis de (Hulst 1584-Antwerpen 1651)
Die Salbung Salomos
Leinwand, 198 × 232 cm. 1659 in der Galerie. Inv. Nr. 726. Um 1620/30.

Vos, Paul de (Hulst 1592/95-Antwerpen 1678)
Das Paradies
Die Landschaft von J. Wildens. Leinwand, 219 × 309 cm. 1781 in der Galerie.
Inv. Nr. 1709.

Vos, Paul de (Hulst 1592/95-Antwerpen 1678)
Die Eberjagd
Leinwand, 210 × 330 cm. 1685 in der Galerie. Inv. Nr. 396.

Vos, Paul de (Hulst 1592/95-Antwerpen 1678)
Amor vincit omnia
Figuren von Jan van den Hoecke. Bez. unten rechts: P.DE VOS. Leinwand, 152 × 193 cm.
1659 in der Galerie. Inv. Nr. 3554.

Vries, Hans Vredeman de (Leeuwarden 1527-um 1606)
Palastarchitektur mit Badenden
Die Ausführung wohl von Paul Vredeman de Vries. Leinwand, 138 × 186 cm.
Sammlung Kaiser Rudolfs II. Inv. Nr. 1899. Um 1596.

Vries, Hans Vredeman de (Leeuwarden 1527-um 1606)
Palastarchitektur mit Spaziergängern
Die Ausführung von Paul Vredeman de Vries; die Staffage von D. de Quade van Ravesteyn.
Bez. links an den Stufen: HANS (Ligatur) VREDEMAN (Ligatur) VRIESE INV., darunter:
PAVL (Ligatur) VREDEMAN (Ligatur) FEC.1596. Leinwand, 137 × 174 cm.
Sammlung Kaiser Rudolfs II. Inv. Nr. 2335.

Vries, Hans Vredeman de (Leeuwarden 1527-um 1606)
Palastarchitektur mit vornehmen Besuchern
Die Ausführung wohl von Paul Vredeman de Vries; die Staffage von D. de Quade van
Ravesteyn.
Bez. rechts unten auf der Einfassung des Brunnens: HANS (Ligatur) VREDEMAN (Ligatur)
VRIESE IN. Leinwand, 137 × 164 cm. Sammlung Kaiser Rudolfs II.
Inv. Nr. 2334. Um 1596.

Vries, Hans Vredeman de (Leeuwarden 1527-um 1606)
Palastarchitektur mit Musizierenden
Bez. am Fuß der ersten Säule: HANS (Ligatur) VREDEMAN (Ligatur) VRIESE INV.1596.
Leinwand, 135 × 174. Sammlung Kaiser Rudolfs II. Inv. Nr. 2336.

Vries, Paul Vredeman de (Antwerpen 1567-Amsterdam 1630)
Gesellschaftsszene
Die Figuren und Bilder von H. Francken d. Älteren. Eichenholz, 76 × 88,5 cm.
1659 in der Galerie. Inv. Nr. 1050.

Weyden, Rogier van der (Tournai 1399 oder 1400-Brüssel 1464)
Triptychon mit der Kreuzigung, Maria Magdalena, Veronika und unbekannten Stiftern
Eichenholz, Mittelbild 96 × 69 cm, Seitenflügel 101 × 35 cm. 1659 in der Galerie.
Inv. Nr. 901.

Wael, Cornelis de (Antwerpen 1592-Rom 1667)
Der Untergang der Ägypter im Roten Meer
Leinwand auf Holz, 75 × 121,5 cm. 1659 in der Galerie. Inv. Nr. 1736. Frühwerk.

Weyden, Rogier van der (Tournai 1399 oder 1400-Brüssel 1464)
Diptychon mit der Madonna und der heiligen Katharina
Eichenholz, 18,9 × 12,1 cm, bzw. 18,8 × 12,1 cm. 1772 in der Galerie.
Inv. Nr. 951, 955.

Wildens, Jan (Antwerpen 1586-1653)
Landschaft mit Liebespaaren
Leinwand, 146 × 221 cm. Galeriedepot. Inv. Nr. 2925. 40er Jahre (?).

Wildens, Jan (Antwerpen 1586-1653)
Landschaft mit Reiter
Leinwand, 93,7 × 120 cm. 1947 Widmung Baron Louis de Rothschild. Inv. Nr. 9094.

Wildens, Jan (Antwerpen 1586-1653)
Landschaft mit Jägern
Bez. rechts unten: 1649.I.WILDENS. Leinwand, 89 × 128,5 cm. 1659 in der Galerie. Inv. Nr. 6078.

Willaerts, Adam (Antwerpen 1577-Utrecht 1664)
Ein Seehafen
Bez. rechts unten auf dem Pfahlwerk: A. Willaerts, 1631. Leinwand, 63 × 116 cm. 1720 in der Galerie. Inv. Nr. 605.

Wouters, Frans (Lier bei Antwerpen 1612-Antwerpen 1659)
Landschaft mit Hagar und Ismael
Leinwand, 93 × 139 cm. 1649 in der Galerie. Inv. Nr. 441. Ende d. 40er Jahre.

Willeboirts, Thomas, gen. Bosschaert (Bergen-op-Zoom 1613/14-Antwerpen 1654)
Der Prophet Elias wird vom Engel gespeist
Leinwand, 152 × 176 cm. 1659 in der Galerie. Inv. Nr. 1723.

Wouters, Frans (Lier bei Antwerpen 1612-Antwerpen 1659)
Landschaft mit der Hl. Familie und dem hl. Antonius von Padua
Leinwand, 92,5 × 139,5 cm. 1659 in der Galerie. Inv. Nr. 445. Ende d. 40er Jahre.

Winghe, Jodocus a
(Brüssel 1544-Frankfurt am Main 1603)
Apelles malt Kampaspe, I
Bez. unten in der Mitte: IODOCVS
A.WINGHE. Auf einer Tafel über Apelles
lateinische Versinschrift mit der Geschichte
nach Plinius d. Älteren.
Leinwand, 221 × 209 cm. Erworben 1649.
Inv. Nr. 1677. Spätwerk.

Winghe, Jodocus a
(Brüssel 1544-Frankfurt am Main 1603)
Apelles und Kampaspe II
Bez. unten in der Mitte
IODOCVS.A.WINGHE.
Leinwand, 210 × 175 cm.
1604 in der Galerie. Inv. Nr. 1686.

Wouters, Frans (Lier bei Antwerpen 1612-Antwerpen 1659)
Der Triumphzug Silens
Leinwand, 86,5 × 131 cm. 1659 in der Galerie. Inv. Nr. 1718. Ende d. 40er Jahre.

Wouters, Frans (Lier bei Antwerpen 1612-Antwerpen 1659)
Landschaft mit der Rast der Diana
Eichenholz, 86 × 91 cm. 1685 in der Galerie. Inv. Nr. 3683. Ende d. 40er Jahre.

Woutiers, Michaelina (geb. Berghen/Mons vor 1627?)
Bacchuszug
Leinwand, 270,5 × 354 cm. 1659 in der Galerie. Inv. Nr. 3548.

Ykens, Frans (Antwerpen 1601-Brüssel um 1693)
Christus an der Geißelsäule, in Blumengirlande
Die figürliche Darstellung von J. van den Hoecke. Leinwand, 156 × 106 cm. 1659 in der Galerie. Inv. Nr. 3546. Nach 1637.

Bibliographie

Adler W.
Corpus Rubenianum Ludwig Burchard Part
XVIII, Landscapes, Oxford-
New York 1982

Ausstellungskatalog
Jan Gossaert genaamd Mabuse,
Rotterdam-Brugge 1965

Ausstellungskatalog
Rubens e la pittura fiamminga del seicento
nelle collezioni pubbliche fiorentine,
Firenze 1977

Ausstellungskatalog
Peter Paul Rubens, Wien 1977

Ausstellungskatalog
Roelant Savery in seiner Zeit
(1576-1639), Köln/Utrecht 1985/1986.

Ausstellungskatalog
Stilleben in Europa, Munster-Baden-Baden
1979/80

Baldass L.
Joos van Cleve, der Meister des Todes
Marias, Wien 1925

Balis A., Huvenne P.
Het succes van Jacob Jordaens, in:
Openbaar Kunstbezit in Vlaanderen, 1978,
S. 123-161

Blunt A.
Nicolas Poussin, New York 1976

Bosque A. de
Quentin Metsys, Bruxelles 1975

Brown Chr.
Van Dyck, Freren 1983

Dacosta Kaufmann Th.
L'école de Prague, Paris 1985

Denny D.
A symbol in Hugo van der Goes'
Lamentation, Gazette des Beaux-Arts 122,
1980, p. 121-124

Ertz K.
Jan Brueghel d. Ältere, Köln 1979

Ertz K.
Josse de Momper d. Jüngere, Freren 1986

Ewing D.
The Paintings and Drawings of
Jan de Beer, Ann Arbor 1978
(Ph. D. diss. University of Michigan)

Falkenburg R.L.
Joachim Patinier. Die Landschaft als Bild
der Lebenspilgerfahrt, Nijmegen 1985

Farmer J.D.
Bernard van Orley of Brussels,
Ann Arbor 1983 (Ph. D. diss.
Princeton University 1981)

Freedberg D.
Corpus Rubenianum Ludwig Burchard
Part VII. The Life of Christ after the
Passion, Oxford-New York 1984

Glück G.
Van Dyck. Des Meisters Gemälde
(= Klassiker der Kunst in Gesamt-
ausgaben 13, 2. Ausg., Stuttgart-
Berlin 1931

Glück G.
Rubens, van Dyck und ihr Kreis,
Wien 1933

Greindl E.
Les peintres flamands de nature morte
au XVIIème siècle, Bruxelles 1956

Greindl E.
Les peintres flamands de nature morte
au XVIIème siècle, Paris 1983²

Hairs M.-L.
Les peintres flamands de fleurs
au XVIIème siècle, Bruxelles 1955

Hairs M.-L.
Jan Anton van der Baren, in: Galerie
Friederike Pallamar Jubiläumsausstellung
Wien, Wien 1970

Hairs M.-L.
Dans le sillage de Rubens. Les peintres
d'histoire Anversois au XVIIème siècle,
Liège 1977

Hairs M.-L.
Les peintres flamands de fleurs
au XVIIème siècle, Bruxelles 1985

Heinz G.
Studien über Jan van den Hoecke und
die Malerei der Niederländer in Wien,
Jahrbuch der kunsthistorischen
Sammlungen in Wien 63, Wien 1967,
p. 109-164

Hulst R.-A. d'
Jacob Jordaens, Antwerpen 1982

Katalog der Gemäldegalerie
II. Teil. Flamen, Holländer, Deutsche und
Franzosen, Wien 1963 (= Führer durch
das Kunsthistorische Museum Nr. 7,
2. Ausg. von G. Heinz, F. Klauner

Katalog der Gemäldegalerie
Porträtgalerie zur Geschichte Österreichs
von 1400 bis 1800, Wien 1976 (= Führer
durch das Kunsthistorische Museum,
Nr. 22), redig. v. par G. Heinz, K. Schütz
und Mitw. v. K. Demus,
O. Gamber, D. Heinz, G. Kugler

Katalog der Gemäldegalerie
Flämische Malerei von Jan van Eyck bis
Pieter Brueghel d.Ä., Wien 1981
(= Führer durch das Kunsthistorische
Museum, Nr. 31), redig. v. K. Demus,
F. Klauner, K. Schütz

Koch R.A.
Joachim Patinier (= Princeton
Monographs in Art and Archaeology 38),
Princeton 1968

Lahrkamp H.
Der »Lange Jan«. Leben und Werk des
Barockmalers Johannes Boeckhorst aus
Münster, Westfalen LX, 1982

Larsen E.
Anthonis van Dyck, 2 vol., Milano 1980

Lavalleye J.
Le style du peintre Bernard van Orley, in:
Bernard van Orley 1488-1541, Société
Royale d'Archéologie de Belgique 1943,
S. 43-70

Legrand F.-C.
Les peintres flamands de genre au
XVIIème siècle, Bruxelles 1936

Marlier G.
L'Atelier du Maître du Fils Prodigue,
Jaarboek van het Koninklijk Museum voor
Schone Kunsten Antwerpen, 1961,
S. 75-112

Marlier G.
La Renaissance flamande: Pierre Coeck
d'Alost, Bruxelles 1966

Meulemeester J.L.
Jacob van Oost de Oudere en het
zeventiende eeuwse Brugge, Brugge 1984

Mirimonde A.P. de
La musique et le fantastique chez David
Ryckaert III, Jaarboek van het Koninklijk
Museum voor Schone Kunsten Antwerpen,
1968, S. 177-216

Müller-Hofstede J.
Abraham Janssens. Zur Problematik des
flämischen Carravagismus, Jahrbuch der
Berliner Museen XII, 1971, S. 208-303

Pevsner N.
Some Notes on Abraham Janssens, The
Burlington Magazine LXIX, No. CDII,
September 1936, S. 120-129

Poensgen G.
Das Werk des Jodocus a Winghe,
Pantheon 28/6, 1970, S. 504-515

Renger K.
Lockere Gesellschaft. Zur Ikonographie des
Verlorenen Sohnes und von
Wirtshausszenen in der niederländischen
Malerei, Berlin 1970

Robels H.
Frans Snyders' Entwicklung als
Stillebenmaler, Wallraf-Richartz Jahrbuch
Köln, 31, 1969, S. 43-94

Rosenberg A.
Teniers der Jüngere, Bielefeld-
Leipzig 1895

Silver L.
The Paintings of Quentin Massys,
Oxford 1984

Verzeichnis der Gemälde
Vienne 1973 (= Führer durch das
Kunsthistorische Museum, Nr. 18),
redig. v. K. Demus

Vlieghe H.
Gaspar de Crayer, sa vie et ses œuvres,
Bruxelles 1972

Wied A.
Lucas van Valckenborch, Jahrbuch der
kunsthistorischen Sammlungen in Wien,
67, 1971.

Verzeichnis der Maler